Stefan Zweig

# Die Reise in die Vergangenheit
## und andere Erzählungen

Fischer Taschenbuch Verlag

Veröffentlicht im Fischer Taschenbuch Verlag,
einem Unternehmen der S. Fischer Verlag GmbH,
Frankfurt am Main, Juni 2010

© S. Fischer Verlag GmbH, Frankfurt am Main 2010
Satz: pagina GmbH, Tübingen
Druck und Bindung: CPI – Clausen & Bosse, Leck
Printed in Germany
ISBN 978-3-596-90274-3

Unsere Adressen im Internet:
www.fischerverlage.de
www.fischer-klassik.de

# Inhalt

# Scharlach

In der Josefstadt, hatten ihm die Freunde zu Hause gesagt, solle er sich ein Zimmer nehmen, wenn er nach Wien ginge. Das sei nahe der Universität und alle Studenten wohnten dort gerne, weil es ein stiller, ein wenig altväterischer Bezirk sei und dann, weil es schon durch Tradition ihr Hauptquartier geworden war. So hatte er sich also gleich von der Bahn, wo er das Gepäck vorläufig ließ, durchgefragt, war hingegangen durch die vielen fremden lauten Gassen, vorbei an all den hastigen Menschen, die wie gejagt durch den Regen liefen und ihm nur unwillig Auskunft gaben.

Das Herbstwetter war unerbittlich. Unablässig plätscherte ein spitzer nasser Schauer nieder, schwemmte von den falben Bäumen das letzte zitternde Laub, trommelte von allen Traufen und zerriß den melancholischen Himmel in Millionen grauer Fasern. Der Wind warf manchmal den Regen wie ein flatterndes Tuch vor sich her, schleuderte ihn gegen die Wände, daß es nur so prasselte und zerbrach den Leuten die Schirme. Bald waren auf der Straße nur mehr die holpernden schwarzen Wagen mit den dampfenden Pferden zu sehen und hie und da ein paar fliegende Schatten von Vorüberrennenden.

Der junge Student ging von Haus zu Haus, stieg viele Treppen auf und nieder, froh, für ein paar Augenblicke dem bösartigen Regen zu entkommen. Er sah viele Zimmer, aber keines konnte ihm behagen. Daran war vielleicht der Regen schuld und das kalte graue Licht, das alle Räume bedrückt erscheinen ließ und sie anfüllte mit kränklicher gepreßter Luft. Ein leise beengtes Gefühl wurde in ihm wach, als er das Elend und die Unreinlichkeit mancher Quartiere sah, zu denen er auf krummen feuchten Treppen hinaufkroch, irgendwie eine erste Ahnung der großen Traurigkeiten, die hinter der Stirne dieser kleinen gebückten, abgeschabten Vorstadthäuser sich verbergen. Immer mutloser wurde sein Suchen.

Endlich traf er seine Wahl. Es war in der Josefstadt oben, nicht mehr weit vom Gürtel, in einem recht alten, aber schwerfällig breiten Hause von altbürgerlicher Behaglichkeit, wo er Quartier nahm. Das Zimmer war einfach und eigentlich kleiner, als er gewünscht hatte, aber die Fenster gingen in einen großen Hof hinaus, in einen jener alten Vorstadthöfe, wo ein paar Bäume standen, jetzt rauschend im Regen und leise fröstelnd. Dieses letzte zage Grün, die ganz verlorene Erinnerung an die Gärten seiner Heimat, lockte ihn an und dann, daß im Vorzimmer, als er die Glocke zog, ein Kanarienvogel in seinem Gehäuse zu trillern anfing und nicht müde wurde seiner Koloraturen, solang er das Zimmer besah. Das schien ihm ein gutes Vorzeichen, und auch die Vermieterin gefiel ihm, eine ältere verhärmte Frau, Beamtenswitwe, wie sie erzählte. Sie selbst bewohnte nur ein armseliges Kabinett mit ihrer kleinen Tochter, nebenan hatte noch ein anderer Student sein Zimmer, dessen Anwesenheit schon die Visitkarte an der Eingangstür verriet.

In den paar Stunden, die bis Abend blieben, wollte er noch eilig etwas sehen von der fremden, seit tausend Tagen herbeigesehnten Stadt, aber der kalte, vom Wind aufgepeitschte Regen vertrieb ihm bald das Gelüst. Er trat in ein Kaffeehaus, sah dann lange gedankenlos zu, wie der weiße Ball am Billardbrett dem roten nachlief, hörte das Gespräch von vielen fremden Menschen rings um sich herum und mühte sich, das bittere Gefühl der Enttäuschung niederzuringen, das langsam in seiner Kehle aufquoll und Worte wollte. Noch einmal versuchte er dann über die Straßen zu streifen, aber der Regen war zu hartnäckig. Triefend und durchnäßt ging er in ein Gasthaus, ein Abendbrot rasch und ohne Lust zu nehmen, und dann nach Hause.

Und nun stand er in seinem Zimmer und sah sich darin um. Ein paar Sachen lehnten da beieinander wie vergessen, ohne alle innere Zusammengehörigkeit, ohne Anmut und Lebendigkeit: zwei alte Schränke vornübergebeugt und aufseufzend, wenn man ihnen nahe trat, ein Bett mit verschossener Decke, eine weiße Lampe, die melancholisch im Dunkel des verdüsterten Zimmers pendelte, ein gebrechlicher Alt-Wiener Ofen. Dazwischen ein paar Farbdrucke und Fotografien, bleiche Dinger ohne Beziehungen zueinander, fremde Gesichter, die sich seit Jahren vielleicht hier schon anstarrten, ohne sich zu kennen. Frösteln quoll auf von der unebenen Diele, das eine Fenster schloß schlecht und klapperte unruhig, wenn der Wind den Regen gegen die Scheibe warf.

Ihn fröstelte. Fremd stand er unter diesem Altväterkram. Wer hatte in diesem Bette geschlafen, wer auf diesen Sesseln geruht, wer in diesen Spiegel geblickt, aus dem ihn nun sein eigenes blasses Kindergesicht angstvoll und fast weinerlich ansah? Nichts erinnerte ihn hier an Vergangenes und Erlebtes, fremd war alles und er fühlte die Kühle bis ins Blut.

Sollte er schon zu Bett gehen? Es war neun Uhr. Zum ersten Male schlief er unter fremdem Dach. Zu Hause saßen sie jetzt wohl freundlich bestrahlt vom goldenen Lampenlicht um den runden Tisch, im ruhigen Gespräch. Nun wußte er, würde Edith, seine blonde Schwester, bald aufstehen und hingehen zum Klavier und noch spielen, eine schwermütige Sonate oder irgendeinen lachenden Walzer, ganz wie er sie bat. Aber wo war er heute, der dort sonst am Klavier im Schatten stand und zu den Tönen träumte, bis sie aufstand und ihm herzlich gute Nacht bot?

Nein, er konnte noch nicht schlafen. Er ging hin und nahm aus dem Koffer, den er inzwischen hatte abholen lassen, seine paar Sachen. Alles war sorglich von den Seinen gepackt, und wie er die Ordnung auseinandernahm, mußte er an die Hände denken, die das für ihn in Liebe getan. Zwischen den Büchern fand er, froh erschreckt, eine Überraschung, das Bild seiner Schwester, die es ihm verstohlen hineingelegt, mit einer herzlichen Zeile darauf. Lang sah er es an, dieses helle lächelnde Gesicht, und stellte es dann hin auf den Schreibtisch, damit es freundlich auf ihn hinsehe und ihn tröste, den Heimatlosen. Aber es war ihm, als werde das Lächeln immer trüber auf dem Bilde und als würde sie hier, im Dunkel, traurig mit ihm. Kaum wagte er mehr hinzusehen, so dunkel schien es ihm schon.

Sollte er noch einmal hinaus aus diesem trüben trostlosen Gelaß? Wie er ans Fenster trat, sah er den Regen rastlos rinnen. Auf den trüben Scheiben sammelten sich die Tropfen, blieben stehen, bis sie ein anderer mitnahm, und rannen dann rasch herab, wie Tränen über glatte Kinderwangen. Immer neue kamen und immer wieder rannen sie herab, von allen Seiten, als weinte da draußen eine ganze Welt ihre Traurigkeit in Millionen Tränen aus. Er blieb stehen, vielleicht eine halbe Stunde lang. Dieses leise murmelnde Spiel voll dumpfen Leides, dieses stete Tropfenrinnen, die unverständliche Musik der klagenden Bäume – tief griff das wunderliche Bild der kollernden Tränen in sein Herz. Eine wilde Traurigkeit fiel ihn an, die nach Tränen schrie.

Er wollte sich aufreißen. Aber war das sein erster Abend in Wien? Wie oft schon hatte er ihn vorausgelebt, im Traum, im Gespräch mit der Schwester und den Freunden. Nichts Deutliches hatte er sich dabei gedacht, aber doch etwas Wildes und Helles, ein Hinstürmen durch die funkelnden Straßen, vorwärts, nur vorwärts, als sei morgen all die Pracht nicht mehr da, als wollte schon in der ersten Stunde Unvergeßliches erlebt sein. Im lachenden Gespräch hatte er sich gesehen, singend vor Übermut, den Hut aufwirbelnd und mit klopfendem Herzen. Und nun stand er da, vor einer blinden Scheibe, fröstelnd, allein, und sah zu, wie die Tropfen niederrannen, zwei und jetzt drei und wieder zwei, starrte hin, wie sie sich unsichtbare Gleise schufen, auf denen sie niederrollten, und kniff die Lider ein, daß nicht plötzlich auch seine eigenen Tränen herabliefen und hinfielen auf seine kalten Hände. Hatte er das seit Jahren ersehnt?

Wie langsam doch die Zeit verging. Der Zeiger auf dem Holzgehäuse der alten Uhr kroch ganz unmerklich vorwärts. Und immer drohender fühlte er die Abendangst, dieses unerklärliche kindische Bangen vor der Einsamkeit in diesem fremden Zimmer, die wilde Sehnsucht Heimweh, die er nicht mehr verleugnen konnte. Ganz allein war er in dieser riesigen Stadt, in der Millionen Herzen hämmerten, und keiner sprach zu ihm, als dieser plätschernde höhnische Regen, keiner hörte auf ihn oder sah ihn an, der da mit Schluchzen und Tränen rang, der sich schämte zu sein wie ein Kind und doch sich nicht zu retten wußte vor diesem Bangen, das hinter dem Dunkel stand und ihn mit stählernen Augen unerbittlich anstarrte. Nie hatte er sich so nach einem Wort gesehnt wie jetzt.

Da knarrte nebenan eine Tür und fiel sausend ins Schloß. Der Hingekauerte sprang auf und horchte. Eine rauhe und doch geübte Stimme summte nebenan eine abgerissene Strophe aus einem Burschenlied, dann surrte das angeflitzte Zündholz und er hörte das Hantieren mit der offenbar jetzt entzündeten Lampe. Das konnte nur sein Nachbar sein, ein Jurist, wie ihm die Vermieterin erzählt hatte, der vor den letzten Prüfungen stand. Er atmete tief auf, denn er fühlte sein Verlassensein für einen Augenblick beruhigt. Von drinnen knarrten die schweren strammen Tritte des Auf- und Abgehenden auf der Diele, das Lied klang immer deutlicher, und plötzlich schämte sich der Lauschende, so zitternd und hinhorchend dazustehen, und er schlich geräuschlos zum Tisch zurück, wie in Angst, als könnte ihm der nebenan durch die Wand zusehen.

Jetzt schwieg drin die Stimme und auch das Auf- und Niedergehen verstummte. Offenbar hatte sich sein Nachbar gesetzt. Nun fingen die surrenden Tropfen wieder an auf ihn einzusprechen, und die Einsamkeit mit all ihrer Angst lugte wieder aus dem Dunkel hervor.

Ihm war, als müßte er ersticken in dieser Enge. Nein, er konnte jetzt nicht allein bleiben. Er richtete sich auf, wartete, bis die Wangen nicht mehr gerötet waren vom Daliegen, probierte mit einem Räuspern die Stimme, dann schlich er hinaus und zur Tür des Nachbars hin. Zweimal hielt er an, doch dann klopfte endlich sein Finger zaghaft an die fremde Tür.

Ein offenbar erstauntes Schweigen folgte. Dann klang ein helles »Herein«.

Er klinkte die Tür auf. Blauer Rauch quoll ihm entgegen. Das enge Zimmer war ganz vollgedampft, und alle Gegenstände verschwammen zuerst in dem dicken, von der Zugluft aufschwankenden Nebel. Sein Nachbar stand hochaufgerichtet und sah erstaunt auf den Eintretenden. Er hatte Weste und Gilet bereits abgelegt, das halboffene Hemd zeigte ungeniert eine breite, behaarte Brust, die Schuhe lagen rechts und links am Boden hingehaut. Er war eine kräftige, bäuerisch derbe Gestalt, einem Arbeiter mehr ähnlich als einem Studenten, wie er da stand, die kurze Shagpfeife im Mund, deren Rauch er jetzt mit einem starken Stoß bis zur Tür hinblies.

Der Eintretende stammelte ein paar Worte. »Ich bin heute hier eingezogen und wollte mich Ihnen als Nachbar vorstellen.«

Sein Gegenüber schnellte mechanisch die Beine zusammen. »Sehr erfreut. Jurist Schramek.«

Nun nannte auch der Besuchende, hastig, um das Versäumnis zu reparieren, seinen Namen »Bertold Berger«.

Schramek überflog ihn mit einem Blick. »Sie sind im ersten Semester?«

Berger bejahte und fügte gleich bei, es sei auch sein erster Tag in Wien.

»Sie studieren natürlich Jus. Alle Leute studieren nur mehr Jus.«

»Nein, ich will mich an der medizinischen Fakultät inskribieren lassen.«

»So, bravo, endlich einmal einer … Aber bitte, nehmen Sie doch ein bißchen Platz!«

Die Aufforderung war herzlich.

»Sie nehmen doch eine Zigarette, Herr Collega.«

»Ich danke, ich rauche nicht.«

»Na … das wird schon werden. Die Nichtraucher sind im Aussterben begriffen. Also einen Kognak. Einen guten.«

»Danke … danke sehr.«

Schramek zog lachend die Schultern hoch: »Sie, lieber Kollege, seien Sie nicht böse, aber ich glaube, Sie sind, was man so sagt, ein Fadian. Kein Kognak, nicht rauchen, das ist sehr verdächtig.«

Berger wurde rot. Er schämte sich, so ungeschickt gewesen zu sein und seine Unbehülflichkeit gleich verraten zu haben, aber er spürte, daß eine verspätete Zusage noch lächerlicher sein müsse. Um etwas zu reden, entschuldigte er nochmals den nächtlichen Besuch. Aber Schramek ließ ihn nicht zu Ende reden, sondern hielt ihn mit ein paar Fragen fest. Sie waren beinahe Landsleute, aus Deutschböhmen der eine, aus Mähren der andere, bald fanden sie auch einen gemeinsamen Bekannten in ihrer Erinnerung. Ihr Gespräch ward bald lebendig. Schramek erzählte von seinen Prüfungen und seiner Verbindung, von all den hundert dummen Dingen, die solchen studentischen Naturen der Sinn dieser paar Jahre zu sein scheinen. Es war eine sehr lebendige Herzlichkeit in seinem Erzählen, eine etwas laute Heiterkeit und eine wohlbewußte, fast eitle Routine. Er freute sich sichtlich, einem Neuling, einem Provinzler zu imponieren. Und das gelang ihm mehr als er wußte. Berger horchte auf alle diese Dinge mit einer unbeschreiblich sehnsüchtigen Neugier, weil sie ihm das neue Leben zu verkünden schienen, das hier in Wien auf ihn wartete, ihm gefiel das forsche Reden, die Art, wie der Schramek beim Rauchen den Dampf in breiten blauen Kegeln von sich stieß. Auf jede Kleinigkeit achtete er, denn es war der erste echte Student, der ihm begegnete, und wahllos nahm er ihn als den vollkommensten.

Er hätte ihm gerne auch etwas erzählt, aber all das von Hause kam ihm gegen diese neuen Dinge plötzlich so unwichtig vor, so unscheinbar und platt all die Scherze vom Gymnasium, die Erlebnisse der Provinz, all seine eigenen Gedanken und Worte bisher schienen ihm plötzlich in die Kindheit hineinzugehören, und hier war erst der Beginn aller Mannhaftigkeit. Schramek merkte sein Schweigen gar nicht und freute sich sehr an dem scheu bewundernden Blick des Novizen. Berger fuhr auf sein

Verlangen mit vorsichtiger Hand die drei Schmisse nach, die eine scharfe rote Spur über Schrameks kurzgeschorenen Schädel zogen, und staunte bei der Erzählung von der Kontrahage und Mensur. Ihm ward ängstlich und doch warm bei dem Gedanken, nun bald auch so Aug in Aug einem Gegner gegenüberzustehen, und er bat den Schramek, ihn für einen Augenblick einen der Säbel nehmen zu lassen, die in der Ecke des Zimmers lagen. Das war dann freilich ein schmerzliches Gefühl, wie er ihn nur mit Mühe aufheben konnte: er merkte erst wieder, wie schwach und kindhaft mager noch seine Arme waren, und fühlte den Unterschied zwischen sich und diesem stämmigen robusten Burschen mit einem plötzlichen Neid. Wie etwas ganz Unerhörtes schien es ihm, daß man mit so einem Säbel leicht durch die Luft wirbeln könne, die Klinge pfeifen lassen, mit aller Kraft die Parade durchschlagen und in ein fremdes Gesicht hineinfetzen. Alle diese alltäglichen Dinge schienen ihm sehr gewaltig und bewundernswert wie große erstrebenswerte Taten, und die scheue Bewunderung, mit der er davon sprach, machte den Schramek nur immer noch redseliger und vertrauter. Er sprach zu ihm wie zu einem Freunde und rollte das grellfarbige Bild seines ganzen Lebens auf, das nie über das studentische Ideal hinausreichte und auf das Berger wie verzückt hinstarrte. Hier hatte er den Herold seines neuen Lebens gefunden.

Um Mitternacht sagten sie sich endlich »Auf Wiedersehen«. Schramek schüttelte Berger herzlich die Hand, schlug ihm auf die Schulter und versicherte mit jenem spontanen Freundschaftsgefühl, wie man es nur in diesen Jahren kennt, er sei »ein lieber Kerl«, was den jungen ganz hingerissenen Menschen unendlich beglückte.

Ganz trunken von all diesen Eindrücken kam er in sein Zimmer, das ihm plötzlich nicht mehr so einsam und trübe schien, wenn auch der Regen noch immer am Fenster plätscherte und Kühle aus allen Fugen quoll. Sein Herz war voll von diesen fremden funkelnden Dingen, und er empfand es als unsagbares Glück, gleich am ersten Tage einen Freund gefunden zu haben.

Allerdings: eine leise Wehmut mischte sich bald ein, er fühlte, wie schwach, wie kindisch, wie schuljungenhaft er neben diesem Menschen war, der mit beiden Füßen fest im Leben stand. Er war immer der schwächste, verzärteltste, kränklichste seiner Kameraden gewesen, immer zurückgeblieben in Spiel und Übermut, aber heute erst empfand er es schmerzlich. Würde er je werden können wie dieser Schramek: so fest, so stark, so frei? Eine wilde Sehnsucht kam ihn an, so flink und forsch reden zu können, Muskeln zu haben, das Leben fest anpacken zu können und nicht irgendwie mit ihm zu paktieren. Würde er je so werden können? Mißtrauisch sah er im Spiegel auf sein schüchternes, schmales und bartloses Kindergesicht und es fiel ihm wieder ein, daß er den Säbel kaum hatte heben können mit diesem zarten Arm, an dem kein Muskel aufsprang. Es fiel ihm ein, daß er vor zwei Stunden fast geweint hatte wie ein Kind, nur weil es dunkel und kalt und er niemanden um sich hatte. Eine Angst beugte sich leise über ihn: Wie würde es mit ihm, dem Schwachen, dem Kindischen werden in dieser fremden Stadt, in diesem neuen Leben, wo man die Kraft brauchte, Mut und Übermut? Nein – er raffte sich mit Gewalt auf – er wollte kämpfen, bis er vollwertig sei, so werden wie sein Freund, stark und gewaltig, alles wollte er ihm ablernen, den schlenkernden Gang, die helle forsche Art des Redens, seine Muskeln wollte er stärken, ein Mann werden wie er. Wehmut und Freude, Hoffnung und Verzagen rannen ineinander, immer mehr verwirrte sich seine Träumerei. Erst als die Lampe qualmte, sah er, daß es spät geworden sei, und ging eiligst zu Bett. Draußen trommelte noch immer der unerbittliche Septemberregen.

Das war Bertold Bergers erster Tag in Wien.


Und so blieb es auch in nächster Zeit: Wehmut und Freude, Hoffnung und Enttäuschung unablässig mitsammen vermengt, ein unklares Gefühl, aber immer nur Fremdsein und kein Sichgewöhnen. Das Große, Unerwartete, Neue, das er von seiner Unabhängigkeit, von der Studentenzeit, von Wien erwartet hatte, wollte sich nicht einstellen. Es gab ja einzelne schöne Dinge: Schönbrunn im milden Septemberglanz, die goldenen Alleen, die langsam zur Gloriette hinaufstiegen, und von dort oben dieser schwungvoll ausgreifende Blick über den edlen Garten und das kaiserliche Schloß. Oder die Theater mit ihrem Spiel und dem faszinierenden Beisammensein so vieler schöner Menschen, der Anblick der Eleganz bei den Veranstaltungen und Festen, die Straße manchmal, die so viele schöne und seltsame Gesichter an einem vorbeitrug und die funkelte von tausend Versprechungen und Lockungen. Aber immer war es ein Anblick nur und nie ein Eindringen, immer nur wie das gierige Lesen in einem aufgeschlagenen Buch, nie die Unmittelbarkeit eines Gespräches, eines Erlebnisses.

Einen einzigen Versuch des Eindringens in diese neue Welt machte er gleich in den ersten Tagen. Er hatte Verwandte in Wien, vornehme Leute, die er besuchte und die ihn dann zu Tisch baten. Sie waren sehr liebenswürdig zu ihm, auch seine ungefähr gleichaltrigen Vettern, aber er fühlte doch zu sehr, daß man sich mit der Einladung nur einer Pflicht entledigte, fühlte auf seinem Anzug ihre Blicke mit einem unterdrückt-mitleidigen Lächeln, schämte sich seiner Provinzeleganz, seiner Schüchternheit, die kläglich sein mußte im Vergleich zu dem selbstsicheren Wesen seiner Vettern, und war froh, wie er sich empfehlen konnte. Und er ging nie mehr hin.

So drängte ihn alles in die Freundschaft jenes ersten Abends zurück, der er sich mit aller Leidenschaftlichkeit eines halben Kindes hingab. Er vertraute sich ganz diesem starken gesunden Menschen, der willig seine überschwängliche Liebe hinnahm und sie nur mit jener stets bereiten Herzlichkeit innerlich gleichgültiger Menschen erwiderte. Nach ein paar Tagen schon trug Schramek dem vor Freude errötenden Berger das »Du« an, das dieser noch nach längerer Zeit nur ungeschickt und zaghaft handhabe, so ungemein war der Respekt vor der Überlegenheit seines Freundes. Oft sah er ihn, wenn sie zusammen gingen, von der Seite verstohlen an, um diese weitausgreifende sichere Art des Gehens zu lernen und dann die ungezwungene Weise, wie er jedem hübschen Mädel den Kopf unter die Nase schob; selbst die Unarten gefielen ihm, dieses Fechtwirbeln mit dem Stock auf der Straße, der stete Knastergeruch in den Kleidern, das laute herausfordernde Reden in den Lokalen und die oft stupiden Ulke. Stundenlang konnte er Schramek zuhören, wenn er die belanglosesten Geschichten von Mädeln, Kontrahagen und Partien erzählte, unwillkürlich wurden ihm selbst alle diese Dinge wichtig, die ihn gar nicht berührten, er regte sich daran auf, sie schienen ihm das wirkliche, das eigentliche Leben zu sein, und er brannte vor Begier, auch so etwas zu erleben. Im geheimen hoffte er, Schramek werde ihn einmal in ein solches Abenteuer hineinschieben, aber der hatte eine seltsame Art, ihn bei wichtigen Angelegenheiten auszuschalten. Offenbar empfand er das kindische und bartlose Gesicht als zu wenig repräsentabel, denn er nahm ihn selten mit, wenn er in Couleur ging und sie trafen sich meist nur im Café oder in der Wohnung. Und immer mußte die Initiative von Berger ausgehen.

Das hatte der bald bemerkt und es hing an ihm als geheimer Kummer. In seiner Freundschaft war wie in jeder Freundschaft ganz junger Leute etwas von Liebe: die ungestüme Leidenschaftlichkeit und dann eine leise Eifersucht. Eine Erbitterung, der er freilich nicht Ausdruck zu geben wagte, bemächtigte sich seiner, wenn er merkte, daß Schramek zu ganz einfältigen, gleichgültigen Menschen, die er eben kennengelernt hatte, ebenso herzlich war wie zu ihm selbst und oft noch burschikoser. Und dann fühlte er, daß er ihm in den paar Wochen, die er ihn nun schon kannte, um keinen Schritt nähergekommen war als am ersten Abend, so sehr er sich auch ihm hingab. Er ärgerte sich, daß Schramek für alle seine Angelegenheiten nichts von dem Interesse zeigte, das er ihm doch für die seinen so überströmend entgegenbrachte, daß er ihm nie mehr gab, nie weniger als eine herzliche Begrüßung und dann gleich von seinen eigenen Dingen erzählte, kaum hinhörend, wenn Berger etwas von den seinen sprach.

Und dann, das Bitterste: aus jedem Worte fühlte Berger, daß ihn Schramek nicht für voll nahm. Schon wie er ihn nannte! Statt des anfänglichen Bertold sagte er nun immer »Bubi« zu ihm. Das klang lieb und herzlich, tat aber immer wieder weh. Denn es traf ihn gerade an der Stelle, die schon seit Jahren unvernarbt in ihm blutete: daß er immer für ein Kind gehalten wurde. Jahrelang brannte es in ihm, in der Schule war er wie ein Mädel gewesen, so verzärtelt schien er allen und so schüchtern war er auch, und jetzt, da er ein Mann sein sollte, sah er aus wie ein Bub und hatte alle seine Zaghaftigkeiten und nervösen Empfindlichkeiten. Nie wollten es die Leute glauben, daß er schon Student sei. Freilich, er war nicht ganz achtzehn Jahre alt, aber er mußte noch viel jünger aussehen, um so kindisch zu wirken. Immer mehr befestigte sich in ihm der Verdacht, daß sich Schramek nur um dieser Äußerlichkeit vor den Kameraden mit ihm genierte.

Eines Abends hatte er volle Gewißheit darüber. Er war lange in der Stadt herumgestreift und hatte wieder schmerzlich das absolute Alleinsein in den wogenden Straßen empfunden. So ging er noch zu Schramek hinein auf einen Plausch. Der begrüßte ihn herzlich vom Sofa her, ohne aufzustehen.

Auf dem Tisch lag die Couleurkappe, brennrot und stach Berger ins Auge. Das war sein liebster, sein geheimster Wunsch, von Schramek in seine Verbindung eingeführt zu werden, dort hätte er ja alles, was er so schmerzlich entbehrte, vertrauten Umgang, ein Heim, dort könnte er so werden, wie er sein wollte, stark, männlich, ein ganzer Kerl. Seit Wochen wartete er auf einen Vorschlag Schrameks, oft schon hatte er ganz heimlich vorsichtige aber offenbar überhörte Anspielungen gemacht. Und jetzt brannte ihm diese Kappe ins Auge; wie eine lebende Flamme schien sie ihm auf dem Tisch zu zucken, sie flimmerte und glühte, sie faszinierte sein ganzes Denken. Er mußte davon reden.

»Gehst du morgen zur Kneipe?«

»Natürlich«, sagte Schramek, sofort animiert. »Es wird riesig lustig werden. Drei neue Füchse werden aufgenommen, wirklich ganz famose stramme Kerle. Da muß ich doch dabei sein als Zweitchargierter. Es wird riesig fein werden. Weck mich nur nicht am Donnerstag vor zwei Uhr auf, wir kommen sicher erst in der Früh heim.«

»Ja, das stell' ich mir riesig lustig vor«, sagte Berger. Er wartete. Schramek sagte nichts. Wozu noch weiter reden? Aber am Tische lockte die Kappe, brennrot, feurig rot … wie Blut leuchtete sie.

»Du … sag, könntest du mich nicht einmal dort einführen … mitnehmen natürlich nur … weißt du, ich möchte das einmal gern sehen.«

»Aber ja, komm nur einmal. Morgen geht's freilich nicht. Aber einmal schau dir's an, als Gast natürlich. Es wird dir zwar nicht gefallen, Bubi, denn da geht's oft wüst zu, aber wenn du willst …«

Berger fühlte etwas in der Kehle aufsteigen. Diese Kappe, dieser rote lockende Traum, wie im Nebel sah er sie plötzlich nur. Waren das Tränen? Wild und schluckend fuhr es heraus:

»Warum soll's mir nicht gefallen? Wofür hältst du mich denn? Bin ich ein Kind?«

Etwas mußte in der Stimme, im Ton gewesen sein, denn Schramek sprang auf. Er kam, jetzt wirklich recht herzlich, zu Berger heran und schlug ihm auf die Schulter.

»Nein, Bubi, du darfst nicht bös sein, so hab ich's nicht gemeint. Aber wie ich dich kenne, glaub' ich, taugst du zu so was nicht recht. Du bist zu fein, zu brav, zu anständig zu so was. Da muß man rabiat sein, ein Kerl, vor dem die anderen Respekt haben, und wenn's nur vor dem Trinken ist. Kannst du dich bei einer Sauferei vorstellen oder bei einer Schlägerei, wie sie ja jetzt jeden Augenblick in der Aula sind? Nein, nicht wahr? Es ist ja kein Unglück, aber da paßt du halt nicht hinein.«

Nein, er paßte nicht; da, fühlte er, hatte der Schramek recht. Aber wozu paßte er? Wozu brauchte ihn das Leben? Er wußte nicht, sollte er dem Schramek böse oder dankbar sein für die freie Aussprache. Der hatte freilich nach einer Minute wieder daran vergessen und plauschte weiter, aber in dem anderen fraß sich der Gedanke, daß all die ihn für minderwertig nahmen, immer tiefer ein. Die rote Kappe dort am Tisch starrte ihn an wie ein böser Blick. Er blieb nicht mehr lang diesen Abend und ging in sein Zimmer, dort blieb er sitzen, bis spät nach Mitternacht, die Hände auf den Tisch gestützt, reglos in die Lampe starrend.

Am nächsten Tag beging Bertold Berger eine Dummheit. Er hatte die ganze Nacht nicht geschlafen, so sehr bohrte in ihm der Gedanke, daß ihn Schramek für minderwertig, für feig, für ein Kind hielt. Und da hatte er beschlossen, ihnen zu beweisen, daß es ihm an Mut nicht fehle. Er wollte Händel suchen, ein Duell, um ihm zu zeigen, daß er nicht furchtsam sei.

Das gelang ihm nicht. Im Umgang mit Schramek hatte er aus den Gesprächen gelernt, wie solche Dinge zu beginnen waren. In dem kleinen niederen Zimmer des Vorstadtrestaurants, wo er speiste, saßen gegenüber täglich ein paar Couleurstudenten. Es war nicht schwer, mit ihnen anzubandeln, denn sie sprachen nie von anderen Dingen, ihr ganzes Denken drehte sich um diese sogenannten Ehrverletzungen.

Wie er vorbeiging an ihrem Tisch, streifte er mit Absicht an und warf einen Sessel um. Er ging ruhig weiter, ohne sich zu entschuldigen. Das Herz schlug ihm in der Brust.

Da klang schon hinter ihm, drohend und scharf, eine Stimme. »Können Sie nicht achtgeben?«

»Hofmeistern Sie jemand anderen!«

»So eine Frechheit!«

Da bog er um und verlangte die Karte, gab die seine. Er freute sich, daß seine Hand nicht zitterte dabei. In einer Sekunde war das Ganze geschehen. Wie er stolz hinausging, hörte er die noch lachen am Tisch und den einen heiter sagen: »So ein Krispinderl!« Das verdarb ihm den Stolz.

Und dann stürmte er nach Hause. Mit glühenden Wangen, stammelnd vor Freude, überfiel er Schramek, der gerade aufgestanden war, in seinem Zimmer, erzählte ihm alles, die letzte Bemerkung freilich verschweigend und auch, daß er den Sessel mit Absicht umgeworfen habe. Selbstverständlich müsse Schramek sein Sekundant sein.

Er hatte gehofft, Schramek werde ihm auf die Schulter klopfen und beglückwünschen, was er für ein strammer Kerl sei. Aber der sah sich nachdenklich die Visitenkarte an, pfiff durch die Zähne und sagte ärgerlich: »Daß du dir aber gerade den ausgesucht hast! Das ist ein baumstarker Kerl, einer unserer besten Fechter. Der haut dich zusamm' wie nichts.«

Berger erschrak nicht. Daß er abgeführt werde, war für ihn selbstverständlich, da er noch nie einen Säbel in der Hand gehabt hatte. Er freute sich beinahe auf einen schweren Schmiß im Gesicht: da konnten die anderen ihn nicht mehr fragen, ob er Student sei. Aber was ihn unangenehm berührte, war das Benehmen Schrameks, der, die Karte in der Hand, immer wieder auf und ab ging und murmelte: »Das wird nicht leicht sein. Frechheit hat er gesagt, nicht wahr?«

Schließlich zog sich Schramek ganz an und sagte zu Berger: »Ich geh' gleich zu unserer Verbindung hin und such' dir den zweiten Vertreter. Sei unbesorgt, ich werde die Sache schon richten.«

Berger war wirklich unbesorgt. Er empfand eine wilde und fast überschwengliche Freude, jetzt zum erstenmal offiziell als Student, als Mann behandelt zu sein, auch seine Affäre zu haben. Er spürte plötzlich beinahe Kraft in den Gelenken, und wie er nun den Säbel aufnahm und damit wirbelte, schien es ihm fast eine Lust, fest dreinzuhauen. Den ganzen Nachmittag träumte er, heftig auf und ab gehend, von dem Duell, und die Gewißheit, daß er unterliegen werde, tat ihm gar nicht weh. Im Gegenteil, gerade da konnte er dem Schramek und den anderen zeigen, daß er nicht furchtsam sei, er wollte stehen bleiben, wenn ihm auch das Blut über das Gesicht und die Augen liefe, wollte stehen bleiben, ob sie ihn auch wegzerren wollten. Dann würden sie ihm schon selbst die rote Kappe anbieten.

Sein Blut war ganz warm geworden. Als Schramek um sieben Uhr abends kam, sprang er ihm ganz aufgeregt entgegen! Auch Schramek war sehr heiter.

»Na also, Bubi. Alles ist gut, die Sache ist in Ordnung.«

»Wann steigen wir?«

»Aber Bubi, wir werden dich doch nicht mit dem steigen lassen. Die Sache ist natürlich beigelegt.«

Berger wurde totenblaß, seine Hände zitterten, ein Zorn brach in ihm auf und drängte in den Augen nach Tränen. Er hätte dem Schramek ins Gesicht schlagen können, wie der ihm jetzt sagte: »Leicht war's freilich nicht, und nächstens sei vorsichtiger! Das geht nicht immer so gut aus!«

Berger rang vergeblich nach einem Wort. Aber die Enttäuschung war zu furchtbar. Endlich sagte er, am Weinen würgend: »Ich dank' dir jedenfalls schön. Aber einen Gefallen hast du mir damit nicht getan.« Und ging hinaus. Schramek sah ihm verblüfft nach. Er schob dieses sonderbare Benehmen auf die Aufregung des Neulings und spekulierte nicht weiter darüber.

Berger begann sich umzusehen. Sein Leben wollte endlich Grund ertasten. Nun war er schon Wochen da und stand nicht weiter als am ersten Tag. Wie zerflatternde Wolken flog langsam Bild um Bild in die Ferne, die phantasievollen Versprechungen seiner Kindheit wurden blaß und zerrannen im Nebel. War das wirklich Wien, die große Stadt, der Traum der vielen Jahre, herbeigesehnt vielleicht schon seit dem Tag, da er zum erstenmal mit steifen, ungelenken Lettern das Wort Wien auf das Papier hinmalte? Damals hatte er vielleicht nur an viele Häuser gedacht und daß die Karussells größer sein müßten und bunter als das auf ihrem Marktplatz, wenn Kirchmeß war. Und dann hatte er langsam die Farben von den vielen Büchern geborgt, hatte die lockenden begehrenswerten Frauen auf den Straßen kokett hingehen lassen, die Häuser bevölkert mit verwegenen Abenteurern, die Nächte erfüllt mit wilder Kameraderie und all das getaucht in den brausenden Wirbel, der Jugend und Leben hieß.

Und was war nun? Ein Zimmer, eng und kahl, dem er morgens entlief, um ein paar Stunden in schwitzigen Studierstuben zu verbringen; ein Gasthaus, wo er rasch das Essen hinabwürgte; ein Kaffeehaus, wo er die Zeit mit dem Hinstarren auf Zeitungen und Menschen totschlug; ein zielloses Hinwandern auf den lauten Straßen, bis er müde war und wieder heimkam in das enge kahle Zimmer. Ein-, zweimal ging er auch ins Theater, aber es war immer für ihn ein bitteres Erlebnis. Denn wenn er da oben stand auf der Galerie, zwischen vielen Menschen gedrängt, die nichts wußten von ihm, sah er unten im Parterre, in den Logen die Herren, elegant und geschmeidig, die Damen verlockend in Schmuck und Entblößung, sah, wie sie sich alle begrüßten, lachend und übermütig begegneten. Alle kannten sich, alle gehörten zueinander. Die Bücher hatten nicht gelogen. Hier war die Wirklichkeit aller jener Abenteuer, an denen er oft zweifelte, weil sie ihn nicht erreichten, da war die Welt, die sonst in den stummen Häusern sich verkroch, da war Erlebnis, Abenteuer, Schicksal. Auf vielen Schächten, fühlte er, ging es da in das Gold des Lebens hinab. Aber er stand da, sah zu und konnte nicht hinein. Wirklich, seine Kindheit hatte recht gesehen: hier war das bunte, flirrende Karussell größer als zu Hause, lauter und rauschender seine Musik, wilder, atemraubender der Schwung. Aber er stand nur dabei und fuhr nicht mit.

Das war nicht seine Schüchternheit allein, die ihn abseits hielt. Auch die Armut band ihm die Hände. Daß er von Hause genug bekam, war ihm zu wenig. Es hielt ihn gerade noch über der Klippe der Entbehrung aufrecht, war nur genug für dieses stille, einfache alltägliche Leben, nie hätte es gereicht für einen verschwenderischen Überschwang, der doch der Sinn der Jugend ist. Er hätte Geld nicht zu verwenden gewußt, aber das Bewußtsein machte ihn beschämt, daß ihm all das versagt sei, was er dumpf als sehr schön und berauschend fühlte: in einem Fiaker wild durch den Prater zu sausen oder eine Nacht irgendwo in einem eleganten Lokal mit Frauen und Freunden bei

Champagner zu verleben, einmal Geld, ohne zu zählen, hinzuwerfen für eine tolle Laune. Ihn ekelte vor diesen wüsten Studentendrahrereien in rauchigen Bierlokalen, und immer wilder wuchs die brennende Sehnsucht, sich nur einmal in irgendeinem Überschwang aus dem öden Trott der Tage zu retten in ein lebendigeres Gefühl, in dem etwas mitschwang vom großen Takt des Lebens, vom unbändigen Rhythmus der Jugend. Aber all das war ihm versagt, und aller Tage Ende war diese öde Heimkehr am Abend in das enge verhaßte Zimmer, wo die Schatten breit lagen, wie von bösen Händen hingestreut, der Spiegel wie erfroren glänzte, wo er am Abend das Erwachen in den Morgen fürchtete und am Morgen den langen, schläfrigen, öden, eintönigen Tag bis zum Abend hin.

In dieser Zeit begann er sich ungemein eifrig, mit einer gewissen Verzweiflung dem Studium hinzugeben. Er war der erste in den Hörsälen und Laboratorien, der kam, und der letzte, der ging, er arbeitete mit einer stumpfen Gier, ohne sich um die Kameraden zu kümmern, bei denen er bald unbeliebt wurde. Er suchte in dieser wilden Arbeit seine Sehnsucht nach anderen Dingen niederzuringen, und es gelang ihm auch. Abends war er so abgearbeitet, daß er oft kaum mehr Bedürfnis hatte, mit Schramek zu sprechen. Ganz blind arbeitete er vorwärts, ohne jeden Ehrgeiz, nur um sich zu betäuben und nicht an die vielen Dinge zu denken, auf die er verzichten mußte. Er begriff, daß ein wunderbares Geheimnis in diesem Fieber war, mit dem sich viele Leute über die Nutzlosigkeit und Leere ihres ganzen Lebens hinwegtäuschten, und hoffte, so auch seinem Leben einen Sinn aufzwingen zu können, freilich vergessend, daß die erste Jugend nicht einen Sinn des Lebens will, sondern das ganze vielfältige Leben selbst.

Eines Nachmittags, als er etwas früher als sonst von der Arbeit nach Hause kam, fiel ihm beim Vorübergehen an der Türe seines Freundes ein, daß er ihn jetzt vier Tage nicht gesehen hatte. Er klopfte an. Niemand antwortete ihm. Aber er war das gewöhnt bei Schramek, der oft am Abend noch schlief, wenn er die Nacht mit seinen Freunden verbummelt hatte.

Wie er jetzt die Tür aufmachte, schien ihm das dunkle Zimmer leer. Aber da regte sich plötzlich etwas beim Fauteuil am Fenster, ein großes lachendes Mädel sprang auf, das auf Schrameks Schoß gesessen hatte.

Berger wollte sofort hinaus. Sie hatten offenbar sein Klopfen überhört, und er war sehr geniert. Aber Schramek sprang auf, faßte den Widerstrebenden am Arm und zog ihn heran. »Siehst du, so ist er. Hat Angst vor einem Mädel wie vor einer Spinne. Ah nein, durchbrennen gibt's nicht. So Karla, siehst du, das ist der Bubi, von dem ich dir schon erzählt hab'.«

»Ich seh' gar nix«, lachte eine helle, etwas laute Stimme. Wirklich, es war zu dunkel. Berger sah nur undeutlich die weißen Zähne durch die Dämmerung schimmern und ein paar lachende Augen.

»Also: es werde Licht«, sagte der Schramek und machte sich an der Lampe zu schaffen. Berger fühlte sich sehr ungemütlich, fühlte sein Herz unruhig pochen, aber da gab es kein Durchbrennen mehr.

Er hatte von dieser Karla schon gehört. Sie war Schrameks Geliebte seit ein paar Wochen, irgendein Mädel aus einem Geschäft, ein lustiges Ding. Oft hatte er von seinem Zimmer aus die beiden lachen und flüstern gehört, aber er hatte es doch, furchtsam wie er war, einzurichten gewußt, daß er ihr nie begegnete.

Das Licht flammte auf. Jetzt sah er sie dastehen, hoch und hübsch, ein breites, starkes, gesundes Mädel mit vollen Formen, brennrotem Haar und großen lachenden Augen. Ein derbes Ding war sie, ein bißchen dienstmädelhaft und auch schlampig in ihrer Kleidung und Frisur; oder hatte die gerade der Schramek in Unordnung gebracht? Es sah fast so aus. Aber hübsch war ihre unbefangene übermütige Art, wie sie jetzt auf ihn zukam, ihm die Hand reichte und ihm »Servus!« sagte.

»No, wie g'fällt er dir?« fragte der Schramek. Es bereitete ihm einen Riesenspaß, den Berger verlegen zu machen.

»Hübscher ist er schon wie du«, lachte die Karla. »Ist nur halt gar so viel schad, daß er ein Stummerl ist.«

Berger wurde rot und wollte etwas herausbringen, da lachte die Karla und sprang hin zu Schramek. »Du, der wird ja rot, wenn man zu ihm reden tut.«

»Laß ihn in Ruh'«, sagte der Schramek. »Der kann die Mädeln nicht leiden. Er ist halt so schüchtern, aber du wirst ihn schon aufmischen.«

»Natürlich, das wär nicht schlecht. Kommen's nur her, ich beiß Ihna ja net.«

Sie nahm ihn resolut beim Arm, um ihn zum Sitzen zu nötigen.

»Aber Fräulein …«, stammelte der hilflose Berger.

»Hast g'hört? Fräulein hat er g'sagt, Fräulein. Sie, lieber Herr Bubi, mir sagt man net Fräulein, mir sagt man ›Karla‹, ein für allemal.«

Sie lachten beide unbändig, Schramek und die Karla. Hilflos mußte er aussehen, das fühlte der Berger und um nicht so kläglich zu erscheinen, lachte er mit.

»Weißt was«, sagte der Schramek. »Wir lassen einen Wein holen. Vielleicht ist er dann nicht mehr so schüchtern. Also Bubi, vorwärts, spendier eine Flaschen oder lieber zwei. Willst du?«

»Natürlich«, sagte Berger. Er fühlte sich nach und nach sicherer werden, sie hatten ihn nur so überrumpelt, anfangs. Er ging hinaus, rief die Hausfrau und die holte Wein, brachte Gläser, und jetzt saßen sie alle drei um den Tisch, plauschten und lachten. Die Karla hatte sich neben Berger gesetzt und trank ihm zu. Er war sichtlich mutiger geworden. Manchmal traute er sich schon, wenn sie zu Schramek hinübersprach, sie voll anzuschauen. Sie gefiel ihm jetzt besser. Das feuergoldene Haar über dem ganz weißen Nacken gab einen lockenden Kontrast. Und dann fesselte ihn die ungezwungene Lebendigkeit, die wilde, starke, temperamentvolle Kraft, und er mußte immer auf ihren roten sinnlichen Mund schauen, der beim Lachen aufsprang und die starken schneeweißen Zähne zeigte.

Einmal erwischte sie ihn, plötzlich mit einer Frage sich zu ihm hinwendend, wie er sie anstarrte. »G'fall ich dir?« lachte sie in ihrem Übermut. »Du g'fallst mir auch!« Ganz arglos sagte sie es, ohne Schmeichelei, aber es gefiel ihm irgendwie, es berauschte ihn fast für eine Sekunde.

Immer lebendiger wurde er. Und allmählich sprang wie eine heiße Quelle all der verschüttete Übermut seiner Gymnasiastenjahre in ihm auf, er begann zu erzählen, Possen zu treiben, vom Wein befeuert, funkelte sein ganzes Reden von einer wilden Jugendlichkeit, die er selbst an sich nie gekannt hatte. Auch Schramek staunte. »Aber, Bubi, was ist denn aus dir geworden? Siehst du, so solltest du immer sein, nicht so ein Fadian!« »Ja«, lachte die Karla, »hab' ich dir net gleich gesagt, ich werd' ihm die Würmer aus der Nase ziehn.«

Noch einmal mußte die Hausfrau um Wein gehen. Immer lauter wurde die Fröhlichkeit der drei. Berger, der sonst fast nie trank, fühlte sich wunderbar gehoben von dieser ungewohnten Festlichkeit, er lachte und scherzte durcheinander und verlor alle Scheu. Bei der dritten Flasche fing die Karla zu singen an, und dann bot sie Berger das »Du« an.

»Nicht wahr, Schram, du erlaubst es? Er ist gar so ein lieber Kerl.«

»Aber natürlich. Vorwärts! Den Bruderkuß.«

Und ehe der Berger viel überlegen konnte, spürte er ein Paar feuchte Lippen auf seinem Mund. Es tat nicht weh und nicht wohl, es verrann irgendwie spurlos in die wilde und schon leise nebelnde Lustigkeit, die ihn auf und nieder schaukelte. Er hatte nur den einen Wunsch, daß das jetzt so fortdauern solle, dieser wilde schöne Wirbel, dieser leise Rausch, der von dem Mädel ausging und vom Wein und von seiner Jugend. Auch die Karla hatte gerötete Wangen und lachte den Schramek manchmal zwinkernd an.

Auf einmal sagte der Schramek zu Berger: »Hast du schon meinen neuen Säbel gesehen?«

Berger war nicht neugierig. Aber der Schramek zog ihn hin.

27

Und wie sie sich niederbeugten, sagte er ihm leise: »So, und jetzt verschwind, Bubi. Jetzt können wir dich nicht mehr brauchen.«

Berger starrte ihn einen Moment verdutzt an. Dann verstand er und sagte gute Nacht.

Wie er in seinem Zimmer stand, fühlte er ein leises Schwanken unter seinen Füßen. Oben auf der Stirne hämmerte das Blut, und die Müdigkeit warf ihn bald ins Bett. Am nächsten Tag verschlief er zum erstenmal die Vorlesung.

Immerhin: diese Begegnung, so flüchtig sie auch war, hatte eine leise flimmernde Erregung in sein Blut gestrahlt. Er sann dumpf nach: ob das nicht irgendein Irrtum war, eine geheime Lüge, dieser Durst nach einer Freundschaft? Ob in diesem Hinverlangen aus der Einsamkeit in eine wilde Vertraulichkeit nicht ein anderes mühsam verhülltes Verlangen sich rührte?

Er sann jene Tage mit seiner Schwester zurück. Er dachte an jene blauen Abende, wo sie im abendlich verdunkelten Garten saßen und er nicht mehr ihre Züge sah, nur mehr den weißen Schimmer des Kleides aus der Dämmerung, ganz leise nur, wie oft noch eine Wolke zart leuchtet auf dem schon umnachteten Himmel. Was war es, das ihn damals so beseligte, wenn diese Stimme mit den lieben Worten aus dem Dunkel kam, silbern und leise, oft hell blinkend von Lachen und dann wieder voll Zärtlichkeit, wenn diese Musik anflog an sein Herz wie schmeichelnder Wind oder ein zutraulicher Vogel? War dies wirklich nur geschwisterliches Vertrauen gewesen oder war nicht doch darin – irgendwo ganz am tiefsten Grunde und gekühlt durch begehrungslose Freundschaft – eine Freude verborgen an der Frau, eine zarteste, süßeste Empfindung des Weiblichen? Und war nicht vielleicht alles, was er hier dumpf ersehnte, ein Glanz, eine verirrte Spur von weiblicher Seele über seinem Leben?

Seit jenem Abend wußte er es bestimmt, er sehnte sich sehr nach irgendeiner Frau. Nicht so sehr nach einem Verhältnis, nach einer Liebe, sondern nur nach irgendeiner leisen Berührung mit den Frauen. War denn nicht all das Unbekannte und

Wunderbare, das er erhoffte, mit den Frauen verknüpft, waren sie nicht Hüterinnen aller Geheimnisse, lockend und verheißend, begehrend und begehrt zugleich. Er begann jetzt mehr die Frauen auf der Straße zu beachten. Er sah viele, die jung waren und schön und das funkelnde Licht in den Augen trugen, das so viel verrät. Wem gehörten die, die so wiegend gingen wie in leisem Tanz, die so stolz aufrecht um sich sahen, als seien sie Königinnen, die in den Wagen wie in Wollust ruhten und mit den Blicken lässig hinstreiften auf die, die da staunend standen und sie bewunderten? War in ihnen denn nicht auch Sehnsucht und mußten nicht hinter diesen tausenden Türen, hinter den zahllosen ängstlich verhängten und sehnsüchtig aufgetanen Fenstern der großen Stadt viele Frauen sein, in denen auch ein Verlangen war, ähnlich wie das seine und ihm entgegengebreitet wie mit offenen Armen? War er nicht jung wie sie, und war nicht gleiche Sehnsucht in alle gegossen?

Er ging jetzt weniger in die Vorlesungen und streifte öfter die Straßen entlang. Ihm war, als müßte er endlich irgendeiner begegnen, die in den zitternden Zeichen seines Auges lesen könnte, irgendein Zufall müßte ihm helfen, ein Unvermutetes geschehen. Er sah mit Neid und einer wilden Begier, wie knapp vor ihm junge Burschen mit Mädeln bekannt wurden, sah Liebespaare, zärtlich und verschlungen, abends sich hinein in die Parke verlieren, und immer drängender wurde in ihm das Verlangen, auch sein Erlebnis zu haben. Freilich, nichts Wildes ersehnte er sich, sondern eine Frau, zart und sanft wie seine Schwester, zärtlich und lieb, kindhaft treu und mit dieser wunderbaren leisen Stimme im Abend. Das Bild füllte seine Träume.

Jeden Tag, wenn er mittags durch die Floriangasse nach Hause ging, begegnete er den schwärmenden Zügen junger Mädchen. Fünfzehnjährige, Sechzehnjährige waren es, die von der Schule kamen, in kleinen schwatzenden Trupps, mit jenem hüpfenden Schritt der Mädel in diesen Jahren, unruhig herumspähend, kichernd, die Bücher schlenkernd. Jeden Tag sah er sie von ferne, die frischen lachenden Gesichter, die schlanken Körper in den kurzen Röcken, die leicht sich wiegenden Hüften, sah die unbesorgte, noch kindische Fröhlichkeit mit einer wilden Sehnsucht, von dieser Jugend das Lachen zu lernen und diese klare Heiterkeit. Jeden Tag sah er sie. Und schon kannten sie ihn. Wenn er kam, stießen sie sich in der auffallenden Art der Backfische an, lachten überlaut und sahen ihn mit übermütigen Augen herausfordernd an, der dann immer rasch wegsah und vorübereilte. Wie sie dann seine schüchterne Verwirrtheit merkten und dieses errötende Wegstieben vor ihrem Blick, wurden sie immer verwegener von Tag zu Tag, ohne daß er sich je aufraffen konnte, sie anzusprechen. Waren sie nicht knabenhafter, männlicher als er? War er nicht in seiner schüchternen Blödigkeit wie ein Mädel, so verwirrt und kindisch?

Er erinnerte sich an einen Scherz in seiner Heimat, den seine Schwester vor ein paar Jahren gemacht hatte. Sie hatte ihn heimlich als Mädel angezogen und ihn plötzlich unter ihre Freundinnen geführt, die ihn zuerst nicht erkannten und dann übermütig, mit hundert Scherzen umringten. Er, ein Bub damals noch, war zitternd und errötend dagestanden und hatte kaum gewagt die Augen aufzuschlagen und in den Spiegel zu schauen, den sie ihm brachten. Schon damals war er schüchtern gewesen und feig, aber da war er noch ein Kind. Jetzt war er ein Mann fast und wußte noch nicht, einen lachenden Blick zu ertragen, wußte nicht stark zu sein und brutal, wie das Leben es verlangte. Warum konnte er nicht so sein wie der Schramek oder all die anderen? War er wirklich minderwertig, wirklich wie ein Kind?

Immer fiel ihm das wieder ein, wie er damals als Mädel verkleidet unter diesen lachenden, übermütigen Dingern stand und nicht aufzuschauen wagte. Was war aus denen seither geworden? Das Küssen kannten sie und die Liebe, sie trugen lange Kleider, manche hatten schon Mann und Kind. Alle waren sie aus dem Zimmer von damals, alle aus der Kindheit hinaus ins Leben gestürmt. Nur er stand noch immer da, Mädel mehr als Mann, ein errötendes Kind im verlassenen Zimmer mit den verwirrt niedergeschlagenen Augen und wagte nicht aufzusehen …

Einmal, es war spät im Jänner, ging er wieder zu Schramek hinüber. Er kam jetzt seltener, seit er dem einsamen Umherstreifen auf den Straßen eine leise lockende Wollust abgewonnen hatte. Das Wetter war wüst. Der Schnee der letzten Tage war geschmolzen, aber der Wind blieb scharf und schneidend und verlangte die Straße allein für sich. Wolken hetzten über den grauen Himmel, der niederstarrte wie erblindet. Ein scharfer stechender Regen begann, der sich wie Eisspitzen in die Haut bohrte.

Schramek sagte ihm kaum guten Tag. Er war immer rücksichtslos und grob, wenn in seinen Angelegenheiten etwas nicht ganz in Ordnung war. Unruhig ging er auf und ab, die Pfeife immer wieder anqualmend. Manchmal kehrte er kurz um, als wollte er etwas fragen. »Verfluchte Sache«, knurrte er zwischen den Zähnen.

Berger saß still. Er traute sich nicht, ihn zu fragen, was eigentlich vorgehe. Schramek würde schon reden, das wußte er.

Der brach auch endlich los. »So ein Sauwetter! Das hat mir noch gerade gefehlt. Da kann ich jetzt herumrennen wegen die Dummheiten!«

Er rannte wieder zornig auf und ab, hieb mit einem Lineal scharfe pfeifende Striche durch die Luft. Nun fragte erst Berger vorsichtig: »Was ist denn los?«

»Dieser Laff, mein Leibbursch, hat vorgestern zwei Kerle angerempelt. Heute um vier Uhr geht's los und dann morgen wieder. Und ich hab' doch Prüfung in acht Tagen und hätt' mich wirklich um andere Sachen zu kümmern. Dazu hat er sich noch zwei ausgesucht, die ihn sicher abstechen werden, den Depp, den blöden. Wenn ich jetzt durchfall', dann ist's aus, dann kann ich wieder ein Jahr sitzen und warten, wie die Buben in der Schule. Und da soll man sich nicht giften.«

Berger sagte nichts. Es hatte nicht lange gedauert, bis er die Stupidität all dieser Mensuren hinter dem leichten lockenden

Glanz erkannt hatte, der sie vergoldete. Seit er bei einer Kneipe gewesen war und die trunkenen Studenten dann fahl und grau im Frühlicht gesehen hatte nach allen Feierlichkeiten und Zeremonien, seit er draußen in einer engen, schmutzigen Stube einer Mensur beigewohnt hatte, blieb ihm nur mehr ein leises Lächeln für den Ernst, mit dem diese Dinge betrieben wurden, seitdem fehlte ihm jegliches innerliche Interesse an diesen Affären ganz und gar. Freilich, dem Schramek hatte er sich's nie zu sagen getraut, dem ging's bis ins Blut. Jetzt saßen sie beide schweigsam da, jeder mit seinen Gedanken beschäftigt, draußen ratterte immer lauter der Wind.

Da ging die Glocke. Und gleich darauf klopfte es an der Tür.

Die Karla kam herein, den Hut schief, nasse Strähnen über dem lachenden Gesicht. »Schön schau ich aus, nicht wahr? Was?« »Servus.« Sie ging auf Schramek zu und küßte ihn. Er wich übelgelaunt aus. »Hast Angst, ich werd' dich naß machen mit meiner Jack'n, Blödian?« Dann bemerkte sie Berger. »Servus, Bubi!«

Sie zog die Jacke aus und warf sie auf das Sofa hin. Alle schwiegen. Berger war irgendwie unangenehm berührt. Seit jenem Abend, wo sie Bruderschaft getrunken hatten, war er ein paarmal mit Karla zusammen gewesen, aber nie mehr fand er die kameradschaftliche freie Unbefangenheit wieder. Die warme erotische Welle, die seit damals über sein Leben gestürzt war, machte ihn unruhig und erregt in der Nähe einer Frau. Er fürchtete sich beinahe vor seiner Leidenschaftlichkeit.

Auch Schramek sprach nichts. Er war übelgelaunt, die Affäre und seine Prüfung gingen ihm nicht aus dem Kopf. Das Schweigen dehnte sich unangenehm lang.

Die Karla schaute jetzt ziemlich böse. »Mir scheint, ich komme dem gnädigen Herrn ungelegen. Dazu hab' ich mich also freig'macht für heute nachmittag, daß ich zuseh', wie ihr mit offenen Augen schlaft's. Liebe Leut' seid's, das muß ich schon sagen.«

Schramek stand auf und nahm seinen Winterrock. »Liebes

Kind, du kommst mir immer gelegen, das weißt du. Nur grad jetzt nicht. Ich muß weggehen, es ist halb vier, und um vier steigt der Fix draußen in Ottakring.«

»G'schieht ihm schon recht, dem Lausbuben, was ist er auch so frech mit alle Leut! – Also weggehen willst du. Was soll nachher mit mir g'schehn? Soll ich am End' bei dem Wetter auf der Gassen umeinanderrennen?«

»Liebes Kind, ich komm erst um sieben Uhr zurück. Du kannst ja dableiben.«

»Was soll ich denn da tun. Schlafen? Dank schön, das hab' ich besorgt von gestern abend um neune bis heut früh. Nimm mich mit. Ich möcht' gern zuschauen, wie man den Fix auf Fetzen haut.«

»Das geht doch nicht, was fällt dir ein.«

»Na, in Gottes Namen, dann bleib' ich halt da und wart' auf dich. Der Bubi bleibt bei mir. Nicht wahr, Bubi?«

Berger wußte keine Antwort. Er war solchen plötzlichen Überfällen gegenüber wehrlos. Er traute sich kaum, sie anzuschauen. Die beiden fingen zu lachen an.

»Natürlich«, sagte der Schramek, jetzt wieder gut gelaunt. »Natürlich, euch zwei soll ich allein lassen. Hast du denn eine Ahnung, was der Bubi für ein Duckmäuser ist?«

»Das ist doch gar kein Bubi. Der ist doch ein Mädi.«

Nun lachten sie wieder beide. Wie sie ihn verachteten, dachte Berger. Warum konnte er jetzt nicht mitlachen, warum war er so tölpisch, kein Wort zu finden, keinen Scherz, nichts, gar nichts. Ein Zorn wuchs in ihm auf.

»Na also, gut ist's«, sagte der Schramek. »Ich will's riskieren. Was tu' ich aber, wenn ihr zwei was anstellt?«

»Dazu gehören doch zwei.«

»Na weißt du … du … schwören möcht' ich doch lieber nicht auf dich.«

»Mich hab' ich ja gar net g'meint.«

Und jetzt lachten sie wieder beide, mit jenem vollen heiteren Lachen gesunden Lebens, das gar nicht bösartig gemeint war und doch in Berger brannte wie Peitschenhiebe. Weg sein, nur weg sein, tausend, zehntausend Meilen, fühlte er dumpf. Oder schlafen. Oder lustig sein können wie die. Nur nicht so dasitzen ohne ein Wort. Nicht so tölpisch-schüchtern, so kindisch verwirrt sein, sich nicht bemitleiden lassen.

Schramek setzte sich die Kappe auf. »Gut, probieren wir's halt. Aber wehe euch, wenn ... Um sieben Uhr bin ich wieder da. Bubi, sei brav! Ich seh' dir's an den Augen an, wenn du was angestellt hast. Und langweil mir das arme Mädel nicht. Servus!«

Er faßte die Karla derb um die Hüften, daß sie sich kichernd wand, gab ihr ein paar feste Küsse, winkte Berger mit der Hand und war fort. Draußen fiel die Tür hart ins Schloß.

Nun waren sie allein, der Berger und die Karla. Der Wind tanzte mit dem Regen über die Gasse, und manchmal knackte es im Ofen, als bräche etwas entzwei. Immer stiller wurde es im Zimmer, man konnte schon den dünnen Atem der Pendeluhr von nebenan hören. Berger saß da wie schlafend. Ohne aufzusehen, spürte er, daß sie ihn lächelnd anschaute. Er spürte diesen Blick wie ein elektrisches Prickeln, das Haar leise anrührend und dann hinab bis in die Füße. Ihm war, als müßte er ersticken.

Sie saß da, die Beine überschlagen, und wartete. Jetzt beugte sie sich vor. Sie lächelte leise. Und plötzlich sagte sie in die Stille hinein. »Bubi! Hast Angst?«

Wirklich, das war's. Woher wußte sie das? Angst fühlte er, Angst allein, eine dumme kindische Angst. Aber er zwang sich und stieß heraus: »Angst? Vor wem denn Angst? Vor dir vielleicht?« Es klang grob, ohne daß er es wollte.

Und wieder zitterte das Schweigen durchs Zimmer. Die Karla stand auf, glättete das Kleid, richtete sich die zerrauften Haare vor dem Spiegel und sah ihre Augen lachen. Dann wandte sie sich halb herum. »Offen g'sagt, du bist grauslich fad, Bubi. Erzähl' mir doch was.«

Berger fühlte eine immer wachsende Erbitterung gegen sie und gegen sich selbst, daß er so tölpisch war. Er wollte ihr schon wieder heftig antworten, aber da kam sie zu ihm heran, lieb und zutraulich, setzte sich neben ihn und bettelte wie ein kleines Kind. »Erzähl' mir doch was. Irgendwas Gescheites oder Dummes. Ihr lest's doch den ganzen Tag in die Bücher, da müßt's doch was wissen.« Sie lehnte sich ganz an ihn. Das war so ihre ungenierte Art, mit allen Leuten vertraulich zu sein. Aber dieser weiche, warme Arm auf dem seinen verwirrte ihn.

»Mir fällt nichts ein.«

»Mir scheint, dir fallt nie was G'scheites ein. Was tust denn eigentlich so den langen Tag? Umeinanderrennen, kommt mir vor. Letzthin hab' ich dich auf der Josefstädterstraßen g'sehn, aber du warst pressiert oder du hast mich nicht kennen wollen. Mir scheint gar, du bist grad einem Mädel nachgestiegen.«

Er wollte protestieren.

»No, no, es ist ja nix dabei. Sag, Bubi, hast du eigentlich ein Verhältnis?«

Sie lachte ihn an und freute sich unbändig über seine Verwirrtheit. »Da schaut's her, rot wird er auch. Ich hab's ja gleich gewußt, daß du eins hast, du Duckmäuser. Die möcht' ich mir gern einmal anschauen. Wie sieht sie denn aus?«

In seiner Verzweiflung wußte er nur eines, immer wieder nur das Eine, um sich zu verstellen. Er wurde grob. »Das ist meine Sache. Was geht's dich an? Kümmer du dich um deine Verhältnisse.«

»Aber Bubi, was schreist denn so, ich hab' ja rein eine Angst vor dir.« Sie stellte sich furchtbar erschrocken.

Er sprang auf. »Und dann sag' mir nicht immer Bubi. Ich vertrag' das nicht.«

»Aber der Schramek sagt's dir ja auch.«

»Das ist etwas anderes.«

Karla lachte. Er gefiel ihr riesig in seinem kindischen Zorn.

»So, jetzt sag' ich's extra. Bubi, Bubi, Bubi, dreimal hab' ich's g'sagt!«

Seine Nasenflügel zitterten. »Hör auf damit, hab' ich dir g'sagt. Ich vertrag's nicht.«

»Aber Bubi – Bubi!«

Er ballte die Fäuste zusammen. Das Blut stieg ihm ins Gesicht. Einen Schritt stand er vor ihr. Sie hörte, wie sein Atem keuchte, sah die Augen drohend funkeln. Unwillkürlich trat sie zurück. Aber dann packte sie wieder der Übermut. Die Hände in die Hüften gestemmt, lachend, mit blinkenden Zähnen lachend sagte sie wie zu sich selbst:»Na sowas! Jetzt wird das Bubi bösartig.«

Da warf er sich auf sie. Das Spottwort traf ihn wie ein Peitschenschlag. Er wollte sie prügeln, schlagen, irgendwie züchtigen, daß sie ihn nicht mehr verhöhnte. Aber das starke, feste Mädel nahm seine Fäuste geschickt mit einem Griff und bog sie ihm herab. Schmerzhaft fühlte er seine Handgelenke in ihrer eisernen Umklammerung. Nicht rühren konnte er sich, wie ein Kind, wie ein Spielzeug hielt sie ihn. Einen Schritt entfernt sahen sich die Gesichter an: das seine, verzerrt von Wut, die Augen aufquellend in nahen Tränen, das ihre, überrascht, kraftbewußt, überlegen, fast lächelnd. Eine Minute hielt sie ihn so von sich wie ein schnappendes Hündchen. In der nächsten hätte er, zermartert im Handgelenk, in die Knie brechen müssen. Da ließ sie ihn los und schob ihn sanft weg.»So – jetzt sei wieder brav.«

Aber er sprang wieder an. Das machte ihn rasend, daß er so schwächlich unter ihrer Faust gezappelt. Jetzt mußte er sie niederringen, bändigen. Sie durfte nicht lachen über ihn. Jäh faßte er sie an, jetzt mitten um den Leib, um sie hinzuwerfen. Und nun keuchten sie beide Brust an Brust, sie überrascht und belustigt über seinen unbegreiflichen Zorn, er mit fiebernder Erbitterung und eingeknirschten Zähnen. Immer fester preßten sich seine krallenden Hände in ihren miederlosen geschmeidigen Körper, der immer geschickt ausbog, riß an den breiten Hüften, die kraftvoll eingestemmt waren. Sein Gesicht berührte im Ringen ihre Schultern und ihre Brust, er fühlte wirr einen weichen warmen, berauschenden Duft, der seine Arme immer schwächer machte, er hörte manchmal das laute schütterne Stoßen des Herzens und das kollernde Lachen, das tief aus der umpreßten Brust aufquoll, und es war ihm, als ob seine Muskeln erstarren würden. Wie an einem Baumstamm rüttelte er an diesem starken bäuerischen Körper, der manchmal leicht nachgab, aber nie gebogen wurde, der immer kraftvoller zu werden schien im Widerstand. Bis ihr das Spiel zu dumm wurde und sie sich losmachte mit zwei, drei Griffen. Jäh stieß sie ihn zurück, daß er nur so flog. »Jetzt gib aber Ruh'!« Zornig und fast drohend war ihre Stimme.

Er taumelte nach rückwärts. Sein Gesicht brannte, blutunterlaufen waren die Augen, und rot, brennrot kreiste alles vor seinem Blick. Ein drittes Mal noch sprang er an, blind, besinnungslos, mit flügelnden Armen wie ein Trunkener. Und plötzlich war es etwas anderes. Dieser wilde ausstrahlende Duft, dieses Knistern ihres Kleides, die warme Berührung des biegsamen Körpers hatten ihn toll gemacht. Nicht mehr schlagen wollte er oder züchtigen, sondern sich dieser Frau bemächtigen, die seine Sinne aufgestachelt hatte. Er riß sie an sich, verwühlte sich ganz in ihre heißen Formen, griff mit seinen fiebernden Händen um ihre ganze Gestalt, verbiß sich lechzend in ihr Kleid, um sie niederzupressen. Sie lachte noch immer, leise gekitzelt von seinen Berührungen, aber in ihrem Lachen war jetzt ein fremder, heiserer Ton. Ihr ganzes Wesen schien bewegter, unruhig wogte die Brust, ihr Körper preßte den seinen stürmischer an beim Ringen, ihre starken Hände zitterten immer unruhiger. Ihr Haar war aufgegangen und flatterte über die Schulter, schwül duftend und schwer. Immer heißer wurde ihr Gesicht. Beim Ringen riß ihre Bluse ein wenig auf, ein Knopf sprang weg, und plötzlich sah der Fiebernde ein unruhiges Blinken von ihrer weißen Brust. Er stöhnte in letzter Anstrengung. Er fühlte, daß sie ihm gar nicht widerstehen wollte, daß sie nur bezwungen sein wollte, hingeworfen, aber selbst dazu reichte nicht seine Kraft. Ohnmächtig rüttelte er an ihr herum. Einen Augenblick war es, als wollte sie selbst zurückfallen. Wollüstig bog sich ihr Kopf zurück, er sah ihre Augen funkeln in einem jähen nie gekannten

Licht. Und es war wie eine Zärtlichkeit, ein wilder drängender Seufzer, wie sie jetzt sagte: »Aber, Bubi, Bubi!« Da riß er an ihr und wie er fühlte, daß sie nicht niederstürzte, unter seinen mageren zitternden Kinderhänden, da griff er plötzlich gierig in das aufgelöste rote Haar, um sie niederzuziehen mit einem Ruck. Sie schrie auf vor Zorn und Schmerz. Mit einem wilden, wütenden Stoß schleuderte sie den schwachen Körper von sich, daß er wie ein leichter Ballen durchs Zimmer flog.

Berger stolperte im Zurücktaumeln. Und fiel dann klirrend hin in die Ecke, mitten unter die Säbel, die dort lagen. Ein scharfer Riß fuhr über seine Hand hoch in den Arm hinein.

Eine Minute blieb er liegen, wie betäubt. Und da kam sie schon, leise noch zitternd vor Erregung, aber ängstlich besorgt: »Ist dir was g'schehn?«

Er antwortete nicht. Sie half ihm, sich aufrichten, und streichelte ihn dabei. Es war keinerlei Bösartigkeit in ihr. Mühsam war das Aufstehen. Denn die linke Hand hatte er in die Rocktasche gesteckt, daß sie nicht merken sollte, wie er sich verletzt habe. Er wollte es nicht eingestehen. Wie ein Feuer brannte die Wut in ihm über seine klägliche Schwäche, daß er nicht einmal eine Willige bezwingen konnte. Einen Augenblick war ihm, als müßte er noch einmal anspringen. Und in der Tasche fühlte er, wie heiß und feucht das Blut aus der Wunde strömte.

Er stolperte nach vorwärts, ohne sie anzusehen, die ihm erschreckt helfen wollte. Vor seinen Augen war ein Nebel von Tränen. Kaum sah er die Tür durch diese feuchte Wolke. Alles war in ihm ganz leer, ganz gleichgültig. In der Tasche tröpfelte das Blut: das fühlte er dumpf, sonst war alles erloschen in ihm. Er tappte nur blind nach vorwärts … zur Tür … hinaus … in sein Zimmer.

Dort fiel er hin auf das Bett. Der verwundete Arm hing über die Kante hinaus. Er blutete noch immer und manchmal klatschte schwer ein Tropfen auf den Boden hinab. Berger achtete nicht darauf. In ihm wogte etwas, als wollte es ihn ersticken. Und endlich brach es heraus, ein ungeheurer Weinkrampf, ein wildes, wehes Schluchzen, das er in die Kissen vergrub. Minutenlang peitschte es seinen kindlichen fiebernden Körper. Dann fühlte er sich freier.

Er horchte hinüber. Drinnen ging die Karla mit absichtlich lautem Schritt. Er regte sich nicht. Jetzt verstummten die Schritte. Und nun klapperte sie an den Schränken, trommelte auf dem Tisch, um sich bemerkbar zu machen. Offenbar wartete sie, daß er zurückkommen werde.

Er lauschte weiter. Sein Herz wurde immer lauter, aber er regte kein Glied.

Sie ging noch eine Weile auf und ab. Dann pfiff sie einen Walzer und trommelte dazu wieder den Takt. Allmählich wurde sie still. Nach einer Weile hörte er draußen die Türe gehen und im Gang schwer zufallen.

Die lange endlose Nacht und den nächsten Morgen hatte Berger gewartet, daß Schramek kommen würde und ihn zur Rede stellen über das, was vorgefallen sei zwischen ihm und der Karla. Denn daran zweifelte er nicht, daß die Karla sofort alles dem Schramek erzählt haben würde, nur wußte er nicht, ob sie's als bösartigen Angriff geschildert hatte oder als eine lächerliche unsinnige Laune. Die ganze Nacht grübelte er nach, was er Schramek erwidern sollte, lange Gespräche mit Rede und Gegenrede arbeitete er aus und ersann schon gewisse Bewegungen, um die Diskussion scharf abzuschneiden, wenn er keinen Ausweg mehr fände. Und eines wußte er, daß die Freundschaft nun auf einer Kippe stand, daß alles jetzt vorbei war oder neu werden mußte von Grund auf.

Aber er wartete vergeblich. Schramek kam nicht, auch die nächsten Tage nicht. Das war eigentlich nicht so absonderlich, denn Schramek suchte ihn sonst nur auf, wenn er irgendeine Gefälligkeit brauchte oder irgendwas von sich wegzuerzählen hatte, sonst war es immer der Berger, der ihn besuchen mußte, um ihn zu sehen. Nur schien diesmal ihm, dem Schuldbewußten, eine Absicht in dem Wegbleiben zu liegen, und er ging nicht zu ihm, er wartete mit einem stillen verbissenen Trotz, der ihm selbst wehtat. Ganz allein war er in diesen Tagen. Keiner kam zu ihm, und stärker als je empfand er das erniedrigende Gefühl, daß er für keinen Menschen Bedürfnis war, daß keiner ihn liebte, keiner seiner bedurfte. Und da spürte er doppelt was diese Freundschaft ihm noch war, trotz aller Enttäuschungen und Erniedrigungen.

Das ging so eine Woche. Da, eines Nachmittags, als er vor seinem Schreibtisch saß und zu arbeiten versuchte, hörte er ein paar rasche Schritte gegen die Türe zu. Er erkannte sofort Schrameks Gang, sprang empor, und da flog auch schon die Tür auf, sauste wieder ins Schloß, und Schramek stand vor ihm, atemlos, lachend, faßte ihn an mit beiden Armen und schüttelte ihn hin und her.

»Servus, Bubi! Daß man dich auch sieht, die anderen waren alle dabei, nur du nicht, weil du den ganzen Tag kümmeln mußt. Und es geht so auch. Ja, durchgekommen bin ich und Gott sei Dank, es war meine letzte Prüfung. In acht Tagen mußt du mir Herr Doktor sagen.«

Berger war ganz verblüfft. Er hatte an alles mögliche gedacht, nur nicht, daß sie sich so wiedersehen würden. Ein paar Glückwunschworte stammelte er gerade noch. Aber Schramek unterbrach ihn.

»Ja, ja, schon gut, streng dich nicht an. Und jetzt vorwärts, komm herüber zu mir, das muß tüchtig gefeiert werden, und erzählen muß ich dir auch alles. Also, vorwärts. Die Karla ist schon drüben.«

Berger erschrak. Er fühlte plötzlich Angst, mit der Karla zusammen zu sein, denn jetzt würde sie ihn lächerlich machen und er würde wieder errötend zwischen diesen beiden Menschen stehen wie ein Schulbub. Er suchte auszuweichen.

»Du mußt mich schon entschuldigen, Schramek, aber ich kann nicht, beim besten Willen nicht. Ich hab' furchtbar viel zu tun.«

»Zu tun? Was hast du zu tun, du Kerl, wenn ich meine letzte

Prüfung gemacht habe? Zu freuen hast du dich und mitzukommen, sonst hast du gar nichts zu tun. Vorwärts mit dir.«

Er nahm ihn am Arm und zog ihn fort. Berger fühlte sich zu schwach, um zu widerstehen. Er fühlte nur dumpf, was für eine Gewalt der Schramek noch über ihn hatte. Wie ein Mädel nahm er ihn da, und zum ersten Male verstand er ganz, wie sich eine Frau von einem so starken heitern lebensfrohen Menschen überwältigen lassen müßte, ganz gegen ihren Willen, nur aus dem mattschwindenden bewundernden Gefühl der Stärke. Und so mußte auch die Frau von dem Manne denken in dem Augenblick, wie er jetzt von Schramek; Haß, Zorn mußte sie haben, und doch das weiche Gefühl, von einem Starken überwältigt zu sein. Er spürte sich gar nicht gehen, wußte gar nicht, wie es geschah, und war plötzlich drüben in Schrameks Zimmer.

Und da stand schon die Karla. Wie sie ihn sah, kam sie auf ihn zu, überflog ihn mit einem merkwürdigen warmen Blick, der ihn umhüllte wie eine weiche Welle, und bot ihm die Hand, ganz ohne Wort. Und noch einmal sah sie ihn an, neugierig, wie einen Fremden und doch wieder anders.

Schramek hantierte am Tisch herum. Er hatte das Bedürfnis, etwas zu tun und den Drang zu reden, die starke Lebendigkeit seines freudig erregten Gefühles brauchte solche Ventile. Wenn ihn etwas packte, brauchte er Menschen, um seinen Überschwang abzutun, sonst war er eigentlich gleichgültig und eher verschlossen. Aber heute glühte sein ganzes Wesen in Bewegung und einer wilden knabenhaften Freude.

»Also, was nehmen wir? Mit trockener Kehle kann ich euch nichts erzählen. Was, keinen Wein? Sonst haben wir abends keine Freude mehr davon, und heute abends muß es drunter und drüber gehen. Brauen wir einen Tee. Einen ganz langweiligen, schönen heißen Tee. Wollt ihr?«

Karla und der Berger waren einverstanden. Sie saßen nebeneinander am Tisch, aber Berger sprach nicht mit ihr. Der Gedanke flog hin und her in seinem Kopf, wie ein eingesperrter Nachtfalter surrend durch ein Zimmer fährt: war das ein Traum gewesen, daß er mit dieser Frau da neben ihm wie ein Verzweifelter gekämpft hatte? Er wagte sie nicht anzusehen und spürte nur, wie die Luft stickig um ihn wurde, wie seine Kehle sich verschnürte. Glücklicherweise merkte Schramek nichts. Er klapperte mit den Tellern und Tassen herum, pfiff und schwatzte. Es machte ihm Freude, den Kellner für die beiden zu spielen, er servierte ihnen voll Übermut und warf sich dann breit und behaglich in das knackende Fauteuil ihnen gegenüber und fing an zu erzählen.

»Also, daß ich nie viel gelernt hab', das brauch ich euch beiden doch nicht zu sagen. Und wie ich mich da hinschleich' in meinem Leichenbitteranzug zum Prüfungssaal, treff' ich einen alten Freund von mir, den Karl – du kennst ihn ja – und der, wie er sieht, daß mir elend zu Mut ist, fängt mächtig an, mich zu trösten. Aber ich frag' ihn nur in meiner Angst – ihr habt's keine Ahnung wie schäbig der anständigste Mensch eine Stunde vor der Prüfung wird – ob das schwer ist und was er für Fragen vor zwei Jahren bekommen hat. Wie er mir die erste sagt, hab' ich keine Ahnung davon und mir wird ganz schwach. Ich bitt' ihn noch rasch, er soll mir das erklären – irgendeine Verfassungsgeschichte war's – und er trichtert mir's ein und kommt dann mit zuschauen, wie ich abgeschlachtet werde.«

Was erzählte der da? Berger konnte nicht hinhören, das kam alles aus einer Ferne her, das klang wie Worte und war ohne Sinn. In ihm zitterte immer nur der Gedanke, daß neben ihm die Frau saß, die mit ihm gerungen, die ihn niedergeschlagen hatte, und daß diese Frau ihn nicht verhöhnte, sondern angesehen hatte mit diesem weichen einhüllenden funkelnden Blick …

Da schrak er plötzlich zusammen. Über seine Hand, die achtlos am Tische lag, strich jetzt ein Finger leise die Narbe entlang, die noch rot hinlief wie ein feuriger Streif. Und wie er aufzuckte, begegnete er einer Frage in Karlas Blick, einer fast zärtlichen mitleidigen Frage. Feuer stob hinauf bis in die Schläfen, er mußte sich festhalten am Sessel.

Drüben erzählte noch immer der Schramek. »Und denkt's

euch, kaum sitz' ich dort, da ist die erste Frage grad' die, die mir der Karl eingetrichtert hat. Ich hör' hinter mir ein Husten und Kichern, aber mir war mit einemmal so leicht, daß ich denen gar nicht böse war, ich fang' zu ratschen an, und das rinnt wie geschmolzene Butter. Und wenn man schon einmal im Zug ist, dann geht's schon weiter. Ich hab' geredet, bis mir die Zunge weh getan hat, weiß Gott, was für dummes Zeug, aber geredet hab' ich.«

Berger hörte kein Wort. Er spürte nur, wie nochmals der Finger über die Narbe strich, und ihm war, als würde sie schmerzhaft aufgerissen durch diese verschwiegene Bewegung. Ein Zukken lief ihm über den Leib, und jäh riß er die Hand vom Tisch, wie von einer weißglühenden Platte. Eine zornige Verwirrung wuchs in ihm auf. Aber wie er sie ansah, merkte er, daß ihre geschlossenen Lippen sich wie im Schlafe regten und sie leise murmelte: »Armes Bubi«.

Lag's nur um die Lippen, ein tonloses Wort, oder hatte sie es wirklich gesagt? Drüben saß der Schramek, ihr Geliebter und sein Freund, und erzählte wild weiter, und inzwischen ... Er zitterte leicht, ein Schwindel faßte ihn, und er fühlte sich blaß werden. Da nahm die Karla unter dem Tisch seine Hand ganz leise und weich in die ihre und legte sie sich aufs Knie.

Nun spürte er wieder alles Blut im Gesicht und jetzt, wie es sich im Herzen staute und jetzt, wie es herabrann und brannte in seiner Hand. Und er fühlte ein weiches rundes Knie. Er wollte die Hand wegzerren, aber die Muskeln gehorchten ihm nicht. Sie blieb liegen wie ein schlafendes Kind, weich gebettet ruhend, vergessen in einem wunderbaren Traum.

Und da drüben – oh wie weit war diese Stimme im Rauch – erzählte noch immer einer, der sein Freund war und den er jetzt betrog, erzählte, erzählte von seinem Glück in unbesorgter Fröhlichkeit. »Am meisten hat's mich gefreut, daß der Fix, der Frechling sein Geld dabei verloren hat. Denkt's euch, der wettet mit alle Leut', daß ich durchfallen werde, und dann, wie ich herauskomme, hat er gar nicht gewußt, was er tun soll. Freuen hat er sich müssen und ärgern auch, ich sag' euch, das Gesicht, das der gemacht hat, das Gesicht … aber was habt's ihr denn? Mir scheint ihr seid's eingeschlafen alle beide?«

Karla ließ die Hand nicht los. Und Berger mußte nur immer denken: »Die Hand … die Hand … das Knie … ihre Hand.« Aber Karla protestierte lachend. »No, soll man net sprachlos sein, wenn so ein Faultier wie du Doktor wird. Ich möcht' wirklich gern dann sehen, wie einer ausschaut, der durchfliegt, der muß rein an Wasserkopf haben.«

Beide lachten. Berger zitterte immer mehr, ein geheimnisvolles Grauen kam ihn an vor der Verstellung dieses Mädels. Sie hielt noch immer seine Hand mit der ihren umschlossen und preßte sie so fest, daß der Ring sich blutig in seinen Finger einschnitt. Und leise schob sie ihr volles Bein an das seine an. Und sprach dabei ruhig, so ruhig weiter, daß ihn schauerte. »No und jetzt sag, wie wird denn so ein Wunder Gottes gefeiert? Wenn das keine Drahrerei gibt, so bist du ganz einfach ein niederträchtiger Schäbian, du Doktor, du neugebackener. Na aber das ist gar nix dagegen, wenn erst der Bubi Doktor wird, paß auf, da wird's erst zugeh'n.«

Und dabei lag ihre Hüfte ganz an der seinen, er spürte die weiche Wärme ihres Körpers. Vor seinen Augen begannen alle Dinge zu schwanken, so erregt war er. Und an die Stirne drängte von innen schmerzhaft das Blut.

Da schlug die Pendeluhr. Siebenmal rief eine dünne Stimme undeutlich ihr Kuckuck … Kuckuck. Das brachte Berger zur Besinnung. Er sprang auf, stammelte ein paar Worte. Dann gab er irgend jemand die Hand, ihm oder ihr, er wußte es nicht mehr, eine Stimme – es war wohl die ihre – sagte »Auf Wiedersehen«, und dann, aufatmend fühlte er es und beseligt, war hinter ihm die Tür zugefallen.

Und dann, schon im nächsten Augenblick, wie er in seinem Zimmer stand, war ihm alles klar: nun hatte er seinen Freund verloren. Wenn er ihn nicht bestehlen wollte, durfte er nicht mehr verkehren mit ihm, denn er fühlte, daß er der Lockung dieses seltsamen Mädchens nicht würde widerstehen können. Der Duft ihres Haares, der wilde leidenschaftliche Krampf in ihren Gliedern, die begehrliche Kraft, das alles brannte in ihm, und er wußte, er würde nicht widerstehen können, wenn sie ihn so ansah wie heute mit diesem leisen lockenden Lächeln. Wie war das gekommen, daß er ihr plötzlich so begehrlich wurde, daß sie um seinetwillen den Schramek betrügen wollte, diesen festen, schönen, gesunden Menschen, den er heimlich so sehr beneidete? Er verstand es nicht und fühlte nicht Stolz und nicht Freude. Nur eine wilde Wehmut, daß er nun seinen Freund werde meiden müssen, um kein Schurke an ihm zu sein. Freilich, die Freundschaft mit Schramek war nicht geworden, was er gehofft hatte, vielen Dingen hat er auf den Grund gesehen, manches erkannt, was ihn einst geblendet, aber jetzt, wie es vorüber war, schien ihm alles so unendlich viel. Denn es war das letzte, was er in Wien noch hatte. Alles war weggeglitten, die Hoffnungen zuerst und die Neugier, die Freude am Studium dann und der Eifer und jetzt noch das letzte, diese Freundschaft. Er fühlte: diese Stunde hatte ihn ganz arm gemacht.

Da hörte er von nebenan ein Geräusch. Ein leises kicherndes Lachen, und jetzt lauter. Er horchte, beide Hände auf der pochenden Brust. Lachten sie über ihn? Hatte Karla alles erzählt, war das am Ende ein abgekartetes Spiel gewesen, ihn zu versuchen? Er hochte hin. Nein, das war ein anderes Lachen, Küsse schmatzten dazwischen und ein erregtes Kichern. Und dann Worte, Zärtlichkeiten, deren sie sich nicht schämten. Seine Hände ballten sich unwillkürlich, er warf sich hin aufs Bett und stopfte sich das Kissen an die Ohren, um nichts mehr zu hören. Ein furchtbares Gefühl packte ihn, ein wilder zorniger Ekel, Ekel, daß er hätte ausspeien mögen. Ekel vor seinem Freund, vor dieser Dirne, vor sich selbst, der fast mitgespielt hätte in diesem widerlichen Spiel, ein besinnungsloser, todesmüder, schauervoller und ohnmächtiger Ekel vor dem ganzen Leben.

In diesen trüben Tagen schrieb er einen Brief an seine Schwester.

»Liebste Schwester, ich habe Dir noch zu danken für Deinen Geburtstagsbrief. Es war mir schwer in diesen Tagen. Wie er kam und mich weckte und mir sagte, ich sei heute achtzehn Jahre alt, habe ich das gelesen, und es war mir, als ginge es mich nichts an, als sei es nicht wahr. Denn all die Worte darin von dem Glück meiner Freiheit und meiner Jugend, ich hätte sie als Spott genommen, wär' es nicht Deine liebe Hand und die seit Kindertagen vertraute Schrift gewesen, die mir sie brachten. Denn es ist alles so anders hier in meinem Leben, so ganz anders, als Du es Dir denken kannst und so anders als meine eigenen Hoffnungen. Es tut mir weh, Dir all das zu schreiben, aber ich habe hier niemanden mehr. Tagelang habe ich keinen Menschen gesprochen. Manchmal gehe ich den Leuten auf der Gasse nach und höre in ihre Gespräche hinein, nur um zu wissen, wie Worte klingen. Ich kenne nichts, weiß nichts, ich tue nichts, ich gehe zugrunde an einer Zwecklosigkeit. Tagelang bin ich ohne Erlebnis, begegne kein bekanntes Gesicht, und Du weißt nicht, was das heißt, unter tausend Menschen einsam zu sein.

Auch mit Schramek ist alles vorbei. Es ist da etwas vorgefallen, ich kann Dir's nicht erzählen, denn Du würdest es nicht verstehen. Ich verstehe es selbst kaum, denn nicht ich und nicht er haben schuld, es ist nur irgend etwas zwischen uns wie ein zweischneidiges Schwert. Und jetzt weiß ich es erst, da ich ihn verloren habe: er war das Liebste, was ich noch hatte in Wien.

Und noch eines ist es, das ich nur Dir sagen kann, die es keinem verrät. Ich studiere nicht mehr. Seit Wochen war ich in keiner Vorlesung, meine Bücher liegen verstaubt. Ich weiß nicht warum, aber ich kann nicht mehr lernen, ich bin stumpf geworden, kein Beruf lockt mich hier, denn keiner hilft mir heraus aus diesem furchtbaren erdrückenden Gefühl der Einsamkeit. Ich will hier nichts mehr, mich ekelt alles. Ich hasse jeden Stein, auf den ich hier trete, ich hasse mein Zimmer, die Menschen, die ich begegne, ich atme mit Qual die frostfeuchte schmutzige Luft. Alles erdrückt mich hier, ich gehe zugrunde. Ich sinke unter wie in einem Morast. Vielleicht bin ich noch zu jung und ganz sicher zu schwach. Ich habe keine Fäuste, keinen Willen, wie ein Kind stehe ich unter allen diesen geschäftigen Menschen.

Und ich weiß eines: ich muß wieder heim. Ich kann noch nicht so allein leben, vielleicht geht es in ein paar Jahren. Aber jetzt brauche ich noch Dich und die Eltern, ich brauche Menschen, die mich lieb haben, die um mich sind und mir helfen. Ja, das ist kindisch, es ist die Angst eines Kindes in einem dunkeln Zimmer, aber ich kann nicht anders. Du mußt es den Eltern sagen, daß ich das Studium lassen will und wieder heim, Bauer werden oder Schreiber oder was immer, nicht wahr, Du wirst es ihnen sagen, ihnen erklären, bitte, tue es bald, ich fühle, wie der Boden mir hier unter den Füßen brennt. Ich habe das nie so ganz gewußt, wie alles in mir nach Hause zurückdrängt, aber jetzt, im Schreiben, da wacht alles so sehnsüchtig auf, und ich weiß, ich kann nicht anders, ich muß zu Euch zurück.

Es ist eine Flucht, eine Flucht vor dem Leben und nicht meine erste. Erinnerst Du Dich, damals, als man mich auf das Gymnasium brachte und ich dann zum erstenmal in das Zimmer trat, wo sechzig fremde Burschen mich neugierig, hochmütig, lachend und überrascht anschauten, da bin ich auch weggelaufen und nach Hause, und hab' den ganzen Tag geweint und nicht mehr zurückgewollt. Und das Kind von damals bin ich heute noch, ich habe die gleiche dumme Angst und das gleiche brennende Heimweh nach Euch und allen, die mich lieb haben.

Ich muß, ich muß weg. Jetzt, da ich es einmal mir abgerungen habe, fühle ich, es gibt kein Zurück. Ich weiß, viele werden lächeln und lachen, wenn ich heimkomme, ein Gestrandeter, einer, den das Leben nicht gewollt hat, ich weiß, daß meinen Eltern eine liebe Hoffnung damit niederstürzt, ich weiß, diese Schwäche ist kindisch und feig, aber ich kann nichts dagegen tun, ich spüre nur, ich kann hier nicht mehr leben. Keiner wird je wissen, was ich hier erduldet habe in den letzten Tagen, keiner kann mich mehr verachten als ich mich selbst. Wie einen Gezeichneten fühl' ich mich, wie einen Kranken, einen Krüppel, denn ich bin ganz anders wie die anderen und, mit Tränen spür’ ich’s, schlechter, minderwertiger, unnötiger, ich bin ...«

Er hielt inne, selbst erschrocken von dem wilden Ausbruch seines Schmerzes. Jetzt erst, da die Feder rasch sein fieberndes Gefühl trug, merkte er, wie viel Schmerz in ihm angesammelt war, wie das nun losbrechen wollte in breiten rauschenden Strömen.

Durfte er das schreiben? Durfte er die einzigen, die er besaß, noch verstören, eine Last, die keiner ihm nehmen konnte, aufbürden auf dieses sanfte Mädchenherz? Wie aus einer nebligen Ferne sah er in ihr liebes Gesicht mit den klaren Augen, die ein Lächeln gern überfunkelte, und sah, wie der Mund erschreckt sich zusammenpreßte, ein Zittern über die Züge hinlief und Tränen zögernd niederrollten über die erblaßten Wangen. Wozu noch dieses Leben verstören, sie erschrecken durch einen Hilfeschrei: wenn einer leiden sollte, wollte er es selbst sein und allein.

Er öffnete das Fenster, riß den Brief durch und streute die Fetzen ins Dunkel. Nein, lieber hier still zugrunde gehen, als um Hilfe zu bitten. Hatte er nicht gelernt, daß das Leben alles vernichtete, was untauglich und gebrechlich war? Es würde auch gerecht sein gegen ihn und ihn nicht versparen ...

Zögernd flatterten die weißen Streifen hinab in den Hof und sanken unter wie helle Steine in einem unergründlichen Wasser. Nächtig war der Himmel und ohne Sterne. Manchmal liefen Wolken heller hin über die dunkle Höhe und der Wind warf eine feuchte rauschende Luft gegen die schlafenden Häuser. Eine leise Unruhe war in alledem, wie erregter Atem war dieses stete Wehen des Windes, und von den stöhnenden Fenstern und zitternden Bäumen ging ein Raunen, als ob einer leise da spräche im Dunkel aus seinem bösen Traum. Und immer stärker wurde der Wind, wie Wetterleuchten flogen die Wolken schneller über den schwarzen Mantel des Himmels, und mit einem Male erkannte der Lauschende in all diesem seltsam erregten Bewegen das Fieber der ersten wunderbaren Nächte, die den Frühling bringen.

Und dann kam der Frühling, ganz langsam wie ein zögernder Gast. Berger erkannte ihn kaum wieder in dieser fremden Stadt. Wie war ihm sonst gewesen, wenn zum ersten Male der Tauwind über die weißen Felder lief, wenn die schwarzen Schollen aufsprangen aus dem Schnee und die Luft feucht war von ihrem Geruch? Wo war jene erste wilde Angst, wenn er oft aufstand, das Fenster aufriß, den Wind an seiner nackten Brust zu fühlen und das Stöhnen der Bäume zu hören, die sich nach ihren Blättern sehnten? Wo war sein Entzücken all den tausend kleinen Dingen entgegen, dem Vogelschrei in der Ferne und den weißen jagenden Wolken, das feine rinnende Knacken und Knistern im Boden zu vernehmen, zu belauschen, wie im Garten an den Spitzen der Äste kleine klebrige Beulen wuchsen und wie sie dann aufbrachen, zaghafte Blätter und eine einzige noch farblose Blüte? Wo war die tief im Blut flackernde Unruhe, wo die unbändige freudige Wollust, den Mantel von sich zu werfen und mit schweren Schuhen über die feuchte quellende Erde zu stapfen, eine Anhöhe hinaufzustürmen und plötzlich aufzuschreien, jubelnd, ohne Sinn, wie ein Vogel steil oben in der glänzenden Luft?

O, wie still war hier der Frühling, wie so ohne alle Gewalt. Oder war das in ihm, diese leise schläfernde Müdigkeit, diese Freudlosigkeit, die ihn nichts beglückt fühlen ließ, nicht den zartgoldenen Sonnenschein, der die Dächer wärmte, nicht dies Heller- und Lebendigerwerden der Straße. Warum rührte ihn all dies so wenig an, daß er nie in den Prater hinausfuhr oder zum Kahlenberg, den er nur von ferne sah und doch wie nähergetragen von der geschmeidigen Luft. Sein Tun war so begrenzt, nie kam er aus dem Bezirk heraus. Immer müder wurde er. Er saß in dem kleinen Schönbornpark, der sonst nur den Kindern gehört und einigen alten Leuten, er ging hin, um zu lernen oder zu lesen, aber das Buch rührte er nicht an und sah nur zu, wie die Kinder spielten, und irgendeine Sehnsucht war in ihm, mit ihnen spielen zu dürfen, wieder zurückzuwachsen in diese helle Sorglosigkeit.

Das Studium hatte er längst aufgegeben. Er vegetierte nur mehr leise dahin, sah den Dingen zu und hatte doch kein Interesse daran. Einmal hatte er sich wieder aufraffen wollen und war ins Krankenhaus gegangen; und wie er da in den weiten Hof mit den aufknospenden Bäumen kam, die sich unbesorgt in der Stille wiegten, als wüßten sie nichts von den furchtbaren und geheimnisvollen Schicksalen ringsum, da geschah es ihm, daß er sich vergaß und hinsetzte auf eine der Bänke. Und wie alle die Kranken, die in ihren langen blauen Leinengewändern heraustraten mit jenem zagen Schritt der erst Genesenden und nun ruhten, mit ruhigen matten Händen, ohne Lächeln und Gespräch, ganz nur dem dumpfen untätigen Gefühl erwachenden Lebens hingegeben, so saß er unter ihnen, ließ die Sonne warm über die Finger hinrinnen und träumte müde vor sich hin. Er hatte vergessen, was er hier wollte, er fühlte nur, daß da Menschen gingen und dort, hinter dem runden Tor eine laute lärmende Straße war, und daß Stunden langsam vergingen und die Schatten sich unmerklich vorstreckten. Wie man den Kranken das Zeichen der Rückkehr gab, schreckte er auf. War er nicht dagesessen, wie einer von ihnen, war er nicht vielleicht kränker und näher dem Tod als sie alle? Seltsam, nichts begehrte er mehr, als so zu sitzen und die Zeit zerrinnen zu sehen.

Freilich: am Abend flackerten manchmal böse Lichter in ihm auf. Er verlumpte sich allmählich, trieb sich mit Frauen herum, die er verachtete, weil er sie kaufen mußte, versaß manche Nacht stumpf im Kaffeehaus, aber all das geschah ohne Lust und ohne Begier, nur aus einer dumpfen Angst vor der rettungslosen Einsamkeit. Seit er mit keinem mehr sprach, war eine böse Falte um seine Lippen, und er wich seinem eigenen Spiegelbild aus. Ein paarmal suchte er sich noch aufzuraffen, aber er fiel immer, wie erdrückt von der ganzen aufgetürmten Last der Einsamkeit in ihm, in sein träumerische und ziellose Lethargie zurück.

Doch das Leben rief ihn zu sich.

Einmal, da er spät nachts heimkehrte, müde, verdrossen und

mit jener innerlichen Angst vor dem schweigend ihn erwartenden Zimmer, merkte er, daß er unterwegs den Türschlüssel verloren haben müsse. Er klingelte, selbst auf die Gefahr hin, daß nicht die Hausfrau, sondern Schramek ihm öffnen würde. Aber da kamen schon eilige, schlürfende Schritte: seine Hausfrau öffnete die Türe und hob die Petroleumlampe, um den Eintretenden zu erkennen. Da, wie das Licht auf den unordentlichen Scheitel und auf das ihm fast fremde Gesicht der Frau fiel, sah Berger, daß ihre Lider rot und übernächtigt waren und eine Gramfalte um ihren Mund. Und dann dachte er erschreckt, was war geschehen, daß diese Frau wach war um zwei Uhr nachts? Besorgt fragte er sie.

»Ja wissen's denn nicht, Herr Doktor, die Mizzi, meine Tochter, hat doch den Scharlach. Und schlecht geht's ihr, schlecht!« Sie fing wieder leise an zu weinen.

Berger erschrak. Er wußte von nichts. Er wußte kaum, daß diese Frau eine Tochter hatte. Ein paarmal war draußen im dunkeln Vorzimmer, wenn er ging oder kam, irgendein schmächtiges Kind mit einem »Küß d'Hand« vorbeigeglitten, ein zwölfjähriges, dreizehnjähriges Mädel, aber er hatte nie mit ihr gesprochen oder sie nur angesehen. Schwer fiel es ihm plötzlich aufs Herz, daß seit Monaten, atemnah, nur durch eine Wand getrennt, Menschen wohnten, die er nie angesehen, daß Schicksale geschahen, hart neben seinem Leben und er sie nicht ahnte. Wie hatte er von den anderen Menschen Vertrauen ersehnt, und er selbst hatte geschlafen wie ein Tier, während nebenan der Tod mit einem Kinde rang.

Er suchte die Weinende zu trösten. »Es wird schon gut ausgehen ... beruhigen Sie sich nur ...« Und dann zaghafter: »Könnte ich vielleicht Ihre Tochter sehen. Ich verstehe zwar noch nicht viel ... ich steh' erst ganz am Anfang, aber immerhin ...« Mit einemmal wachte die Sehnsucht nach seinem Studium wild in ihm auf, er wäre am liebsten hinübergegangen und hätte die Bücher aufgeschlagen und wieder zu lernen begonnen.

Die Frau führte ihn auf leisen Zehen zu der Kranken. Es war

ein enges Hofzimmer, schwül und qualmig von der nieder brennenden Petroleumlampe; eine Feuermauer war gegenüber. Hier wußte man vom Frühling nichts und kannte die Sonne nur an den matten Reflexen, die von den beglänzten Fenstern manchmal herüberstrahlten. Jetzt sah man freilich gar nicht, wie ärmlich die Stube war, denn alles verschwamm in der trüben Dämmerung, nur in der Ecke, wo das Bett stand, glimmerte ein wenig gelbes Licht. Das Mädchen lag in unruhigem Schlaf. Ihre Wangen waren fiebrig gerötet, einer der mageren Arme hing wie vergessen über der Bettkante herab, die Lippen waren eingezogen, und nichts in dem hübschen Gesicht verriet auf den ersten Blick die Erkrankung, nur der Atem ging laut und manchmal gequält.

Die Frau erzählte leise, immer wieder von Weinen unterbrochen. »Heut war wieder der Doktor da, hat sie angeschaut, aber er hat mir gar nichts gesagt. Das ist die dritte Nacht, daß ich da wache, bei Tag muß ich für das Geschäft arbeiten. Freilich die Nachbarin hilft mir ja und ist da bei Tag, aber jetzt sind es schon drei Nächte, daß ich da bin, und es wird nicht besser. Mein Gott, ich tu's ja so gern, wenn nur nichts geschieht.«

Wieder brach ein Schluchzen in die Worte hinein. Eine wilde Verzweiflung war in ihrem ganzen Reden.

In Berger quoll ein wunderbares Gefühl auf. Zum ersten Male, fühlte er, würde er einem Menschen helfen können, zum ersten Male spürte er beglückt etwas von dem Glanz seines Berufes.

»Liebe Frau, das geht so nicht weiter. Sie richten sich zugrunde und helfen dem Kind nicht damit. Sie werden sich jetzt niederlegen, ich bleibe die Nacht bei dem Kind.«

»Aber Herr Doktor!«

Sie hob erschreckt die Hände, als könnte sie es nicht glauben.

»Sie müssen jetzt schlafen gehen, Sie brauchen den Schlaf. Verlassen Sie sich nur auf mich.«

»Aber Herr Doktor ... nein ... nein ... wie kämen Sie denn dazu ... nein, das geht nicht ...«

Berger fühlte die Sicherheit in sich wachsen, irgendein Selbstgefühl zersprengte den aufgehäuften Schutt der letzten Monate in seiner Brust.

»Es ist mein Beruf und meine Pflicht.« Ganz stolz sagte er es, wie in der Freude, plötzlich in einer Nachtstunde, in irgendeiner jähen Sekunde, den Sinn und das Ziel seines ganzen verlorenen Lebens gefunden zu haben.

Sie stritten nicht lange. Die Frau war übermüdet, der Schlaf drückte ihr auf den Augen und so gab sie bald nach. Berger hatte nur noch zu wehren, daß sie ihm die Hand küßte in dem wilden Gefühl ihrer devoten Dankbarkeit, dann führte er sie hinüber in sein Zimmer, wo er sie auf den Diwan bettete. Die letzten Nächte, seit das Kind krank war, hatte sie in der Küche auf einer Matratze geschlafen. Alle diese kleinen und doch in ihrer Tragik furchtbaren Dinge, von denen er nichts gewußt hatte, ließen ihn seinen Dienst nicht als eine Tat empfinden, sondern nur als Tilgung einer bitteren Schuld.

Und nun saß er an dem Bette des Mädchens. Es war ein unbeschreibliches Gefühl in ihm; irgendwie schien das Leben leiser und friedfertiger geworden zu sein, wie diese Atemzüge, die jetzt nur mehr hauchend gingen und kamen. Jetzt erst sah er das von einem schmalen Lichtkreis umrandete Gesicht näher an. Nie hatte er, solange er in Wien war, so innig eines anderen Menschen Gegenwart fühlen dürfen, nie so lange in seine Züge sehen dürfen, nie ihm alles ablauschen, was in den Linien seines Antlitzes lag. Wie er sie so ansah, kam ihm irgendein Erinnern, ganz leise schlief irgendwo um diese hagern Lippen eine Ähnlichkeit mit seiner Schwester, nur noch kindlicher war dieses Gesicht, noch unerblüht und verhärmt. Eine Neugier beschlich ihn, wie die Augen wohl sein möchten, ob wie die seiner Schwester auch, und wie eine Anklage sagte er sich immer wieder sein Versäumnis. Warum war er so fremd an diesem Mädchen und an ihrer Mutter vorübergegangen, warum hatte er nie an diese beiden gedacht, die neben ihm lebten? Warum hatte dieser Mund nie gelächelt für ihn, waren diese Augen ihm fremd wie jetzt, wo sie unter dem Schrein der Lider verschlossen waren, warum wußte er nichts von dem, was da lebte in dieser schmalen Kinderbrust, die auf- und niederging in sanften Atemzügen? Vorsichtig faßte er die matte Hand des Kindes, die über die Bettkante hinaushing, und legte sie auf die Decke. Wie eine Liebkosung so zart war seine Berührung. Und dann saß er still und sah sie an, dachte schmerzlich nach, wie viel er versäumt hatte von seinen Studien und gelobte sich im stillen, sein Leben von Grund auf neu zu beginnen. Schon flogen träumerische Bilder auf, er sah sich als Arzt, als Helfenden, und das Blut wurde ihm warm bei diesen lockenden Gedanken. Und immer wieder umfaßte sein Blick dieses blasse kindliche Mädchengesicht und hielt es fest, als könnte er mit diesem Blick ihr Schicksal bewahren und ihr bedrohtes Leben zurückhalten.

Plötzlich regte sich das Kind und schlug die Augen auf, große, fiebrig glänzende, wie in Tränen schimmernde, funkelnde Augen. Das ganze Gesicht wurde wie mit einem Male hell. Zuerst wanderten sie im Kreise herum, als müßten sie sich irgendwo durch die Wolke des Fiebers und der nachschattenden Träume bohren. Dann blieben sie plötzlich, wie erschreckt, bei Bergers Antlitz stehen. Wie fragend tasteten sie seine Züge entlang, hingen sich dann fest an seinem Blick. Undeutlich bewegten sich die verbrannten Lippen.

Berger sprang auf, trocknete die fiebrig erhitzte Stirn und gab ihr dann zu trinken. Das Mädchen bog den Kopf vor, trank hastig und fiel dann wieder matt in die Kissen zurück, die Augen unbeweglich auf Berger gerichtet. Nicht ganz klar bewußt schien ihm dieser Blick, aber doch, dem Staunen war darin etwas von Dankbarkeit beigemengt. Unablässig sah sie ihn an. Und als er jetzt, leise zitternd vor diesem tiefen unverständlichen Blick, sich abwandte und sich im Zimmer zu schaffen machte, spürte er, ohne hinzusehen, wie ihm diese großen, feuchtfunkelnden Kinderaugen überall hin folgten. Und wie er dann zurücktrat an das Bett, waren sie weit aufgetan, und nun, wie er sich niederbeugte, regte sich der Mund, er wußte nicht, wollte sie sprechen oder lächeln. Dann fielen die Lider zu, das Leuchten verlosch auf ihrem Gesicht. Und dann lag sie wieder, stumm und blaß und schlief, mit jetzt leiseren Atemzügen.

Berger fühlte auf einmal in der atemlosen Stille sein Herz ganz laut gehen. Irgendein Glücksgefühl war in ihm und wuchs wild auf. Zum ersten Male in seinem Leben sah er sich tätig eingereiht in den Kreis der anderen, ihm war, als hätte ihm jemand etwas Dankbares und Herzliches zugerufen, als hätte sich irgend etwas Großes und Schönes für ihn begeben in diesen paar Stunden. Fast zärtlich sah er nieder auf dieses Mädchen, auf dieses Kind, auf den ersten Menschen, der ihm anvertraut war, den er dem Leben gewinnen sollte und der ihn selbst zurückgewonnen hatte für das Leben. Er sah immer wieder auf die Schlafende und die langen Stunden schienen ihm leicht. Ganz überrascht war er, wie er, als die Lampe plötzlich mit einem jähen, aufspringenden Flackern erlosch, das Dunkel verloren und den Morgen schon mit seinem ersten leisen Schein vor dem Fenster warten fand.


Vormittags kam der Arzt, um nach der Kranken zu sehen. Berger stellte sich ihm als Student der Medizin vor und fragte ihn, nicht ohne das peinliche Gefühl seiner Unkenntnis bis in die Kehle quellend zu spüren, ob noch Gefahr vorhanden sei.

»Ich glaube nicht«, sagte der Arzt. »Die Krise scheint mir überstanden. Merkwürdig, die Kinder sind diesen Krankheiten gegenüber viel widerstandsfähiger als die Erwachsenen, es ist, als ob in ihnen die Kraft ihres noch ungelebten Lebens dem Tode entgegenarbeiten würde und ihn niederringen. So ist es fast mit allen Kinderkrankheiten: Die Kinder überwinden sie und die Erwachsenen gehen daran zugrunde.«

Er untersuchte die Kranke. Berger stand ergriffen dabei. Wenn er so sah, wie er selbst nach jedem Wort dieses Menschen griff, jede seiner Bewegungen belauschte, da fühlte er im tiefsten die wunderbare Gewalt des von ihm einst blindlings erwählten und lang mißachteten Berufes. Die ganze Schönheit ging ihm auf wie eine jähe Sonne, so an ein Bett treten und dort, wie ein Geschenk, Hoffnung, Verheißung und vielleicht auch Gesundheit hinlegen zu dürfen. In diesem Augenblick war ihm die Richtung seines ganzen Lebens klar: tätig müßte er sein und nützlich, dann würde er auch nicht mehr allen fremd bleiben, nicht mehr einsam sein.

Er begann damit, die Pflege des Mädchens ganz zu übernehmen. Ohne selbständig etwas anzuordnen, beschränkte er sich darauf, die Phasen der Krankheit zu überwachen, die Nächte an dem Bett der Kranken zu verbringen und auch einen guten Teil des Tages. Es war jene Nacht wirklich die Krise gewesen. Das hohe Fieber wich, er konnte schon mit der Kleinen reden, und er tat es gerne. War er draußen gewesen, so brachte er ihr ein paar Blumen mit und erzählte ihr vom Frühling, der jetzt schon im Schönbornpark, wo das Kind sonst immer spielte, die Bäume leise begrünte, und daß die anderen Mädchen schon helle Kleider trügen. Er erzählte von der blanken Sonne, die jetzt draußen glänzte, erzählte allerlei Geschichten, las ihr vor, versprach ihr die baldige Genesung und hatte kein lieberes Vergnügen, als sie froh zu sehen. Ganz frei wurde ihm bei diesen einfältigen, absichtlich kindischen Gesprächen, und er hörte manchmal, selbst überrascht, sich laut und lustig lachen.

Und das kleine blasse Mädchen lag in den Kissen und lächelte nur. Ganz matt lächelte sie, eine leise liebe Linie grub sich um die Lippen und flog wieder weg wie ein Hauch. Aber wenn sie ihn ansah, dann ruhte ihr Blick, ihr ganzes tiefes grauschillerndes Auge, feinstrahlig und leuchtend bis zum Grund, auf seinem Gesicht, ganz ohne Verwunderung und Fremdheit schon, hing warm und schwer an ihm, wie ein Kind um den Hals der Mutter. Nun durfte sie auch schon sprechen, und bald verlor sie die anfängliche Scheu, ihn anzureden.

Am liebsten verlangte sie von seiner Schwester zu hören. Wie sie aussehe, ob sie groß sei oder klein, wie sie sich kleide und ob sie brav in der Schule war. Und ob sie auch so blonde Haare habe wie er. Und ob er es nicht einrichten könnte, daß sie einmal herkäme nach Wien, das doch sicher schöner sein müßte als das kleine Städtchen mit dem harten Namen, über den sie immer lachen mußte. Und ob sie auch schon so krank gewesen sei: lauter kindische einfältige Fragen fand sie, und immer neue. Aber sie machten Berger nicht müde. Er antwortete ihr gern, und es tat ihm wohl, einmal von seiner Schwester, die ihm das Liebste war auf der Welt, herzlich reden zu dürfen. Und als ihn das Mädchen darum bat, brachte er ihr auch die Photographie von seinem Schreibtisch.

Neugierig nahm sie das Bild in ihre schmalen, noch ganz durchsichtigen Kinderhände.

»Da« – sie strich sehr sorgfältig mit dem Fingernagel darüber – »das ist ganz Ihr Mund. Nur machen Sie oft eine böse Falte darum, und dann schauen Sie ganz anders aus. Wenn ich Sie früher gesehen habe, habe ich immer Angst vor Ihnen gehabt, so haben Sie dreingeschaut.«

»Und jetzt?« Er lächelte leise.

»Jetzt nicht mehr. Aber sagen Sie, hat sie auch solche Augen wie Sie?«

»Ich glaube ja.«

»Und ist auch so groß wie Sie, nicht wahr? Sie muß sehr schön sein, Ihre Schwester. Ach, sehen Sie, sie trägt die Haare ganz so wie ich, auch so rund geflochten. Die Mutter hat's mir zuerst nicht erlauben wollen, daß ich sie so trage und hat gesagt, es macht mich zu alt. Aber ich bin ja kein Kind mehr, ich bin ja schon konfirmiert.«

Sie reichte ihm die Photographie zurück, und er sah sie lange an, ohne ein Wort zu sprechen. Zum ersten Male fand er von dem Bilde die Züge seiner Erinnerung nicht mehr ganz zurück. Unmerklich waren seiner Schwester und dieses Kindes feine blasse Züge irgendwie zusammengeströmt in seinem innern Schauen, er vermochte sie nicht mehr zu scheiden. Beider Lächeln und beider Stimme war eins in ihm geworden, so wie sie jetzt auch in seinem Leben vereint waren, als die beiden einzigen weiblichen Wesen, die ihm vertrauten und es liebten, mit ihm zu sein. Die Gestalt Karlas war ganz weggeweht aus seiner Erinnerung, all die Tage hatte er nicht ein einziges Mal an sie gedacht und an jene Stunde, an die er jetzt ruhig sich erinnerte wie an ein Trunkensein von Wein, einen Rausch, eine Dummheit im Zorn. Und schon hatte er an alle die stumpfen bösen Tage vergessen, die er hier verlebt.

Er fühlte nur eines, daß ihm ein großes Glück begegnet sei. Ihm war, als ob er lange im Dunkel gegangen wäre, in den Abend hinein, und hätte plötzlich, jäh beglückt, ein Licht, weiß wie einen Stern von der Ferne glänzen sehen, Licht von einem Haus, wo er ruhen durfte und wo man ihn aufnahm als lieben Gast. Was hatte er, der Kindische, der Schwächling, der Verzagte bei den Frauen gewollt? Den Erfahrenen mußte er zu töricht sein, den Unschuldigen zu feige, ein Hifloser war er ja noch, ein Unfertiger, ein Träumer. Er war zu früh gekommen, hatte sich zu früh an sie gedrängt, die nur die reife Frucht des Lebens begehrten. Aber hier dieses Kind, in dem die Frau erst keimte, knospennah und doch noch schlummernd, die noch sanft war, ohne Stolz und ohne Gier, wuchs ihm da nicht ein Schicksal entgegen, dem er Herr sein konnte, eine Seele, die er sich erziehen durfte, ein Herz, das unbewußt sich ihm schon hinneigte? Ein Traum, süßer als alle bisherigen und doch wirklicher als die dumpfen Gebilde seiner leeren Stunden schlug an seine Brust wie eine warme Welle.

Und dann, je öfter er sie ansah, je länger er sie kannte und nun, wie nach der Krankheit ihre Wangen sich leise färbten und das junge Gesicht verschönten, zitterte eine sehr verschwiegene und ganz begehrungslose Zärtlichkeit in ihm auf. Eine nur geschwisterliche Zärtlichkeit, der es Glück schon war, über die mageren Hände streifen zu dürfen und das Lächeln an den Lippen aufblühen zu sehen.

Einmal lag sie wieder still, ganz still. Sie hatten beide geschwiegen. Und plötzlich kam ihn ein Verlangen an, das er selbst nicht verstand. Er trat hin an ihr Bett, meinend, daß sie schliefe. Aber sie lag nur still und strahlte ihn so merkwürdig an mit den

Augen. Stumm lag der Mund wie ein blasses eingerolltes Rosenblatt. Und plötzlich wußte er, was er wollte: diesen Mund einmal mit seinen Lippen berühren, ganz, ganz leise nur.

Er beugte sich nieder. Aber selbst diesem kranken Kinde gegenüber war er noch mutlos.

Sie sah auf zu ihm: »Woran denken Sie jetzt?«

Da packte es ihn an, er konnte es nicht mehr verschweigen. Ganz leise sagte er: »Ich möchte dir gern einen Kuß geben. Darf ich?«

Sie lag unbeweglich und lächelte nur, lächelte mit ihren hellen strahlenden Augen tief bis an sein Herz, lächelte nicht mehr wie ein Kind, sondern schon wie eine Frau …

Da beugte er sich nieder und küßte leise den zarten unerfahrenen Kindermund.

Ein paar Tage später durfte die Kranke zum ersten Male aufstehen. Im Lehnsessel, den man ihr ans Fenster gerückt hatte, saß sie da, ganz glücklich, dem Bett entronnen zu sein. Berger saß bei ihr und sah sie stolz an, er hatte dunkel das Gefühl, als ob er sie retten geholfen hätte und dies auch seine Tat wäre, daß sie nun wieder dem Leben gehörte. Sie schien größer geworden zu sein während ihrer Krankheit, und irgendwie war das Kindhafte leise abgeglitten von ihr: wie ein junges Mädchen saß sie da und ihre Freude war gar nicht mehr übermütig-kinderhaft, sondern schon so besonnen und tief gefühlt. Wie sie an das Fenster tippte, hinter dem die Luft lau glänzte, und sagte: »Der Frühling soll doch hereinkommen, wenn ich noch nicht hinaus kann«, das schien Berger wie ein kleines Wunder, wie eine nie gekannte Lieblichkeit des Lebens. Und er schämte sich gar nicht mehr vor sich selbst, verliebt zu sein in ein dreizehnjähriges Mädchen, weil er wußte, daß all dies gewissermaßen traumhaft war und unwiederbringlich, was er in diesen Tagen des Genesens erlebte. Und wunderbar ergriff ihn das herzhafte, von fraulicher Scham noch gar nicht verwirrte Zutrauen, ihre innige und heitere Zuneigung zu ihm. Sie sprach ihn jetzt oft beim Vornamen an, neckte sich mit ihm, und er spürte, mitten im Übermütigsein ein lautes Glückseligkeitsgefühl, nicht mehr einsam zu sein. Lachen kam aus seiner Seele wieder herauf, er besann sich darauf wie an eine vergessene Sprache aus Kindertagen. Und dann kamen, wenn er allein war, sanfte Träumereien, er sah sie aufwachsen zur Frau, sah sie klug, ernst, verständig. Und sah sich selbst diesen Bildern verstrickt und verstand, daß sie für ihn wachsen und werden sollte.

Aber auch sonst hatte seine Einsamkeit ein Ende. Da war die Mutter des Mädchens, die aufsah zu ihm wie zu einem Gott. Sie schien den ganzen Tag nur auf Möglichkeiten zu sinnen, ihm ihre Dankbarkeit erweisen zu können. Und nun, wie er öfters mit ihr sprach, merkte er, daß diese ärmliche Frau viel Schicksal erlebt hatte und trotz Erniedrigungen und Enttäuschungen eine ergreifende Güte bewahrt hatte. Er bereute jetzt, früher schroff an diesen ihm untergebenen Leuten vorbeigegangen zu sein, und fühlte sich froh, diese Schuld nun getilgt zu haben.

Und auch zu Schramek fand er wieder zurück. Er traf ihn einmal im Flur, und Berger staunte über sich selbst, wie heiter und unbesorgt er mit ihm reden konnte. Auch von der Karla sprachen sie, und nichts tat ihm mehr weh bei diesem Wort. Es war zu viel innere Freudigkeit in ihm, ein Freischweben und Freisein, das bis in seinen Gang strömte, das ihn aufrecht sein ließ und elastisch. Von allen Seiten schien das Leben ihn zu durchdringen, alles paßte ineinander und das einzige wilde Begehren, das in ihm drängte, war, jetzt die verstaubten Bücher aufzuschlagen und das Studium zu beginnen. Mit goldenen Lichtern lockte ihn nun sein Beruf. Ein paar Tage nur wollte er noch warten, bis das Mädchen ganz gesund sei, diesen ersten Erfolg, diesen wilden, in jeder Sekunde dieser strahlenden Tage empfundenen Genuß wollte er noch zu Ende auskosten.

Zwei Wochen hatte Berger die Straße kaum gekannt, war nur manchmal vom Krankenzimmer eilig hinabgestürmt, um etwas zu besorgen. Wie er nun zum ersten Male wieder langsam hinschlenderte über das besonnte blinkende Pflaster, empfand er den Frühling erst ganz, dessen kühl duftender Atem hinzitterte über der wie festlich erleuchteten Stadt. Und ihm war, als sehe er heute diese Stadt zum ersten Male, als sei sie aus einem trüben nassen Nebel glitzernd aufgetaucht. Er sah diese alten Häuser der Josefstadt, die ihm immer morsch und schmutzig erschienen waren, jetzt, da ein blanker blauer Himmel scharf die Konturen der altertümlichen Dächer und Rauchfänge abzeichnete, in ihrer anheimelnden Vertrautheit, empfand den hinter den breiten Straßen fern vorlugenden Kahlenberg mit seinem noch ganz matten Grün wie einen Gruß. Alle Menschen schienen ihm hellere Mienen zu haben, und manchmal war ihm, als funkelte aus den Blicken der Frauen ein freundlicher Blick ihm zu im Vorübergehen. Oder war das nur sein eigener innerer Glanz, zurückgespiegelt von jedem Ding, von der dunklen Pupille und den flackernden Fenstern, von den glimmernden Straßen und den grell leuchtenden erwachten Blumen hinter den Scheiben? Nicht feindlich schien dies alles mehr um ihn zu stehen und fremd, sondern lag da wie eine reifende Frucht, verheißend und farbig, baldiger Besitz und schon wunderbares Vorgefühl des Genießens. Eine immer wieder neuausströmende Fülle war rings in alledem, und sie trug einen wie eine Welle fort. Ganz gab er sich hin an dieses Glücksgefühl.

Bald kam ihn eine leichte Betäubung an. Wie betrunken war er, seine Füße wurden ihm schwer, bleiern schloß sich ein Ring um seinen Kopf. Plötzlich fiel ihn diese Mattigkeit an wie eine Krankheit des Frühlings. Er mußte sich bei der Ringstraße hinsetzen auf eine Bank. Vor ihm, auf seine Hände, auf seinen ganz leicht fröstelnden Körper strahlte die Sonne, noch nicht gefiltert vom dichten Blattwerk der Bäume, sondern voll und prall, mit so stürmischer Gewalt, daß er die Augen schließen mußte. Lärm stürmte auf dem Pflaster vorbei, Menschen gingen vorüber, aber irgend etwas zwang ihn, die Augen geschlossen zu halten und unbeweglich hingegossen zu bleiben auf die harte Bank. Zwei, drei Stunden saß er so. Erst in der Dämmerung, als die Kühle kam, raffte er sich auf und ging nach Hause, mühsam, wie ein Kranker.

Er ging vorbei am Zimmer, wo das Mädchen war. Er fühlte, er müßte jetzt allein sein mit sich, endlich abrechnen mit der Fülle neuer Erlebnisse, die ihn anders gemacht hatten in diesen Wochen. Er setzte sich hin zum Schreibtisch, um seine Bücher und Schriften zu ordnen. Morgen wollte er mit dem Studium beginnen.

Da fiel ihm ein dickes unbeschriebenes Heft in die Hand, kaum erkannte er es wieder. Zum Tagebuch hatte er es sich bestimmt, als er nach Wien kam. Und hatte immer auf ein Erlebnis und Geschehnis gewartet, um würdig die erste Seite zu beschreiben, hatte gewartet und schließlich, als die Tage immer eintöniger wurden, ganz vergessen daran. Nun schien es ihm wie ein Zeichen. Denn jetzt hatte ja erst sein Leben begonnen, jetzt begannen Sterne über die trostlose Nacht zu glänzen. Ein Tagebuch der Erlebnisse sollte es werden und – unsicher spürte er es – vielleicht auch der Liebe. Denn in ihm war irgendeine Stimme, die so sprach, als ob die Neigung zu diesem Kinde einmal Liebe werden sollte zu einer Frau …

Er schraubte die Lampe hoch. Und nahm dann Tinte, schwarze und rote und allerhand Federn und begann mit vielen Schnörkeln und Arabesken Dantes Worte auf die erste Seite zu malen »*Incipit vita Nuova*«. »Ein neues Leben hat begonnen.« Er liebte von Kindertagen diese Spielerei des Schönschreibens, und selbst da, wo er seine Zukunft und Vergangenheit festhalten wollte, stichelte er schöne geschwungene Lettern, füllte sie mit Rot und Schwarz: »Ein neues Leben hat begonnen.« Leuchten sollte das wie Blut!

Da … er hielt inne im Schreiben … ein Tintenspritzer saß auf seiner Hand. Ein kleiner roter runder Fleck. Er wollte ihn wegwischen. Es ging nicht. Er nahm Wasser und rieb daran. Der Fleck ging nicht weg … wie seltsam … Er versuchte wieder. Und wieder vergebens.

Da durchfuhr ihn ein Gedanke jäh wie ein Blitz. Er fühlte sein Blut stocken. Was war das? ... Etwa? ...

Zögernd, angstvoll schob er dann den Ärmel empor. Und spürte seine streifende Hand kalt werden: auch hier saßen rote kreisrunde Flecke, einer, zwei, drei. Mit einem Male verstand er die Müdigkeit und den Druck von vorhin. Er wußte genug. Stärker begann es in seiner Schläfe zu hämmern, die Kehle war ihm verklemmt. Und kalt, wie schwere fremde Klötze fühlte er seine Füße unter dem Tisch.

Taumelnd riß er sich auf, mit einem erschreckten Blick am Spiegel vorbei. Nein, nur nicht hinsehen! Und nichts tun, nicht schreien oder weinen, nichts hoffen oder erwarten, da es doch unabänderlich war. Und es war ja nur so natürlich. Er hatte sich angesteckt. Er hatte Scharlach.

Scharlach ... und da hörte er plötzlich, als spräche einer im Zimmer laut die Worte, die der Arzt damals von den Kinderkrankheiten und dem Scharlach gesagt hatte. »Die Kinder überwinden es leichter, die Erwachsenen gehen daran zugrunde.«

Scharlach ... Sterben ... das klang ihm alles ineinander. Scharlach – eine Kinderkrankheit! War das nicht ein Symbol für sein ganzes Leben, daß er immer an dem als Erwachsener noch gelitten hatte, was nur den Kindern und der Kindheit zugehört? Und die Erwachsenen überdauerten das schwerer wie die Kinder: wie wunderbar verstand er das mit einem Male!

Aber Sterben – es revoltierte doch zuviel in ihm dagegen. Vor drei Wochen, wie gerne wäre er gegangen, wie gerne still und unauffällig abgetreten von der Bühne, wo keiner ihm zuhörte und keiner mit ihm sprach. Aber jetzt? Warum spielte das Leben so mit ihm, daß es ihm Lockendes noch in letzter Stunde gezeigt, um ihm den Abschied schwer zu machen? Warum gerade jetzt, wo er wieder mit Menschen verknüpft war, wo manche vielleicht leiden würden, mehr vielleicht als er selbst?

Dann kam die Müdigkeit über ihn, eine stumme fassungslose Resignation. Starr sah er hin auf die roten Flecken, bis sie vor seinen Augen als Funken tanzten. Wirr wurde ihm alles. Er fühlte nur noch, daß es ein Traum gewesen war, das Glück oder das Unglück, die Menschen oder die Einsamkeit, das Vergangene oder das Kommende. Er begehrte nichts mehr. War das schon Sterben, dieses Stillwerden in einem solchen Augenblick, dachte er schmerzlich.

Nur Abschied nehmen wollte er noch.

Er ging hinein in das Zimmer, wo das Mädchen schlief. Mit einem Blick nur sah er hin auf die ruhenden, ihm so vertrauten Züge. Hatte er nicht geträumt, hier werde ihm sein Schicksal werden? Und war es ihm nicht durch sie geworden, ganz, ganz anders nur, als er es dachte, ein Sterben und kein Leben?

Er streichelte mit dem Blick zärtlich die Züge. Und das Lächeln, das im Schlaf leise ihren kindischen Mund umrandete, nahm er mit auf seinen Lippen. Freilich, wie er zurücktrat ins Zimmer, hing es schon bitter herab, wie eine verwelkte Blume.

Er zerriß noch ein paar Briefe, schrieb eine Adresse auf einen Zettel. Dann klingelte er und wartete.

Die Frau kam sofort hereingestürzt. Sie stürmte nur immer, ihm, den sie abgöttisch verehrte, dienlich sein zu können.

»Ich« – er mußte noch einmal ansetzen, die Stimme war nicht ganz fest – »Ich fühle mich nicht ganz wohl. Bitte richten Sie mir das Bett und rufen Sie den Arzt. Wenn es mir schlecht gehen sollte, senden Sie ein Telegramm an meine Schwester, hier ist die Adresse.«

Zwei Stunden später lag er in hitzigem Fieber.

Furchtbar brannte das Fieber in seinem Blut. Es war, als ob die ganze Kraft der noch ungelebten Stunden, die nie verbrauchte Leidenschaft ihn verbrennen würde in den zwei Tagen, die ihm noch gegeben waren von einem langen Leben. Das Haus war verstört. Mit verweinten Augen schlich das Mädchen herum und wagte keinen anzusehen, wie in Angst, man möchte sie anklagen. Die Frau lag verzweifelt vor dem Kruzifix im Vorzimmer und betete schluchzend um das Leben des Sterbenden. Auch Schramek kam mehrmals zu ihm herüber und versicherte allen mit seinem unverwüstlichen Vertrauen, es würde schon gut ausgehen. Der Arzt dachte anders und sandte das Telegramm an Bergers Schwester.

Zwei Tage hielt das Fieber den Besinnungslosen umklammert und schleuderte ihn auf und nieder in seinem roten Gischt. Einmal wachte er noch auf. Sein Blut war still geworden. Reglos lag er da mit matten Händen und geschlossenen Lidern.

Aber er war ganz wach. Er fühlte, das Zimmer mußte sehr hell jetzt sein, denn wie ein rosaroter Nebel lag es auf seinen Lidern.

Er blieb regungslos. Da begann nebenan der Vogel zu zwitschern. Ganz vorsichtig zuerst, wie zur Probe. Dann setzte er ein, trällerte und jubelte dann auf, eine Melodie stieg empor und wiegte sich auf und nieder. Der Kranke horchte hin. Vage fiel es ihm ein, es müßte jetzt Frühling sein.

Die Vogelstimme tönte immer lauter: fast tat sie ihm weh mit ihrem Jubel. Ihm war, als nistete der Vogel hart neben ihm am Bett und gellte ihm die schrillen Töne ins Ohr ... Aber nein ... Jetzt war er wieder ganz leise, so fern. Auf einem Baum mußte er sitzen, draußen im Frühling. Immer leiser ward das Lied, immer zarter, wie von einer Flöte, wie von einer Mädchenstimme. Oder war es gar kein Vogel, sang da nicht die feine silbern-biegsame Stimme eines Mädchens, eine süße helle Kinderstimme?

Ein Mädchen, ein Kind ... Erinnerung kam zaghaft wieder hergeweht und rührte an sein Herz. Langsam fiel ihm alles wieder ein, aber nicht in richtiger Folge, sondern Bilder, eines nach dem anderen. Das lächelnde Kindergesicht stieg auf aus der Dunkelheit des Vergessens und jetzt, schattenhaft und doch süß, dieser eine verstohlene Kuß. Und die Krankheit dann und die Mutter, das ganze Haus – der Kreis des Erlebens lief zurück und plötzlich wußte er, daß er krank dalag und vielleicht sterben mußte.

Er riß die schweren Augenlider auf. Ja, da war das Zimmer. Und er war ganz allein da. Der Vogel nebenan sang nicht mehr und auch die Uhr war stumm, die sonst eilfertig tickte, man hatte sie aufzuziehen vergessen. Langsam glitten ihm die Lider wieder zu, ohne daß er es merkte. Er sah in das Zimmer wie in eine Ferne zurück und saß darin, in jener ersten Nacht wo er nach Wien kam und draußen der Regen rann, und er weinte in seinem bitteren Verlassensein. Und dann kam alles wieder, das mit Schramek und die anderen bunten Dinge, aber schon ganz unwirklich war es ... so fremd ... es tat nicht gut und schmerzte doch nicht ... es rann so vorüber, rann in die große dunkle Mattigkeit.

Da hörte er ... plötzlich ... wie nebenan eine Tür zufiel. Und dann ein paar Schritte. Die kannte er: das war Schramek. Ja, das war seine Stimme. Zu wem sprach er? Sein Blut fing an bei den Schläfen zu ticken ... war das nicht Karla, die jetzt lachte nebenan? Oh, wie weh tat das Lachen. Sie sollte jetzt ruhig sein! Ruhe wollte er ... Schweigen ... Stille. Aber nein, was taten die? Er hörte sie lachen. Und plötzlich, wie durch Glas sah er in das Zimmer hinein. Da stand der Schramek, faßte sie an und küßte sie. Und sie bog die Hüfte zurück, mit lachenden Augen, wie damals, ganz so wie damals ...

Es fieberte ihm in den Händen. Was lachten die da drüben so toll! Es tat ihm ja weh. Wußten sie nicht, daß er hier sterben wollte, daß er hier starb, ganz allein, ohne Freund. Tränen fühlte er steigen, irgend etwas kochte in seiner Brust, er schlug mit den Händen um sich. Konnten sie nicht warten, bis er tot war? Aber da ... ein Sessel polterte drin zu Boden ... alles sah er, wie sie ihm entsprang. Und jetzt, wie er ihr nachlief, oh wie wild, wie stark war er, wie er sie faßte, über den Tisch hin und sie herüberzog ... Und jetzt war sie wieder weg ... wo? ... Ja, da hatte sie sich versteckt ... und jetzt sprangen sie herum und hetzten. Das Zimmer begann zu zittern ... dröhnte nicht jetzt das ganze Haus ... ja, alles schwang hin und her, voll wüsten Lärms war die Luft. Was schonten sie nicht seine letzte Stunde, die Verfluchten! ... Nein, sie hetzten weiter, jetzt, jetzt hatte er sie gepackt. Was kreischst du so in deiner Angst und Brunst? ... Der Kranke stöhnte bitter auf. Jetzt hatte sie der Schramek gefaßt,

66

wie Blut rann das gelöste rote Haar herab … jetzt riß er ihr die Jacke ab … weiß leuchtete das Hemd … sie selbst ganz weiß und nackt … Und so jagten sie sich um den Tisch herüber, hinüber, herüber, zurück … wie sie nur lachte! wie sie nur lachte! … und jetzt – wie war das nur? – mitten durch die Wand war sie in sein Zimmer hereingestürmt und stand nun vor ihm … vor seinem Bett … weißfunkelnd, nackt … Oder …

Oder – er mühte sich die schweren Augenlider aufzureißen – oder … war das nicht seine Schwester im weißen Kleid, die da vor ihm stand? War das nicht ihre liebe kühle Hand auf seiner Stirne? …

Zwei Stunden noch brannte das Feuer. Dann losch alles aus. An seinem Bette stand die Schwester, das Kind und Schramek, die drei, denen seine Liebe galt und die nun so vereint, wie er sie nie gesehen hatte, sein ganzes Leben bedeuteten. Alle drei sprachen sie kein Wort. Das kleine Mädchen schluchzte leise, und allmählich starb auch dieser letzte klagende Ton. Ganz still wurde es im Zimmer, allen dreien war feierlich und weh, und nichts hörte man als draußen vor den Fenstern die laute zornige Stimme der großen fremden Stadt, die unablässig weitergrollte und sich nicht bekümmerte um Tod oder Leben.

# Praterfrühling

## Eine Novelle

Wie ein Wirbelwind stürmte sie zur Tür herein.

»Ist mein Kleid schon gekommen?«

»Nein, gnädiges Fräulein«, antwortete das Dienstmädchen, »ich glaube auch kaum, daß es heute noch kommen wird.«

»Natürlich nicht, ich kenne ja diese faule Person«, rief sie mit einer Stimme, in der schon ein verhaltenes Schluchzen zitterte. »Jetzt ist zwölf Uhr, um halb zwei sollte ich hinunterfahren, in den Prater zum Derby. Und wegen der blöden Person kann ich nicht! Und dazu noch dieses schöne Wetter!«

Und wild, in heller Wut warf sie ihr schlankes Figürchen auf das schmale, persische Sofa hin, das mit Decken und Fransen überreich behängt, in einer Ecke des phantastisch-geschmacklos ausgestatteten Boudoirs stand. Ihr ganzer Körper zitterte vor Ärger, daß sie nicht das Derby mitmachen konnte, bei dem sie doch als bekannte Dame und berühmte Schönheit eine der wichtigsten Rollen spielte. Und heiße Tränen rannen ihr zwischen den schmalen, schwerberingten Fingern herab.

So lag sie ein paar Minuten, dann richtete sie sich ein wenig auf, so daß ihre Hand zu dem kleinen, englischen Tischchen greifen konnte, wo sie ihre Pralinébonbons wußte. Mechanisch steckte sie eines nach dem andern in den Mund und ließ sie langsam vergehen. Und ihre schwere Müdigkeit, die durchschwärmte Nacht, das kühle Halbdunkel des Zimmers und ihr großer Schmerz wirkten zusammen in der Weise, daß sie langsam einnickte.

Ungefähr eine Stunde ruhte sie diesen leichten, traumlosen, halb noch wirklichkeitsbewußten Schlaf. Sie war sehr hübsch, wenn auch die Augen, die sonst in ihrer fröhlichen Unbeständigkeit ihre stärkste Attraktion bildeten, jetzt geschlossen waren. Und nur die feingestrichenen Augenbrauen gaben ihr ein mondänes Aussehen, sonst hätte man sie für ein schlafendes Kind halten können, so zierlich und ebenmäßig waren ihre Züge, von denen der Schlaf den Schmerz über die verlorene Freude genommen hatte.

Gegen ein Uhr erwachte sie, etwas überrascht, daß sie geschlafen hatte, und nach und nach erinnerte sie sich wieder an alles. Auf ihr heftiges, nervös wiederholtes Klingeln erschien wieder das Mädchen.

»Ist mein Kleid gekommen?«

»Nein, gnädiges Fräulein!«

»Diese elende Person! Sie weiß doch, daß ich es brauche. Jetzt ist es aus, jetzt kann ich nicht fahren.«

Und erregt sprang sie auf, lief einigemale im engen Boudoir auf und ab, dann steckte sie den Kopf zum Fenster hinaus, ob ihr Wagen schon gekommen sei.

Natürlich, der war da. Alles hätte gepaßt, wenn nur diese verfluchte Schneiderin gekommen wäre. Und so mußte sie zu Hause bleiben. Sie verbohrte sich nach und nach in die Idee, daß sie todunglücklich sei, wie keine zweite Frau in der Welt.

Aber es machte ihr beinahe ein Vergnügen, traurig zu sein, sie fand unbewußt einen eigenen Reiz darin, sich selbst zu kasteien. Und in dieser Anwandlung befahl sie dem Mädchen, ihren Wagen wegzuschicken, ein Befehl, der von diesem mit überschwenglicher Freude akzeptiert wurde, weil er am Derbytag ein herrliches Geschäft machen konnte.

Kaum sah sie aber schon das elegante Coupé in scharfem Trab davonfahren, als sie ihr Befehl schon wieder reute, und sie hätte ihn am liebsten selbst vom Fenster zurückgerufen, wenn sie sich nicht geniert hätte, denn sie wohnte im nobelsten Viertel Wiens, am Graben.

So, jetzt war's aus. Sie hatte Zimmerarrest, wie ein Soldat, dem das Verlassen der Kaserne strafweise untersagt ist.

Mißmutig ging sie herum. Es war ihr hier so ungemütlich in

diesem engen Boudoir, das mit allen möglichen Dingen, Schund ärgster Sorte und erlesenen Kunstwerken wahl- und stillos vollgepfropft war. Und dazu noch dieser Geruch, der aus zwanzig verschiedenen Parfüms zusammenkomponiert war, und dieser durchdringende Zigarettenduft, der an allen Gegenständen haftete. Zum ersten Mal kam ihr das alles so widerwärtig vor, und auch die gelben Romanbände Prevosts hatten heute für sie keinen Reiz, weil sie immer wieder an den Prater, ihren Prater und an die Freudenau mit dem Derby dachte.

Und das alles nur, weil sie keine elegante Toilette hatte.

Es war zum Weinen. Gleichgiltig gegen jeden Gedanken lehnte sie im Fauteuil und wollte wieder schlafen, um so den Nachmittag totzuschlagen. Aber es ging nicht. Die Augenlider zogen doch immer wieder hinauf und sehnten sich nach Licht.

Dann ging sie wieder zum Fenster und blickte hinaus auf das Trottoir des Grabens, das heiß in der Sonne schimmerte, und auf die Menschen, die darauf eilten. Und der Himmel war so blau, die Luft so warm, daß ihre Sehnsucht nach dem Freien immer stärker und dringender wurde und immer lautere Stimmen fand. Und plötzlich kam ihr der Gedanke, allein in den Prater zu gehn, da sie ihn ja nicht missen konnte, um sich den Corso wenigstens anzusehen, wenn sie schon nicht mitfahren konnte. Dazu brauchte sie ja keine noble Toilette, ein einfaches Kleid war sogar besser, weil man sie da nicht erkennen konnte.

Der Plan wurde rasch zum Entschluß.

Sie öffnete ihren Kasten, um ihr Kleid zu wählen. Grelle, leuchtende, übermütige, schreiende Farben starrten ihr im bunten Wirbel entgegen, und es rauschte von Seide unter ihrer Hand, als sie die Wahl begann, die ihr recht schwer wurde, denn es waren fast nur Toiletten, die die prononcierte Absicht hatten, die Aufmerksamkeit auf sich zu lenken – gerade das, was sie heute vermeiden wollte. Endlich nach längerm Suchen flog auf einmal ein kindliches, frohes Lächeln über ihr Gesicht. Ganz in der Ecke, verstaubt und zerdrückt, hatte sie ein einfaches, fast ärmliches Kleid entdeckt und nicht der Fund allein war es, was

sie lächeln machte, sondern die Vergangenheit, die dieses An-
denken lebendig machte. Sie dachte an den Tag, wie sie mit ihrem Geliebten aus dem Elternhause in diesem Kleidchen ent-
flohen war, an das viele Glück, das sie mit ihm gehabt, und dann
an die Zeit, wo sie es mit reichen Toiletten vertauscht hatte, als
Geliebte eines Grafen und dann eines andern und dann vieler
anderer …

Sie wußte nicht, wozu sie es noch besaß. Aber sie freute sich
darüber: Und als sie sich umgezogen hatte und in den schweren
Venetianer Spiegel sah, da mußte sie über sich lachen, so ehrbar,
so bürgerlich-kindlich, so gretchenhaft sah sie aus …

Nach einigem Herumkrabbeln fand sie auch den Hut, der zu
diesem Kleid gehört hatte, dann warf sie noch einen lachenden
Blick in den Spiegel, aus dem sie ein junges Bürgerfräulein im
Sonntagsstaat ebenfalls lachend zurückgrüßte und ging.

Mit dem Lächeln auf den Lippen trat sie auf die Straße.

Zuerst hatte sie das Gefühl, es müsse ein jeder an ihr bemerken, daß sie nicht das sei, was sie vorgäbe.

Aber die spärlichen Leute, die eiligst in der Mittagshitze an
ihr vorüberschossen, hatten größtenteils keine Zeit sie zu betrachten, und langsam fand sie sich in ihre neue Situation hinein
und schritt nachdenklich die Rotenturmstraße hinab.

Alles lag hier im Sonnenlichte gebadet, blank und schim-
mernd da. Die Sonntäglichkeit war von den geputzten, fröhlichen Menschen auf Tier und Ding übergegangen, alles blitzte,
blinkte, jubelte und grüßte ihr zu. Und sie starrte hinein in das
bunte Treiben, das sie eigentlich niemals kennengelernt, – »wie
eine Landpomeranze«, sagte sie sich selbst, als sie vor Schauen
und Betrachten beinahe in einen Wagen hineingelaufen wäre.

Nun gab sie wieder etwas mehr acht, aber wie sie in die Praterstraße gelangt war, da quoll wieder ihr Übermut frisch empor, als sie in einem eleganten Wagen, hart neben sich, einen ihrer Verehrer vorbeirollen sah, so nahe, daß sie ihn bei den Ohren
hätte zupfen können, wie sie es am liebsten getan hätte. Er aber

bemerkte sie nicht, weil er in vornehmer Weise nachlässig zurückgelehnt war. Da lachte sie so laut, daß er sich umwandte und wenn sie nicht blitzschnell ihr Taschentuch sich ins Gesicht gepreßt hätte, wäre sie ihm vielleicht doch nicht entgangen.

Fröhlich schritt sie weiter und war bald mitten im Menschengewühle eingedrängt, das in hellen Scharen am Sonntag zum Wiener Nationalheiligtume pilgert, in die Prateralleen, die wie weiße Holzbalken in einem grünen Rasen durch die waldreichen, pfadlosen Praterauen gelegt sind. Und ihr Übermut ging in der freudigen Stimmung der Menge unbemerkt verloren, denn eine Sonntagsfröhlichkeit und Naturbegeisterung machte jeden die sechs staubigen, arbeitsschweren Wochentage vergessen, die den Sonntag umschließen.

Sie trieb in dieser Menge, wie eine einzelne Welle im Meer, plan- und ziellos, aber doch schäumend und sich überschlagend im kraftbewußten Jubel.

Beinahe freute sie sich schon darüber, daß die Schneiderin ihr Kleid vergessen hatte, denn sie fühlte sich hier so glückselig, so frei, wie nie in ihrem Leben, ähnlich wie in ihrer Kindheit, als sie den Prater kennenlernte.

Und da kamen wieder alle diese Erinnerungen und Bilder, aber von ihrer fröhlichen Stimmung wie mit einem lichtgoldenen Saum umwoben, sie dachte wieder an ihre erste Liebe, aber nicht in traurigem Trotz, wie an etwas, das man ungern berührt, sondern wie an ein Geschick, das man so gern noch einmal wiederleben möchte, diese Liebe, die man schenkt, nicht verkauft ...

In tiefen Träumen schritt sie weiter und das Sprechen der Menge wurde ihr zum dumpfen Wogenbrausen, aus dem sie keinen einzelnen Laut vernahm. Sie war allein mit sich und ihren Gedanken, mehr als sie es je gewesen war, wenn sie untätig in ihrem Zimmer auf dem schmalen persischen Divan lag und Zigarettenringe in die stille, stockende Luft blies ...

Plötzlich sah sie auf.

Zuerst wußte sie nicht warum. Sie hatte nur eine dunkle

Empfindung verspürt, die plötzlich einen Schleier über ihre Gedanken zog, der nicht zu entwirren war. Als sie jetzt aufblickte, bemerkte sie ein Paar Augen stetig auf sich gerichtet. Ihr weiblicher Instinkt hatte, obwohl sie nicht hingeblickt, doch diese Blicke richtig gedeutet, die sie aus ihren Träumen aufgestört.

Die Blicke kamen von einem Paar dunkler Augen, die in einem Jünglingsgesicht ihren Platz fanden, das sympathisch war durch den kindlichen Ausdruck, der trotz des stattlichen Bärtchens noch geblieben war. Die Tracht deutete auf einen Studenten hin, auch eine nationale Parteiblume, die im Knopfloch steckte, konnte diese Vermutung nur bestätigen. Ein Kalabreserhut, der schief die weichen, regelmäßigen Züge beschattete, gab diesem einfachen, fast gewöhnlichen Kopfe etwas Dichterhaftes, Ideales.

Ihre erste Bewegung war, verächtlich die Brauen zusammenzuziehen und stolz wegzublicken. Was wollte dieser gewöhnliche Mensch denn von ihr haben? Sie war doch kein Mädchen von der Vorstadt, sie war …

Plötzlich hielt sie inne und das übermütige Lachen glänzte wieder in ihren Augen. Sie hatte sich momentan wieder als Weltdame gefühlt und ganz vergessen, daß sie die Maskerade eines bürgerlichen Mädchens angelegt hatte, und kindisch freute sie sich darüber, daß die Verkleidung so gut gelungen war.

Der junge Mann, der das Lächeln als Avance für sich gedeutet hatte, trat näher an sie heran, sie unablässig mit den Augen fixierend. Vergebens bemühte er sich, seinen Zügen einen männlichen, siegesbewußten Ausdruck zu geben, den aber die Zaghaftigkeit und Unentschlossenheit immer wieder zunichte machte. Und das war es gerade, was ihr an ihm gefiel, weil für sie Zurückhaltung und Reserviertheit von Seiten der Männer etwas Unbekanntes war. Das Kindliche, das in diesem jungen Menschen noch nicht verwaschen war, bot ihr etwas Unbekanntes, eine neue, in ihrer Natürlichkeit unvergleichliche Sensation. Es war für sie ein Lustspiel von unendlichem Humor, zu beobach-

73

ten, wie der Student Dutzende Male die Lippen ansetzte, um sie anzusprechen, und immer wieder im entscheidenden Augenblicke absetzte, von Furcht und verschämter Angst erfaßt. Und sie mußte ganz fest auf die Lippen beißen, um ihm nicht ins Gesicht zu lachen.

Zu den guten Eigenschaften dieses Jünglings zählte noch die, daß er nicht blind war. Und so konnte er deutlich das verräterische Zucken um die feinen Mundwinkel bemerken, was seinen Mut bedeutend erhöhte.

Und ganz unvermittelt platzte er auf einmal mit der höflichen Frage heraus, ob er sie ein wenig begleiten dürfe. Motive gab er dazu keine an, schon aus dem höchst einfachen Grunde, weil er trotz angestrengtestem Nachdenken keine verwendbaren gefunden hatte.

Sie selbst war trotz seiner langwierigen Vorbereitungen im kritischen Momente der Fragestellung selbst überrascht. Sollte sie annehmen? Warum nicht? Nur nicht gleich jetzt daran denken, wie die Sache enden solle. Sie wollte, da sie schon im Kostüm war, die Rolle auch spielen; wie ein bürgerliches Mädchen wollte sie auch einmal mit ihrem Verehrer in den Prater gehn. Vielleicht war es sogar amüsant?

Sie beschloß also anzunehmen und sagte ihm, sie danke, er möge sie nicht begleiten, weil er zu viel Zeit verlieren würde. Das »Ja« lag in diesem Falle im Kausalsatz.

Er verstand dies auch sofort und trat an ihre Seite.

Bald kam ein Gespräch in Fluß.

Er war ein junger, lustiger Student, noch nicht allzuviel Jahre dem Gymnasium entronnen, von dem er ein hübsches Stückchen Übermut ins Leben mitgenommen hatte. Erlebt und erfahren hatte er noch wenig, geliebt zwar nach Knabenweise unendlich viel, aber »die Abenteuer«, nach denen sich die meisten jungen Leute sehnen, waren ihm sehr, sehr selten, wenn nicht niemals passiert, weil ihm die aggressive Keckheit, die Hauptbedingung für solche Erlebnisse fehlte. Seine Liebe war meistens im bloßen Schmachten steckengeblieben, das behutsam aus der Ferne bewundert und sich in Gedichten und Träumen verliert.

Sie hingegen wunderte sich über sich selbst, was sie mit einem Male für eine Plaudertasche geworden war, um was für Dinge sie sich zu kümmern begann – und wie sie plötzlich in ihren alten Wiener Dialekt hineingekommen war, den sie nun vielleicht fünf Jahre nicht gesprochen oder gedacht hatte. Und es war ihr, als seien diese fünf Jahre des eleganten, tollen Lebens spurlos verschwunden, versunken, als sei sie wieder das schmächtige lebensdurstige Vorstadtkind von einstmals, daß den Prater und seinen Zauber so geliebt.

Ohne daß sie es gemerkt hatte, waren sie langsam vom Wege abgekommen, heraus aus dem brausenden Menschenstrom in die weiten Praterauen, wo voller Frühling war.

In tiefem Grün waren die hundertjährigen, ästebreiten Kastanienbäume, die sich wie Riesen emporhoben. Und wie verliebtes Flüstern klang es, wenn sie die blütenschweren Zweige gegeneinander rauschen ließen, daß die weißen, feinbeblätterten Flocken wie Winterschnee herabstäubten in das dunkelgrüne Gras, in dem die bunten Blumen eigenartige Muster eingewirkt hatten. Und ein süßer, schwerer Duft quoll aus der Erde auf und floß in weichen Wellen dahin, an jeden sich anschmiegend, so eng und fest, daß man gar nicht mehr ein bestimmtes Bewußtsein des Genusses hatte, sondern nur ein vages Gefühl von etwas Süßem, Lieblichem, Einschläferndem. Wie ein Saphir wölbte sich der Himmel über den Bäumen, so blau, so blank und rein. Und die Sonne breitete ihr reichstes Gold über ihre wundervolle, unvergängliche, unvergleichliche Schöpfung – den Praterfrühling.

Praterfrühling! –

Das Wort lag förmlich in der Luft, sie fühlten alle den tiefen Zauber um sich, aber auch in ihnen war das Empfinden des Knospens in reichen Blüten aufgegangen. Arm in Arm wandelten Liebespaare durch die weiten, unbegrenzten Auen dahin, glückstrahlend, und in den Kindern, denen dieses Glück noch fremd war, war ein eigenes Regen erwacht, das sie zwang, zu springen und zu tanzen und zu jubeln, daß die fröhlichen Stimmen weit in Wind und Wald verklangen.

Wie eine Glorie krönte alle diese arbeitsbefreiten, glücklichen Menschen der Praterfrühling.

Die beiden hatten es gar nicht gemerkt, wie sich der Zauber auch langsam um ihre Seelen gesponnen, aber nach und nach hatte sich in ihr fröhliches Scherzen eine herzliche Intimität eingeschlichen, ein ungeladener, aber gern gesehener Gast. Sie waren einander Freund geworden, er war voll Entzücken über dieses reizende, muntere und fröhliche Mädchen, das in ihrem souveränen Übermut wie eine verkleidete Prinzessin erschien und auch sie hatte den frischen Burschen recht gern gewonnen. Und die Komödie, die sie mit ihm begonnen hatte, war ihr jetzt selbst ein wenig ernst geworden, mit dem Kleide von damals hatte sie auch wieder die Empfindung von damals angezogen, sie war wieder voll Sehnsucht nach einem Glücke, nach der Seligkeit der ersten Liebe ...

Es war ihr, als möchte sie dies jetzt alles zum ersten Male erleben, dieses scherzende Bewundern, dieses verborgene Begehren, diese einfache, stille Seligkeit. –

Leise hatte er seinen Arm unter den ihren geschoben und sie wehrte es ihm nicht. Und sie fühlte seinen warmen Atem an ihrem Haar, wie er ihr tausend Dinge erzählte, von seiner Jugend, seinen Erlebnissen und dann, daß er Hans hieße und studiere und daß er sie furchtbar gern habe. Halb spaßend, halb ernst machte er ihr eine Liebeserklärung, die sie von Fröhlichkeit und Glück erbeben ließ. Sie hatte schon Hunderte gehört, vielleicht auch in schöneren Worten, sie hatte auch schon viele erhört, aber keine hatte ihr die Wangen in ein so leuchtendes Rot getaucht, als diese einfache innige herzliche Sprache, die heut an ihrem Ohre flüsterte und von innerer Erregung leise vibrierte. Wie ein süßer Traum, den man zu erleben sehnt, klangen die zitternden Worte und ihr Beben lief weiter durch ihren ganzen Körper, bis sie selig erschauerte. Und wie berauscht fühlte sie den Druck seines Armes auf den ihren immer stärker und stärker werden, in wilder, trunkener Zärtlichkeit.

Tief waren sie schon drinnen in den weiten menschenleeren Auen, in die nur noch leise und murmelnd das Getöse der Wagen hineinsummte, fast allein. Nur hie und da blitzten aus dem Grün helle Sommerkleider auf, wie weiße Schmetterlinge, die wieder weiter ihren Weg ziehen, selten klang eine Menschenstimme zu ihnen her, alles war wie im tiefen, sonnenmüden Schlafe …

Nur seine Stimme wurde nicht müde, tausend Zärtlichkeiten zu flüstern, von denen eine mehr herzlich und bizarr war wie die andere. Und sie hörte betäubt zu, wie man im Einschlafen einem fernen Musikstücke horcht, ohne die einzelnen Töne zu vernehmen, sondern nur das Rhythmische, Melodische des Klanges.

Und sie wehrte es auch nicht, als er ihren Kopf mit den Händen zu sich herüberzog und sie küßte, mit einem langen innigen Kusse, in dem unzählige, verschwiegene Liebesworte lagen.

Und mit diesem Kusse war ihre ganze Erinnerung verflogen, sie fühlte ihn wie den ersten Liebeskuß ihres Lebens. Und das Spiel, das sie mit dem jungen Menschen treiben wollte, war jetzt volles Leben und Empfinden. Eine tiefe Zuneigung hatte in ihr Wurzel gefaßt, die sie ihre ganze Vergangenheit vergessen ließ, so wie ein Schauspieler in den Augenblicken höchster Kunst sich selbst als König oder Held fühlt und nicht mehr an seinen Beruf denkt.

Es war ihr, als ob sie die erste Liebe durch ein Wunder noch einmal leben dürfte …

Ein paar Stunden waren sie so planlos umhergeirrt, Arm in Arm, im süßen Rausch der Zärtlichkeit. Der Himmel brannte schon in tiefem Rot, in das die Wipfel wie dunkelschwarze Hände hineingriffen, die Umrisse und Konturen wurden im Dämmer immer unsicherer und verschwommener, und der Abendwind raschelte in den Blättern.

Hans und Lise – gewöhnlich nannte sie sich Lizzie, aber ihr Kindername war ihr mit einem Male wieder so lieb und vertraut geworden, daß sie ihm denselben nannte – waren auch schon umgekehrt und gingen jetzt dem Volksprater zu, dem Wurstlprater, der sich schon von weitem durch den hundertfältigen Wirrwar von möglichen und unmöglichen Geräuschen bemerkbar machte.

Ein bunter Menschenstrom floß hier an den Buden vorbei, die mit grellen Lichtern leuchteten, Soldaten mit ihren Geliebten, junge Leute, jubelnde Kinder, die sich an den unerhörten Sehenswürdigkeiten nicht sattsehen konnten. Und dazwischen ein entsetzliches Chaos von Tönen. Militärkapellen und andere Musiker, die sich gegenseitig zu übertönen suchten, Werkel, Ausrufer, die mit schon heiserer Stimme ihre Schätze anpriesen, Gewehrschüsse aus den Schießbuden und Kinderstimmen in jeder Tonlage. Das ganze Volk war hier zusammengedrängt, mit seinen wichtigsten Vertretern, seinen Wünschen, die die Buden- und Wirtshausbesitzer zu stillen suchten und mit seiner kompakten Masse, die aus der Mannigfaltigkeit die Einheit formt.

Für Lise war dieser Prater ein neuentdecktes oder besser ein wiedergefundenes Land ihrer Kindheit. Sie kannte nurmehr die Hauptallee mit der stolzen Wagenflucht, der Eleganz und Noblesse, aber jetzt fand sie hier alles entzückend, wie ein Kind, das man in eine Spielwarenhandlung führt, wo es begehrlich nach jedem Dinge greift. Sie war wieder übermütig und lustig geworden und die träumerische, fast lyrische Stimmung war vergangen. Wie zwei ausgelassene Kinder lachten und tollten die beiden in dem großen Menschenmeer.

Bei jeder Bude blieben sie stehen und ergötzten sich an dem monotonen, marktschreierischen Rufen der Budenbesitzer, die »die größte Dame der Welt« oder den »kleinsten Menschen des Kontinents« oder Schlangenmenschen, Wahrsagerinnen, Untiere, Meerwunder in der possierlichsten Weise anpriesen. Sie fuhren im Karussell, ließen sich wahrsagen, machten alles mögliche mit, und waren so fröhlich und lustig, daß ihnen alle Leute überrascht nachsahen.

Nach einiger Zeit fand Hans heraus, daß auch der Magen in

seine Rechte treten müsse. Sie war einverstanden und so gingen sie zusammen in ein Wirtshaus, das nicht mitten drin im ärgsten Trubel lag. Dort verbrauste das Lärmen zu einem ununterbrochenen Sausen, das immer leiser und immer stiller wurde.

Und dort saßen sie beisammen, eng aneinandergeschmiegt. Er erzählte ihr hunderterlei fröhliche Geschichten und wußte in jede ein paar Schmeicheleien geschickt einzuflechten und ihre Lustigkeit zu erhalten. Er gab ihr komische Namen, die sie zu tollem Lachen zwangen, machte ihr Kindereien vor, die sie laut jubeln ließen. Und auch sie, die sonst eine vornehme, ruhige Selbstbeherrschung liebte, war jetzt so übermütig wie nie. Geschichten aus ihrer Kindheit, die sie lange vergessen hatte, fielen ihr wieder ein, Gestalten, die sie aus ihrem Gedächtnis verloren, tauchten auf und formten sich wieder in humoristischer Weise. Sie war wie verzaubert, so anders, so verjüngt.

Lange schwatzten sie so zusammen. –

Die Nacht war schon längst mit ihren dunklen Schleiern gekommen, aber sie hatte die Schwüle des Abends nicht hinweggetragen. Dumpf lastete die Luft, wie ein schwerer Bann. Und fern zuckte ein Wetterleuchten durch die Stille, die immer voller wurde. Langsam verlöschten die Lampen und die Menschen verloren sich in verschiedenen Richtungen, jeder seinem Heim zu.

Auch Hans erhob sich.

»Komm, Liserl, laß uns gehn.«

Sie folgte und sie gingen Arm in Arm aus dem Prater, der dunkel und geheimnisvoll ihnen nachstarrte. Und wie leuchtende Tigeraugen blitzten die letzten farbigen Lichter aus den leise rauschenden Bäumen.

Sie gingen über die Praterstraße, die hell vom Monde beglänzt dalag, ohne viel Menschen, fast schon ruhend. Jeder Schritt hallte laut auf dem Pflaster und die Schatten huschten in scheuer Hast an den Laternen vorbei, die gleichgültig ihr spärliches Licht ausstrahlten.

Sie hatten nicht über die Richtung des Weges gesprochen, aber stillschweigend hatte Hans die Führung übernommen. Sie ahnte, daß er seiner Wohnung zustrebte, wollte aber nicht sprechen.

So schritten sie mit wenig Worten hin. Sie kamen über die Donaubrücke, weiterhin über den Ring gegen den VIII. Bezirk hin, der Wiens Studentenviertel bildet, vorbei an dem blitzenden, mächtigen Steinbau der Universität, vorbei an dem Rathause gegen engere, ärmlichere Gassen zu.

Und plötzlich begann er zu ihr zu sprechen.

Glühende, heiße Worte sagte er zu ihr, das Verlangen der jugendlichen Liebe verkündete er in den brennendsten Farben, die nur der Augenblick des wildesten Begehrens leiht. In seinen Worten lag die ganze wilde Sehnsucht eines jungen Lebens nach Glück und Genießen, nach dem reichsten Ziel der Liebe. Und immer strömender, verlangender wurden seine Worte, wie gierige Flammen flackerten sie hoch empor, das ganze Wesen des Mannes hatte in ihm den höchsten Grad der Steigerung erreicht. Wie ein Bettler flehte er um ihre Liebe …

Ihr ganzer Körper bebte unter seinen Worten.

Ihr Ohr war voll von einem seligen Brausen von Worten und wilden Liedern. Sie verstand seine Rede nicht, aber sein Drängen wuchs aus ihrer eigenen Seele ihr mächtig empor und strebte dem seinen entgegen.

Wie ein kostbares, unvergleichliches Märchengeschenk versprach sie ihm, was sie hundert anderen als einen Bettellohn gegeben.

Vor einem alten, schmalen Hause blieb er stehen und läutete an, während Seligkeit aus seinen Augen glomm. –

Es wurde rasch aufgetan.

Zuerst ein schmaler, feuchtkalter Gang, den sie rasch durchschritten. Und dann viele, viele, enge ausgetretene Wendeltreppen. Aber das merkte sie nicht. Denn er hatte sie mit seinen starken Armen wie einen Federball hinaufgetragen und das erwartungsfreudige Beben seiner Hände floß in ihren Körper hinüber, während sie wie träumend immer höher kam.

Hoch oben hielt er inne und öffnete ein kleines Zimmer. Es war ein enger, dunkler Raum, in dem man nur mit Mühe die Gegenstände unterscheiden konnte, denn die lichten Strahlen des Mondes zerstreuten sich an einer weißen, zerrissenen Gardine, die das schmale Dachfenster deckte.

Leise ließ er sie niedergleiten, um sie nur noch stürmischer zu umfassen. Heiße Küsse rannen durch ihre Adern, ihre Glieder bebten unter der Liebkosung der seinen, und ihre Worte erstarben in sehnsüchtigem Flüstern ...

Dunkel und eng ist der Raum.

Aber ein unendliches Glück hält darin seine Flügel ausgespannt in stiller, zufriedener Ruhe. Und heißer Sonnenschein der Liebe leuchtet in dem tiefen Dunkeln ...

Es ist noch früh. Vielleicht erst sechs Uhr.

Soeben ist Lizzie wieder nach Hause gekommen, in ihr eigenes elegantes Boudoir.

Das erste ist, daß sie beide Fenstern aufreißt, um die frische Morgenluft zu schöpfen, denn es ekelt sie vor diesem faden, süßlichen Parfümgeruch, der sie an ihr jetziges Leben erinnert. Früher hatte sie gleichgiltig, ohne Gedanken, das Leben hingenommen, wie es war, blind, fatalistisch. Aber dieses Erlebnis von gestern, das wie ein lichter, froher Jugendtraum in ihr Geschick gefallen, hat ihr plötzlich ein Bedürfnis nach Liebe gegeben.

Aber sie fühlt, daß sie nicht mehr zurück kann. Jetzt wird sich bald einer ihrer Verehrer einstellen und dann ein anderer wieder. Sie erschrickt förmlich bei diesem Gedanken.

Und sie fürchtet sich vor dem Tage, welcher langsam heller und deutlicher wird. –

Aber langsam beginnt sie wieder zu sinnen und zu denken an den vergangenen Tag, der wie ein verlorener Sonnenstrahl in ihr Leben gefallen ist, das so dunkel und trübe ist. Und sie vergißt alles, was da kommen wird.

Auf ihren Lippen spielt das Lächeln eines Kindes, das frühmorgens selig aus einem herrlichen Traume erwacht.

# Zwei Einsame

Wie ein breiter dunkelflutender Strom drängte sich die hastig bewegte Masse der Fabriksarbeiter durch das Tor. Auf der Straße staute sich einen Augenblick die Menge, Abschiedsworte und flüchtige Händedrücke wurden getauscht, dann wanderten die einzelnen Abteilungen in die Richtung ihrer Wohnorte, um sich im Wege in noch kleinere Teile zu zerbröckeln. Nur auf der großen Landstraße, die zur Stadt hinführte, zogen alle gemeinsam hin, ein enges farbiges Durcheinander mit fröhlichen lauten Stimmen, die zu einem einheitlichen dumpfen Geräusche verklangen. Das helle Lachen der Mädchen klang allein wie ein lichter Oberton heraus, der weit in die Abendstille wie eine Silberglocke irrte.

Ziemlich weit hinter der geschlossenen Schar kam ein Arbeiter allein. Er war noch nicht alt und durchaus nicht schwächlich, aber er konnte mit jenen nicht Schritt halten, weil ihn sein gelähmter Fuß nicht so rasch weitertrug. Von Ferne hallten noch die fröhlichen Stimmen. Er hörte hin, ohne die heitere Stimmung dieser Geselligkeit schmerzhaft zu empfinden. Sein Gebrechen hatte ihn längst daran gewöhnt, einsam zu sein, und in der Einsamkeit war er ein verschlossener Philosoph geworden, der das Leben mit der Gleichgültigkeit des Verzichtenden empfand.

Langsam hinkend schritt er vorwärts. Von den dunklen Feldern, die in der Ferne lagen, strömte der volle warme Duft baldiger Reife, den der kühle Abendnebel nicht ersticken konnte. Das Gelächter in der Ferne war verstummt. Ab und zu zirpte noch eine einsame Grille. Sonst war überall Stille, jene tieftraurige Stille, in der die verschwiegenen Gedanken zu sprechen beginnen.

Plötzlich horchte er auf. Es war ihm, als hätte er jemanden schluchzen gehört. Er lauschte in die Stille. Alles war stumm, wie in traumlosem Schlafe. Aber im nächsten Augenblick hörte er wieder das Aufstöhnen jäher und schmerzvoller. Und im unsicheren Dämmerlichte sah er an der Straße eine Gestalt, die auf einem Haufen aufgeschichteter Eisenbahnschienen saß und weinte. Zuerst wollte er achtlos vorübergehen. Als er aber näherkam, erkannte er das Mädchen, das unaufhaltsam schluchzte.

Sie war eine Arbeiterin aus derselben Fabrik, wo auch er arbeitete. Er kannte sie von dort, wie jeder sie kannte als die »schieche Jula«. Denn ihre Häßlichkeit war so auffallend, daß sie ihr diesen Namen eingetragen hatte, den sie schon seit frühester Kindheit trug. Ihr Gesicht war grob und unregelmäßig, dabei von einer so unreinlichen schmutziggelben Hautfarbe, daß es abstoßend wirkte. Dazu kam noch die fühlbare Disharmonie in ihrem Bau, ein kindlichschwacher magerer Oberkörper, der von breiten, ein wenig verkrümmten Hüften getragen wurde. Das einzig Schöne waren ihre ruhigen glanzvollen Augen, die alle verächtlichen und abscheuvollen Blicke als sanfte Ergebenheit wiederspiegelten.

Er hatte selbst schon zu viel geheimes Leid getragen, um mitleidslos weitergehen zu können. Er trat näher zu ihr hin und legte ihr die Hand begütend auf die Schulter.

Sie fuhr auf, jäh wie aus einem Traum.

»Laß mich!«

Sie wußte nicht, zu wem sie sprach und hatte nur aus ihrem wilden Schmerz heraus geschrien. Jetzt wie sie den Fremden erkannte, wurde sie ruhiger. Sie hatte sich ihn gemerkt, weil er einer von den wenigen in der Fabrik war, die sie nie verspottet hatten. Sie murmelte nur mehr abwehrend.

»Laß mich! Ich mach's schon allein aus.«

Er antwortete nichts, sondern setzte sich zu ihr hin. Ihr Schluchzen wurde immer heftiger und krampfhafter. Tröstend sagte er zu ihr:

»Sei doch nicht so, Jula! Durch Weinen wird's nicht besser.«
Sie schwieg. Er fragte vorsichtig:
»Was haben sie dir denn wieder getan?«
Die Frage rief sie wieder zu sich selbst zurück. Das Blut schoß ihr jäh in die Wangen, und ihre Worte überhasteten sich, wie sie zornig erzählte:
»Nach Feierabend, wie wir nach Hause gegangen sind, haben sie über den morgigen Sonntag geredet. Sie wollten aufs Land, in die Dörfer hinaus. Einer hat den Vorschlag gemacht, und gleich waren alle dabei. Und wie man die Stimmen zählt, da bin ich so dumm und meld mich auch. Natürlich lachen alle und fangen mit ihren Bosheiten und ihrer Verspottung wieder an und treiben's so arg wie noch nie, bis ich endlich wild bin. Und – ich weiß nicht was mit mir geschehen ist – mir ist die Geduld gerissen und ich hab ihnen einmal so ganz gesagt, was sie für niederträchtige Kerle sind. Und – da – haben sie – mich – geschlagen …«
Sie verfiel wieder in ihr jähes Schluchzen. Er war im tiefsten bewegt und fühlte das Bedürfnis, dem armen Wesen ein paar Worte zu sagen. Und um sie zu trösten, fing er an von seinem eigenen Leid zu erzählen.
»Schau, Jula, so etwas muß man nicht so arg nehmen. Du gehst morgen eben allein hinaus in die Felder. Es gibt noch andere, die am Sonntag nicht mithalten können. Die nicht einmal allein hinausgehen können, weil sie die Füße kaum von der Fabrik bis zur Stadt tragen. Die haben auch kein leichtes Leben, die immer humpeln müssen und dazu noch allein, weil es jedem andern zu langweilig ist, mit ihnen zu gehen. – Du darfst das nicht so bös nehmen, Jula! Wegen so ein paar dummer Kerle!«
Sie erwiderte ihm hastig. Denn sie wollte sich ihren Schmerz nicht verringern lassen, die Märtyrerseligkeit, die jeder Leidende empfindet, nicht aufgeben.
»Die sind's ja nicht, die mich kränken. Es ist ja alles, das ganze Leben. Manchmal, wenn ich so an mich denke, kommt's mir selber wie ein Ekel an. Warum bin ich denn so schiech? Ich kann ja

nichts dafür. Und doch trag' ich's schon mein ganzes Leben. Schon als Kind habe ich's spüren müssen, daß sie über mich gelacht haben. Und darum habe ich auch nie mit andern spielen wollen, weil ich sie gefürchtet habe und weil ich sie beneidet hab!«

Er hörte zitternd zu, wie sie ihm so viel Schmerz offenbarte, den er so ganz verstehen konnte. Denn das aufgespeicherte Leid von Tausenden bangen Stunden, das er schon tot geglaubt, erwachte wieder aus seinem Schlafe. Längst hatte er vergessen, daß er hier trösten wollte. Ganz unwillkürlich erzählte auch er sein Schicksal, weil er jemanden fand, der ihn begreifen konnte. Leise begann er:

»Es war auch einmal einer, der hat mit den andern spielen wollen, aber er konnte nicht. Wenn sie tollten und gelaufen sind und gesprungen, ist er immer mühselig nachgehinkt und kam immer zu spät. Und immer war er wehrlos und tölpisch, daß die andern ihn ausgelacht haben. Der hat's vielleicht noch schlimmer gehabt als du mit deinen gesunden Beinen, der doch noch die ganze Welt gehört.«

Ihre innere Bewegung wuchs immer mehr. Sie fühlte den Schmerz ihres Lebens aus allen Tiefen brechen.

»Es kann's keiner schlimmer haben wie ich. Ich habe nie eine Mutter gekannt, kein Mensch hat mir je ein gutes Wort gesagt. Wenn jedes Mädel mit ihrem Geliebten geht, bin ich allein. Und dabei spür ich's noch so, daß das noch immer so bleiben wird und immer so bleiben muß, wenn man auch so fühlt wie alle die andern. Mein Gott, wenn ich nur wüßt, warum das so ist!«

Was sie nie jemand gesagt hatten, kaum sich selbst eingestanden hatten, das verrieten sich die zwei, die fast noch Fremde waren. Jeder Schrei ihrer Seele fand ein Echo, weil beide verwandt waren im Leid. Er erzählte ihr, wie er nie eine Geliebte gehabt, weil er kein Mädchen ansprechen konnte mit seinem langsam hinkenden Fuß und weil keine so vorsichtig mit ihm gehen wollte. Wie er angewiesen sei, schmutzigen Dirnen seinen Wochenlohn hinzuwerfen und wie er täglich trauriger und lebensmüder werde. –

Das Geräusch von herannahenden Schritten unterbrach ihre leidvollen Geständnisse. Ein paar Leute kamen vorüber, ihre Schatten waren nur schwach und unsicher zu erkennen. Als sie vorbei waren, erhob er sich und sagte ihr schlicht und bittend: »Komm!«

Sie ging mit ihm. Es war schon ganz dunkel geworden. Er konnte ihr Gesicht nicht mehr sehen, und sie merkte gar nicht, daß sie in ihrem milden Schmerzverlorensein ihren Gang dem seinen angepaßt hatte. So schritten sie beide langsam mitsammen. Ein blindes Gefühl des Verstehens war über die Einsamen gekommen wie eine Seligkeit. Immer inniger und leiser waren ihre Worte geworden, und sie mußten ganz nahe gehen, um sich verständigen zu können.

Und plötzlich merkte sie mit einem dumpfen Glücksgefühl, wie sich seine Hand in sanfter, leise tastender Zärtlichkeit um ihre breite, verwachsene Hüfte legte …

# Die Reise in die Vergangenheit

»Da bist du!« Mit ausgestreckten, beinahe ausgebreiteten Armen ging er ihr entgegen. »Da bist du«, wiederholte er noch einmal und die Stimme stieg die immer hellere Skala auf von Überraschung zu Beglückung, indes zärtlicher Blick die geliebte Gestalt umfing. »Ich hatte schon gefürchtet, du würdest nicht kommen!«

»Wirklich, so wenig Vertrauen hast du zu mir?« Aber nur die Lippe spielte lächelnd mit diesem leichten Vorwurf: von den Augensternen, den klar erhellten, strahlte blaue Zuversicht.

»Nein, nicht das, ich habe nicht gezweifelt – was ist denn verläßlicher in dieser Welt als dein Wort? Aber, denk' dir, wie töricht! – nachmittags plötzlich, ganz unvermutet, ich weiß nicht warum, packte mich mit einmal ein Krampf sinnloser Angst, es könnte dir etwas zugestoßen sein. Ich wollte dir telegrafieren, ich wollte zu dir hin, und jetzt, wie die Uhr vorrückte und ich dich noch immer nicht sah, riß mich's durch, wir könnten einander noch einmal versäumen. Aber Gottlob, jetzt bist du da –«

»Ja – jetzt bin ich da«, lächelte sie, wieder strahlte der Stern aus tiefem Augenblau. »Jetzt bin ich da und bin bereit. Wollen wir gehen?«

»Ja, gehen wir!« wiederholten unbewußt die Lippen. Aber der reglose Leib rührte keinen Schritt, immer und immer wieder umfing zärtlicher Blick das Unglaubhafte ihrer Gegenwart. Über ihnen, rechts und links klirrten die Geleise des Frankfurter Hauptbahnhofes von schütterndem Eisen und Glas, Pfiffe schnitten scharf in den Tumult der durchrauchten Halle, auf zwanzig Tafeln stand befehlshaberisch je eine Zeit mit Stunden und Minuten, indes er mitten im Quirl strömender Menschen

nur sie als einzig Vorhandenes fühlte, zeitentwandt, raument-
wandt in einer merkwürdigen Trance leidenschaftlicher Benom-
menheit. Schließlich mußte sie mahnen »Es ist höchste Zeit,
Ludwig, wir haben noch keine Billette.« Da erst löste sich sein
verhafteter Blick, voll zärtlicher Ehrfurcht nahm er ihren Arm.

Der Abendexpress nach Heidelberg war ungewohnt stark
besetzt. Enttäuscht in ihrer Erwartung, dank der Billette Erster
Klasse miteinander allein zu sein, nahmen sie nach vergeblicher
Umschau schließlich mit einem Abteil vorlieb, wo nur ein ein-
zelner grauer Herr halb schlafend in der Ecke lehnte. Schon
freuten sie sich, vorgenießend, vertrauten Gespräches, da,
knapp vor dem Abfahrtspfiff, stapften noch drei Herren mit
dicken Aktentaschen keuchend ins Coupé, Rechtsanwälte offenbar und von eben erst beendetem Prozesse dermaßen erregt,
daß ihre prasselnde Diskussion jede Möglichkeit anderen Gesprächs vollkommen niederschlug. So blieben die beiden resi-
gniert einander gegenüber, ohne ein Wort zu versuchen. Und
nur wenn einer von ihnen den Blick aufhob, sah er, dunkelwol-
kig überflogen vom ungewissen Lampenschatten, den zärtlichen Blick des andern sich liebend zugewandt.

Mit lockerem Ruck setzte sich der Zug in Bewegung. Das Rä-
derrattern dämpfte und zerschlug das rechtsanwältliche Gespräch zu bloßem Geräusch. Dann aber wurde aus Stoß und
Schüttern allmählich rhythmisches Schwanken, stählerne
Wiege schaukelte in Träumerei. Und während unten knatternde
Räder unsichtbar in ein Vorwärts liefen, jedem anders zuerfüllt,
schwebten die Gedanken der beiden träumerisch ins Vergangene zurück.

Sie waren einander vor mehr als neun Jahren zum erstenmal
begegnet und, seitdem getrennt durch undurchstoßbare Ferne,
fühlten sie nun mit vervielfachter Gewalt dies wieder erste
wortlose Nah-Beisammensein. Mein Gott, wie lange, wie weit-
räumig das war, neun Jahre, viertausend Tage, viertausend
Nächte bis zu diesem Tage, bis zu dieser Nacht! Wieviel Zeit,

wieviel verlorene Zeit, und doch sprang ein einziger Gedanke in einer Sekunde zurück zum Anfang des Anfangs. Wie war es nur? Genau entsann er sich: als Dreiundzwanzigjähriger war er zum erstenmal in ihr Haus gekommen, scharf schon die Lippe gekerbt unter dem sanften Flaum jungen Bartes. Vorzeitig losgerungen von einer durch Armut gedemütigten Kindheit, aufgewachsen an Freitischen, sich durchfrettend als Hauslehrer und Nachhelfer, verbittert vor der Zeit durch Entbehrung und kümmerliches Brot. Tagsüber die Pfennige scharrend für Bücher, nachts mit ermüdeten und krampfig gespannten Nerven dem Studium folgend, hatte er als Erster die chemischen Studien absolviert und, besonders empfohlen von seinem Ordinarius, war er zu dem berühmten Geheimrat G., dem Leiter der großen Fabrik bei Frankfurt am Main gekommen. Dort teilte man ihm zunächst subalterne Arbeiten im Laboratorium zu, aber bald des zähen Ernstes dieses jungen Menschen gewahr, der mit der ganzen gestauten Kraft eines fanatischen Zielwillens sich tief in die Arbeit schraubte, begann sich der Geheimrat für ihn besonders zu interessieren. Probeweise teilte er ihm immer verantwortlichere Arbeit zu, die jener, die Möglichkeit des Entkommens aus dem Kellergewölbe der Armut erkennend, gierig ergriff. Je mehr Arbeit man ihm auflud, desto energischer reckte sich sein Wille: so wurde er in kürzester Frist aus einem dutzendmäßigen Gehilfen der Adlatus wohlbehüteter Experimente, der »junge Freund«, wie ihn der Geheimrat schließlich wohlwollend zu benennen liebte. Denn ohne daß er [es] wußte, beobachtete ihn hinter [der] Tapetentür des Chefzimmers ein prüfender Blick auf höhere Eignung, und indes der Ehrgeizige blindwütig Tägliches zu bewältigen meinte, ordnete ihm der fast immer unsichtbare Vorgesetzte schon höhere Zukunft zu. Durch eine sehr schmerzhafte Ischias häufig zu Haus, oftmals sogar ans Bett gefesselt, spähte seit Jahren der alternde Mann nach einem unbedingt verläßlichen und geistig zureichenden Privatsekretär, mit dem er die geheimsten Patente und die in notwendiger Verschwiegenheit ausgeführten Versuche besprechen konnte: endlich schien er gefunden. Eines Tages trat der Geheimrat an den Erstaunten mit dem unerwarteten Vorschlag heran, ob er nicht, um ihm näher zur Hand zu sein, sein möbliertes Zimmer in der Vorstadt aufgeben und in ihrer geräumigen Villa als Privatsekretär Wohnung nehmen wolle. Der junge Mann war erstaunt von so unerwartetem Vorschlage, noch erstaunter aber der Geheimrat, als jener nach eintägiger Überlegungsfrist den ehrenvollen Vorschlag rundweg ablehnte, die nackte Weigerung ziemlich unbeholfen hinter schlottrigen Ausflüchten verbergend. Eminent als Gelehrter, war doch in seelischen Dingen der Geheimrat nicht erfahren genug, um den wahren Grund dieser Weigerung zu erraten, und vielleicht sich selbst gestand der Trotzige sein letztes Gefühl nicht ein. Und dies war nichts anderes als ein krampfig verbogener Stolz, die verwundete Scham einer in bitterster Armut verbrachten Kindheit. Als Hauslehrer in parvenühaften beleidigenden Häusern der Reichen aufgewachsen, ein namenlos amphibisches Wesen zwischen Diener und Hausgenossen, dabei und auch nicht dabei, Zierstück wie die Magnolien am Tische, die man aufstellte und abräumte nach Bedarf, hatte er die Seele randvoll von Haß gegen die Oberen und ihre Sphäre, die schweren wuchtigen Möbel, die vollen üppigen Zimmer, die übermäßig fülligen Mahlzeiten, all dies Reichliche, daran er nur als Geduldeter Anteil nahm. Alles hatte er dort erlebt, die Beleidigungen frecher Kinder und das noch beleidigendere Mitleid der Hausfrau, wenn sie ihm am Monatsende ein paar Noten hinstreifte, die höhnisch ironischen Blicke der immer gegen den höher Dienenden grausamen Mägde, wenn er mit seinem plumpen Holzkoffer in ein neues Haus angerückt kam und den einzigen Anzug, die grau zerstopfte Wäsche, diese untrügbaren Zeichen seiner Armut, in einem geliehenen Kasten verstauen mußte. Nein, nie mehr, hatte er sich's geschworen, nie mehr in fremdes Haus, nie mehr in den Reichtum zurück, ehe er ihm nicht selber gehörte, nie mehr sich ausspähen lassen in seiner Dürftigkeit und blessiert durch unedel dargebotene Geschenke. Nie mehr, nie mehr.

Nach außen deckte ja jetzt der Doktortitel, ein billiger, aber doch undurchdringlicher Mantel, die Niedrigkeit seiner Stellung, im Büro verhüllte die Leistung die schwärende Wunde seiner geschändeten, von Armut und Almosen vereiterten Jugend: nein, für kein Geld mehr wollte er diese Handvoll Freiheit verkaufen, diese Undurchdringlichkeit seines Lebens. Und darum lehnte er die ehrende Einladung, auf die Gefahr hin seine Karriere zu verderben, mit ausflüchtender Begründung ab.

Aber bald ließen ihm unvorhergesehene Umstände nicht mehr freie Wahl. Das Leiden des Geheimrates verschlimmerte sich dermaßen, daß er längere Zeit das Bett hüten mußte und selbst von telefonischem Verkehr mit seinem Büro ausgeschaltet war. So wurde ein Privatsekretär zur unentbehrlichen Notwendigkeit, und der dringlich wiederholten Aufforderung seines Protektors konnte er sich schließlich nicht mehr entziehen, wollte er nicht auch seiner Stellung verlustig gehen. Ein schwerer Gang, weiß Gott, wurde ihm diese Übersiedlung: noch genau erinnerte er sich des Tages, da er zum erstenmal die Klingel in jener vornehmen, ein wenig altfränkischen Villa an der Bockenheimer Landstraße rührte. Abends vorher hatte er noch eilig von seinen geringen Ersparnissen – eine alte Mutter und zwei Schwestern in einer verlorenen Provinzstadt zehrten an seinem kargen Gehalt – sich frische Wäsche, einen passablen schwarzen Anzug, neue Schuhe gekauft, um nicht allzu deutlich seine Bedürftigkeit zu verraten, auch trug diesmal ein Lohndiener die häßliche, ihm von vieler Erinnerung verhaßte Truhe mit seinen Habseligkeiten voraus: dennoch quoll das Unbehagen wie Brei in die Kehle, als ein Diener in weißen Handschuhen ihm förmlich auftat und schon von der Vorhalle der dicke satte Brodem des Reichtums ihm entgegenschlug. Da warteten tiefe Teppiche, die den Schritt weich einschluckten, rund gespannte Gobelins schon im Vorraum, die feierliches Aufblicken forderten, da standen geschnitzte Türen mit schweren bronzenen Klinken, sichtlich bestimmt, nicht von eigener Hand berührt, sondern vom servilen Diener mit gebuckeltem Rücken aufgerissen zu werden: alles das drückte betäubend und widrig zugleich auf seine trotzige Erbitterung. Und als der Diener ihn dann in das dreifenstrige Fremdenzimmer führte, ihm als ständiger Wohnraum zugedacht, überwog das Gefühl des Ungehörigen und Eindringlings: er, gestern noch im zugigen Hinterzimmerchen des vierten Stockes, mit hölzernem Bett und blechernem Waschnapf, sollte hier heimisch sein, wo jedes Gerät mit frecher Üppigkeit und seines Geldwertes bewußt dastand und höhnisch auf den bloß Geduldeten sah. Was er mitgebracht, ja er selbst in seiner eigenen Kleidung, schrumpfte erbärmlich zusammen in diesem weiten, lichtdurchstrahlten Raum. Wie ein Gehenkter pendelte lächerlich sein einziger Rock in dem breiten fülligen Kleiderschrank, seine paar Waschsachen, sein vertragenes Rasierzeug, wie Auswurf lag's oder wie ein von einem Polier vergessenes Arbeitszeug auf dem geräumigen, marmorgekachelten Waschtisch; und unwillkürlich versteckte er die harte klotzige Holztruhe unter einem Überwurf, sie beneidend, daß sie hier sich verkriechen und verstecken konnte, indes er selbst wie ein ertappter Einbrecher in dem verschlossenen Raum stand. Vergebens pumpte er sein beschämtes und verärgertes Nichtigkeitsgefühl mit dem Zusprechen auf, er sei ja der Gebetene, der Geforderte. Aber immer wieder drückte das behäbige Ringsumher der Dinge die Argumente nieder, er fühlte sich wieder klein, geduckt und besiegt, von dem Gewicht der protzigen, prahlerischen Geldwelt, Diener, Knecht, Tellerschlucker, menschliches Möbel, gekauft und verleihbar, bestohlen um sein eigenes Sein. Und als jetzt der Diener, mit leisem Knöchel die Türe berührend, eingefrorenen Gesichts und steifer Haltung meldete, die gnädige Frau lasse Herrn Doktor bitten, da spürte er, indes er zögernd die Flucht der Zimmer nachschritt, wie seit Jahren zum erstenmal seine Haltung einschrumpfte und die Schultern sich im voraus duckten zur servilen Verbeugung und nach Jahren in ihm wieder die Unsicherheit und Verwirrung des Knaben begann.

Aber kaum daß er ihr erstmalig entgegentrat, löste sich wohl-

tuend dieser innere Krampf: noch ehe sein Blick, aus der Verbeugung auftastend, Antlitz und Gestalt der Sprechenden umfing, war ihm ihr Wort schon unwiderstehlich entgegengegan-
gen. Und dieses erste Wort war Dank, dermaßen freimütig und
natürlich gesprochen, daß es all dieses Gewölk des Unmuts um
ihn zerteilte, unmittelbar das auflauschende Gefühl berührend.
»Ich danke Ihnen vielmals, Herr Doktor«, und herzlich bot sie
ihm zugleich die Hand, »daß Sie der Einladung meines Mannes
endlich Folge geleistet haben, und ich wünschte, es wäre mir
gegeben, Ihnen bald erweisen zu dürfen, wie sehr ich Ihnen dafür dankbar bin. Es mag Ihnen nicht leicht gefallen sein: man
gibt seine Freiheit ja nicht gern auf, aber vielleicht beruhigt Sie
das Gefühl, zwei Menschen dadurch auf das äußerste verpflichtet zu haben. Was meinerseits geschehen kann, Sie das Haus
vollkommen als das Ihre fühlen zu lassen, soll von Herzen gern
geschehen.« In ihm horchte etwas auf. Wieso wußte sie das von
der ungern verkauften Freiheit, wieso griff sie gleich mit dem
ersten Wort an das Wunde, das Aufgeschürfte und Empfindlich-
ste seines Wesens, gleich hin an jene pulsende Stelle der Angst,
seine Freiheit zu verlieren und nur ein Geduldeter, ein Gemie-
teter, ein Bezahlter zu sein? Wie hatte sie gleich mit der ersten
Bewegung der Hand dieses alles von ihm weggestreift. Unwillkürlich sah er zu ihr auf, nun erst gewahr werdend eines warmen
anteilnehmenden Blickes, der den seinen vertrauend erwartete.
   Etwas sicher Sanftes, Beruhigendes und heiter Selbstbewuß-
tes ging von diesem Antlitz aus, Klarheit strahlte hier von reiner
Stirn, die, noch jugendlich blank, beinahe vorzeitig den ernsten
Scheitel der Matrone trug, ein dunkel geschichtetes Haar mit
tiefen Wellen niederwölbend, indes vom Hals her ein gleich
dunkles Kleid die fülligen Schultern umschloß: um so heller
wirkte dieses Antlitz mit seinem beruhigten Licht. Wie eine
bürgerliche Madonna sah sie aus, ein wenig nonnenhaft im
hochgeschlossenen Kleid, und die Gütigkeit gab jeder Bewegung eine Aura von Mütterlichkeit. Nun trat sie einen Schritt
näher voll weicher Bewegung, Lächeln nahm ihm den Dank von

den zögernden Lippen. »Nur eine Bitte, die erste gleich in erster Stunde. Ich weiß, ein Zusammenleben, wenn man einander nicht seit lange kennt, ist immer ein Problem. Und da hilft nur eines: Aufrichtigkeit. So bitte ich Sie, wenn bei irgendeiner Gelegenheit Sie sich hier bedrückt, von irgendeiner Einstellung oder Einrichtung gehemmt fühlen, sich frei mir gegenüber zu äußern. Sie sind der Helfer meines Mannes, ich bin seine Frau, diese doppelte Pflicht bindet uns zusammen: lassen Sie uns also aufrichtig sein gegeneinander.«

Er nahm ihre Hand: der Pakt war geschlossen. Und von der ersten Sekunde an fühlte er sich dem Haus verbunden: das Kostbare der Räume drückte nicht mehr feindlich an ihn heran, ja im Gegenteil, er empfand es sofort als notwendigen Rahmen der Vornehmheit, die hier alles, was außen feindselig, wirr und gegensätzlich herandrängte, zur Harmonie abdämpfte. Allmählich erkannte er erst, ein wie erlesener Kunstsinn hier das Kostbare einer höheren Ordnung untertan machte und wie unwillkürlich jener gedämpfte Rhythmus des Daseins in sein eigenes Leben, ja in sein Wort eindrang. In sonderbarer Weise fühlte er sich beruhigt: alle spitzen, vehementen und leidenschaftlichen Gefühle verloren ihre Bösartigkeit, Gereiztheit, es war, als saugten die tiefen Teppiche, die bespannten Wände, die farbigen Stores Licht und Lärm der Gasse heimlich in sich ein, und gleichzeitig fühlte er, daß diese schwebende Ordnung nicht leer aus sich selbst geschah, sondern der Gegenwart der schweigsamen und immer mit gütigem Lächeln umhüllten Frau entstammten. Und was er in den ersten Minuten magisch empfunden, machten ihm die nächsten Wochen und Monate wohltätig bewußt: mit einem diskreten Taktgefühl zog diese Frau ihn mählich, ohne daß er Zwang geübt fühlte, in den innern Lebenskreis des Hauses. Behütet, aber nicht bewacht, spürte er eine einfühlende Aufmerksamkeit mit sich gleichsam von ferne beschäftigt: seine kleinen Wünsche erfüllten sich, kaum daß er sie angedeutet, in einer so diskret heinzelmännischen Art, daß sie besonderen Dank unmöglich machten. Hatte er, eine Mappe kostbarer Stiche durchblätternd, eines Abends einen von ihnen, den Faust von Rembrandt, maßlos bewundert, so fand er zwei Tage später die Reproduktion schon gerahmt über seinem Schreibtisch hängend. Hatte er eines Buches Erwähnung getan als gerühmt von einem Freunde, so fand er es zufällig in den nächsten Tagen in der Reihe der Bibliothek. Unbewußt formte sich das Zimmer seinen Wünschen und Gewohnheiten zu: oft merkte er zunächst gar nicht, was sich in den Einzelheiten verwandelt, nur wohnlicher geworden spürte er es, farbiger und durchwärmter, bis er dann etwa wahrnahm, daß die gestickte orientalische Decke derart, wie er sie einmal in einem Schaufenster bewundert, die Ottomane bedeckte oder die Lampe in himbeerfarbener Seide leuchtend geworden war. Immer mehr zog ihn die Atmosphäre an sich: ungern verließ er mehr das Haus, in dem er bei einem elfjährigen Knaben einen leidenschaftlichen Freund fand, und liebte es sehr, ihn und seine Mutter in Theater oder Konzerte zu begleiten: ohne daß er es wußte, stand sein ganzes Tun in den Stunden außerhalb seiner Arbeit im milden Mondlicht ihrer ruhigen Gegenwart.

Von der ersten Begegnung an hatte er diese Frau geliebt, aber so leidenschaftlich unbedingt dieses Gefühl ihn bis in seine Träume hinein überwogte, so fehlte ihm dennoch das Entscheidende einer durchschütternden Wirkung, nämlich die bewußte Erkenntnis, daß das, was er ausflüchtend vor sich selber noch mit dem Namen Bewunderung, Ehrfucht und Anhänglichkeit überdeckte, durchaus schon Liebe war, eine fanatische, fessellos, unbedingt leidenschaftliche Liebe. Aber irgendein Serviles in ihm dämmerte diese Erkenntnis gewaltsam zurück: so fern schien sie ihm, zu hoch, zu weit weg, diese klare, von einem Sternenreif umstrahlte, von Reichtum umpanzerte Frau, von all dem, was er bisher als weiblich erfahren. Als blasphemisch vor ihm selbst hätte er es empfunden, sie gleich zu erkennen dem Geschlechte und gleichem Gesetz des Blutes unterworfen als die paar andern Frauen, die ihm seine versklavte Jugend gestattet, jene Mägde am Gutshof, die gerade einmal ihre Tür dem

Hauslehrer aufgetan, neugierig zu sehen, ob der Studierte es anders täte als der Kutscher und der Knecht, oder die Nähmädchen, die er im Halbschatten der Laternen beim Heimgang getroffen. Nein, dies war anders. Sie leuchtete von einer andern Sphäre der Unbegehrlichkeit, rein und unantastbar, und selbst der leidenschaftlichste seiner Träume erkühnte sich nicht, sie zu entkleiden. Knabenhaft verwirrt hing er dem Duft ihrer Gegenwart an, jede Bewegung genießend wie Musik, glücklich ihres Vertrauens und unablässig erschreckt, ihr etwas zu verraten von dem übermäßigen Gefühl, das ihn erregte: Gefühl, das noch namenlos war, aber längst schon geformt und durchglutet in seiner Verhüllung.

Aber Liebe wird erst wahrhaft sie selbst, sobald sie sich, sofern sie nicht mehr embryonisch dunkel im Innern des Leibes schmerzhaft wogt, sondern mit Atem und Lippe sich zu benennen, zu bekennen wagt. So beharrlich ein solches Gefühl sich verpuppt, immer durchstößt eine Stunde plötzlich das verwirrte Gespinst und stürzt dann, von allen Höhen in die unterste Tiefe fallend, mit verdoppelter Wucht in das aufschreckende Herz. Dies geschah, spät genug, im zweiten Jahre seiner Hausgenossenschaft.

Der Geheimrat hatte eines Sonntags ihn in sein Zimmer gebeten: schon daß er ungewohnter Weise nach flüchtiger Begrüßung die Tapetentür hinter ihnen abschloß und durch das Haustelefon Auftrag gab, jede Störung abzuweisen, schon dies kündigte besondere Mitteilung bedeutsam an. Der alte Mann bot ihm eine Zigarre, entzündete sie umständlich, gleichsam um Zeit zu gewinnen für eine offenbar genau durchdachte Rede. Zunächst begann er mit ausführlichem Dank für seine Dienste. In jeder Hinsicht hätte er sein Vertrauen und innere Hingabe sogar übertroffen, niemals habe er bereuen müssen, auch die intimsten Geschäftlichkeiten dem so kurz Verbundenen anvertraut zu haben. Nun sei gestern in ihr Unternehmen von Übersee her wichtige Nachricht gelangt, die er ihm anzuvertrauen keinen Anstand nehme: das neue chemische Verfahren von dem er Kenntnis habe, erfordere große Quantitäten bestimmter Erze, und eben hätte nun ein Telegramm gemeldet, daß große Vorkommnisse dieser Metalle in Mexiko festgestellt worden seien. Hauptsache sei nun Geschwindigkeit, sie rasch für das Unternehmen zu erwerben, an Ort und Stelle Förderung und Ausnützung zu organisieren, ehe amerikanische Konzerne sich der Gelegenheit bemächtigten. Dies erfordere einen verläßlichen, andererseits jungen und energischen Mann. Für ihn persönlich sei es nun ein schmerzlicher Schlag, den vertrauten und zuverlässigen Adlatus zu entbehren: dennoch habe er es für seine Pflicht gehalten, in der Sitzung des Verwaltungsrates ihn als den tüchtigsten und einzig Geeigneten vorzuschlagen. Persönlich würde er entschädigt durch die Gewißheit, ihm eine glänzende Zukunft gewährleisten zu können. In zwei Jahren der Installierung könne er sich nicht nur, dank der reichlichen Dotierung ein kleines Vermögen sichern, sondern bei seiner Rückkehr sei ihm auch ein führender Posten in dem Unternehmen vorbehalten. »Überhaupt«, endigte der Geheimrat, glückwünschend die Hand breitend, »habe ich das Vorgefühl, als würden Sie noch einmal hier auf meinem Stuhle sitzen und zu Ende führen, was ich alter Mann vor drei Jahrzehnten begonnen habe.«

Ein solcher Antrag, plötzlich aus heiterm Himmel ihm zufallend, wie sollte er nicht einen Ehrgeizigen verwirren? Da war sie endlich, die Tür, wie von Explosion aufgerissen, die ihn aus dem Kellergewölbe der Armut, aus der lichtlosen Welt des Dienstes und Gehorchens, aus der immerwährenden gebückten Haltung des zur Bescheidenheit Gezwungenen und Denkenden herausführen sollte: gierig starrte er in die Papiere und Telegramme, wo aus hieroglyphischen Zeichen allmählich in großen und ungewissen Konturen der gewaltige Plan sich formte. Zahlen brausten auf ihn plötzlich nieder, Tausende, Hunderttausende, Millionen, die zu verwalten, zu verrechnen, zu gewinnen waren, feurige Atmosphäre der gebietenden Macht, in die er betäubt und klopfenden Herzens plötzlich wie in einem Traumballon aus der servilen dumpfen Sphäre seines Daseins emporstieg. Und überdies: nicht nur Geld allein, nicht nur Geschäft, Unternehmen, Spiel und Verantwortung – nein, ein ungleich Lockenderes griff hier versucherisch nach ihm. Hier war Gestaltung, Schöpfung, hohe Aufgabe, der zeugende Beruf, aus Gebirgen, wo seit Jahrtausenden in sinnlosem Schlaf das Gestein unter der Haut der Erde dämmerte, [etwas zu fördern, in sie] nun Stollen einzubohren, Städte zu schaffen mit wachsenden Häusern, aufschießenden Straßen, wühlenden Maschinen und kreisenden Kranen. Hinter dem kahlen Gestrüpp der Kalkulationen begann es tropisch zu blühen von fantastischen und doch plastischen Gebilden, Gehöfte, Farmen, Fabriken, Magazine, ein neues Stück Menschenwelt, das er gebietend und ordnend mitten ins Leere zu stellen hatte. Seeluft, gebeizt vom Rausch der Ferne, drang plötzlich ein in das kleine verpolsterte Zimmer, Zahlen stuften sich zu fantastischer Summe. Und in einem immer heißeren Taumel von Begeisterung, der jeder Entschließung die zuckende Form des Fluges gab, wurde alles in großen Zügen beschlossen und auch das rein Praktische vereinbart. Ein Scheck in für ihn unerwarteter Höhe, zu Reiseanschaffungen bestimmt, knisterte plötzlich in seiner Hand, und nach nochmaligem Gelöbnis wurde die Abfahrt für den nächsten Dampfer der Südlinie in zehn Tagen beschlossen. Noch ganz heiß vom Wirbel der Zahlen, umtaumelt vom Quirl der aufgewühlten Möglichkeiten, war er danach aus der Tür des Arbeitszimmers getreten, eine Sekunde irr um sich starrend, ob dies ganze Gespräch nicht nur eine Phantasmagorie überreizten Wunsches gewesen. Ein Flügelschlag hatte ihn aus der Tiefe emporgetragen in die funkelnde Sphäre der Erfüllung: das Blut brauste noch von so stürmischer Auffahrt, für einen Augenblick mußte er die Augen schließen. Er schloß die Augen so, wie man Atem tief in sich zieht, einzig, um ganz bei sich selbst zu sein, das innere Ich abgesonderter, mächtiger zu genießen. Eine Minute dauerte dies: aber dann, wie er neuerdings, gleichsam erfrischt aufsah und der Blick den gewohnten Vorraum übertastete, blieb er von ungefähr auf einem Bild haften, das über der großen Truhe hing: ihr Bild. Mit ruhig gebuchteten, sanft verschlossenen Lippen sah es ihn an, lächelnd und tiefdeutig zugleich, als hätte es jedes Wort seines Innern verstanden. Und da, in dieser Sekunde, überblitzte ihn plötzlich der ganz vergessene Gedanke, daß jene Stellung an[zu]nehmen, doch auch bedeutet, dies Haus zu verlassen. Mein Gott, sie verlassen: wie ein Messer fuhr das durch das stolz geblähte Segel seiner Freude. Und in dieser einen kontrollosen Sekunde des Überraschtseins stürzte das ganze künstlich getürmte Gebälk von Verstellung über seinem Herzen ein, und mit einem jähen Zucken im Herzmuskel spürte er, wie schmerzlich, wie tödlich fast der Gedanke ihn zerriß, sie zu entbehren. Sie, mein Gott, sie verlassen: wie hatte er daran denken können, wie sich entscheiden, gleichsam, als ob er sich selbst noch gehöre, als ob er nicht mit allen Klammern und Wurzeln des Gefühls hier verhaftet wäre an ihre Gegenwart! Gewaltsam brach es aus, elementar, ein ganz deutlicher zuckender physischer Schmerz, ein Schlag quer durch den ganzen Leib vom Stirndach bis ins Fundament des Herzens, ein Riß, der alles aufhellte wie Blitz über nächtlichem Himmel: und nun in diesem blendenden Licht war es vergebens, nicht zu erkennen, daß jeder Nerv und jede Fiber seines Innern in Liebe zu ihr blühte, der Geliebten. Und kaum daß er wortlos das magische Wort aussprach, stürzten schon mit jener unerklärlichen Geschwindigkeit, die nur das äußerste Erschrecken aufpeitscht, unzählige kleine Assoziationen und Erinnerungen funkelnd durch sein Bewußtsein, jedes grell sein Gefühl erhellend, Einzelheiten, die er niemals bisher gewagt hatte einzugestehen oder zu erläutern. Und jetzt erst wußte er, wie restlos er ihr seit Monaten schon verfallen war.

War es nicht diese Osterwoche noch gewesen, wo sie für drei Tage zu ihren Verwandten gefahren, daß er wie ein Verlorener von Zimmer zu Zimmer getappt, unfähig ein Buch zu lesen, aufgewühlt, ohne sich zu sagen, warum – und dann in der Nacht, da sie kommen sollte, hatte er nicht bis ein Uhr nachts gewartet, ihren Schritt zu hören? Hatte ihn nicht unzählige Male nervöse

Ungeduld vorzeitig die Treppen hinabgescheucht, ob der Wagen nicht schon käme? Er erinnerte sich des Schauers kalt über die Hände bis in den Nacken hinauf, wenn zufällig im Theater seine Hand die ihre gestreift: hundert solcher kleiner zuckender Erinnerungen, kaum wach gefühlter Nichtigkeiten stürzten jetzt wie durch gesprengte Schleusen brausend in sein Bewußtsein ein, in sein Blut, und alle trafen wieder geradewegs hin auf sein Herz. Unwillkürlich mußte er seine Hand auf seine Brust pressen, so hart schlug es dort heraus, und nun half nichts mehr, er durfte sich nicht länger wehren, einzugestehen, was ein gleichzeitig scheuer und ehrfürchtiger Instinkt mit allerhand vorsichtigen Abblendungen so lange verdunkelt hatte: daß er nicht mehr leben könnte ohne ihre Gegenwart. Zwei Jahre, zwei Monate, zwei Wochen bloß ohne dies milde Licht auf seinem Wege, ohne die guten Gespräche in abendlicher Stunde dabei – nein, nein, es war nicht zu ertragen. Und was ihn vor zehn Minuten noch mit Stolz erfüllt hatte, die Mission nach Mexiko, der Aufstieg in schöpferische Macht, in einer Sekunde war dies eingeschrumpft, zerplatzt wie eine funkelnde Seifenblase, es war nurmehr Ferne, Wegsein, Kerker, Verbanntsein, Exil, Vernichtung, ein nicht zu überlebendes Abgespaltensein. Nein, es war nicht möglich – schon zuckte die Hand zur Klinke zurück, schon wollte er noch einmal hinein in das Zimmer, dem Geheimrat zu melden, er verzichte, er fühle sich nicht würdig für den Auftrag und bleibe lieber im Haus. Aber da meldete sich warnend die Angst: nicht jetzt! Nicht vorzeitig ein Geheimnis verraten, das ihm selbst sich erst zu entschleiern begann. Und müde ließ er die fiebrige Hand von dem kühlen Metall.

Noch einmal sah er auf das Bild: immer tiefer schienen die Augen ihn anzublicken, nur das Lächeln um den Mund, er fand es nicht mehr. Sah sie nicht ernst, beinahe traurig vielmehr aus dem Bild, gleichsam als wollte sie sagen: »Du hast mich vergessen wollen.« Er ertrug ihn nicht, diesen gemalten und doch lebendigen Blick, taumelte hin in sein Zimmer, hinsinkend auf das Bett mit einem sonderbaren, fast ohnmachtsähnlichen Gefühl von Grauen, das aber merkwürdig durchdrungen war von geheimnisvoller Süßigkeit. Gierig sann er sich alles zurück, was er in diesem Haus seit der ersten Stunde erlebt, und alles, auch die nichtigste Einzelheit, hatte nun andere Schwere und anderes Licht: alles war angestrahlt von jenem innern Licht des Erkennens, alles war leicht und schwebte empor in der erhitzten Luft der Leidenschaft. Er besann sich aller Güte, die er von ihr erfahren. Ringsum waren noch ihre Zeichen, er tastete die Dinge an mit den Blicken, die ihre Hand berührt, und jedes hatte etwas vom Glück ihrer Gegenwart: sie war da in diesen Dingen, er fühlte ihre freundschaftlichen Gedanken darin. Und diese Gewißheit ihrer ihm zugewandten Güte überwogte ihn leidenschaftlich: aber doch tief unten in dieser Strömung war in seinem Wesen noch etwas Widerstrebendes wie ein Stein, etwas nicht Gehobenes, etwas nicht Weggeräumtes, das weggeschafft werden mußte, damit ganz frei sein Gefühl entströmen könne. Ganz vorsichtig tastete er heran an dieses Dunkle in seinem Untersten des Gefühls, schon wußte er, was es bedeutet, und wagte es doch nicht anzufassen. Immer aber trieb ihn die Strömung zurück zu dieser einen Stelle, zu dieser einen Frage. Und die hieß: war – Liebe wagte er nicht zu sagen – aber doch Neigung ihrerseits in all diesen kleinen Aufmerksamkeiten, eine linde, wenn auch leidenschaftslose Zärtlichkeit in dem Umlauschen und Umhüllen seiner Gegenwart? Dumpf ging diese Frage durch ihn hin, schwere schwarze Wellen des Blutes rauschten sie immer wieder auf, ohne sie doch fortwälzen zu können. »Wenn ich doch nur klar mich besinnen könnte!« fühlte er, aber zu leidenschaftlich wogten die Gedanken ineinander mit wirren Träumen und Wünschen und jener von der äußersten Tiefe immer aufgewühlte Schmerz. So lag er fühllos, ganz sich selbst entwandert auf dem Bett, verdumpft von einer betäubenden Mischung der Gefühle, eine Stunde vielleicht oder zwei, bis plötzlich ein zartes Pochen an der Tür ihn aufschreckte, ein Pochen vorsichtiger dünner Knöchel, das er zu erkennen meinte. Er sprang auf und stürzte zur Tür.

Sie stand vor ihm, lächelnd. »Aber Doktor, warum kommen Sie nicht? Es hat schon zweimal zu Tisch geläutet.«

Übermütig beinahe war das gesagt, als hätte sie eine kleine Freude, ihn bei einer Nachlässigkeit zu ertappen. Aber kaum sie sein Antlitz sah, versträhnt das feuchte Haar, die Augen wirr ausweichend und scheu, wurde sie selber blaß.

»Um Gottes willen, was ist Ihnen zugestoßen?« stammelte sie, und dieser umkippende Ton des Schreckens fuhr ihn an wie eine Lust. »Nein, nein«, zwang er sich rasch zusammen, »ich war irgendwie in Gedanken. Die ganze Sache ist allzu rasch über mich gekommen.«

»Was denn? Welche Sache? So sprechen Sie doch!«

»Wissen Sie denn nicht? Hat Sie der Geheimrat nicht verständigt?«

»Nichts, nichts!« drängte sie ungeduldig, beinahe irr gemacht von seinem fahrigen, heißen, ausweichenden Blick. »Was ist geschehen? Sagen Sie es mir doch!«

Da preßte er alle Muskeln zusammen, um sie klar und ohne Erröten anzusehen. »Der Herr Geheimrat war so gütig, mir eine große und verantwortliche Aufgabe zuzuteilen, und ich habe sie angenommen. Ich reise in zehn Tagen nach Mexiko – für zwei Jahre.«

»Für zwei Jahre! Um Gottes willen!« Ganz von innen fuhr schußhaft und heiß ihr Erschrecken heraus, mehr Schrei als Wort. Und in unwillkürlicher Abwehr spreizte sie die Hände zurück. Vergebens, daß sie in der nächsten Sekunde sich bemühte, das herausgeschleuderte Gefühl zu verleugnen, schon hatte er (wie war es geschehen?) ihre Hände, die von Angst leidenschaftlich vorgerissenen, in den seinen, ehe sie es wußten, schlugen ihre beiden bebenden Körper in Flammen zusammen, und in einem unendlichen Kuß tranken sich unzählige Stunden und Tage unbewußten Dürstens und Verlangens satt.

Nicht er hatte sie an sich gerissen und nicht sie ihn, sie waren ineinandergefahren, wie von einem Sturm zusammengerissen, miteinander, ineinander stürzend in ein bodenloses Unbewußtes, in das hinabzusinken eine süße und zugleich brennende Ohnmacht war – ein zu lang aufgestautes Gefühl entlud sich, vom Magnet des Zufalls gezündet, in einer einzigen Sekunde. Und erst allmählich, als die verklammerten Lippen sich lösten, noch taumelnd vor Unwahrscheinlichkeit, sah er in ihre Augen, in Augen mit fremdem Licht hinter der zärtlichen Dunkelheit. Und da erst überkam ihn strömend das Erkennen, daß diese Frau, die geliebte, lange schon, wochenlang, monatelang, jahrelang ihn geliebt haben mußte, zärtlich verschwiegen, glühend mütterlich, ehe solche Stunde ihr die Seele durchschlug. Und gerade dieses, das Unglaubhafte wurde nun Trunkenheit: er, er, geliebt und geliebt von ihr, der Unnahbaren, – ein Himmel wuchs da auf, lichtdurchbreitet und ohne Ende, strahlender Mittag seines Lebens, aber gleichzeitig schon niederstürzend in der nächsten Sekunde mit schneidenden Splittern. Denn dies Erkennen war diesmal Abschied zugleich.

Die zehn Tage bis zur Abreise verbrachten die beiden in einem fanatischen Zustand unablässiger rauschhafter Raserei. Die plötzliche Explosion ihres einbekannten Gefühls hatte mit der ungeheuren Wucht ihres Luftdruckes alle Dämme und Hemmungen, alle Sitte und Vorsicht weggesprengt: wie Tiere, heiß und gierig, fielen sie einander an, wenn sie in einem dunklen Gange, hinter einer Tür, in einer Ecke, zwischen zwei gestohlenen Minuten einander begegneten; Hand wollte Hand fühlen, Lippe die Lippe, das unruhige Blut das geschwisterliche fühlen, alles fieberte nach allem, jeder Nerv brannte, Fuß, Hand, Kleid, irgendeinen lebendigen Teil des lechzenden Leibes sinnlich zu fühlen. Dabei mußten sie gleichzeitig sich beherrschen im Hause, sie vor ihrem Mann, ihrem Sohn, ihren Dienstleuten die immer wieder vorfunkelnde Zärtlichkeit verstecken, er um den Kalkulationen, Konferenzen und Berechnungen, mit denen er verantwortlich beschäftigt war, geistig gewachsen zu sein. Immer haschten sie nur Sekunden, zuckende, diebische, gefährlich umlauerte Sekunden, nur mit den Händen, nur mit den Lippen, mit Blicken, mit gierig errafftem

Kuß konnten sie fliegend einander nahen, und die dünstige, schwülende, schwälende Gegenwart des andern selbst Berauschten berauschte sie. Aber nie war es genug, beide fühlten sie es: nie genug. Und so schrieben sie einander brennende Zettel, wirre lodernde Briefe steckten sie einander wie Schulknaben in die Hände, abends fand er sie knisternd unter dem schlaflosen Kissen, sie wieder die seinen in den Taschen ihres Mantels, und alle endeten sie im verzweifelten Schreien der unseligen Frage: wie es ertragen, ein Meer, eine Welt, unzählige Monate, unzählige Wochen, zwei Jahre zwischen Blut und Blut, zwischen Blick und Blick? Sie dachten nichts anderes, sie träumten nichts anderes, und keiner von ihnen wußte Antwort, nur die Hände, die Augen, die Lippen, die unwissenden Knechte ihrer Leidenschaft sprangen hin und wieder, lechzend nach Verbundensein, nach inniger Verpflichtung. Und darum wurden jene diebischen Augenblicke des Sich-Fassens, zuckenden Umschlingens zwischen angelehnten Türen, diese angstvollen Augenblicke so bacchantisch überfließend von gleichzeitiger Lust und Angst.

Aber nie war ihm, dem Lechzenden, ganzer Besitz des geliebten Leibes vergönnt, den er hinter dem unfühlsamen, hemmenden Kleid leidenschaftlich gebäumt sich doch nackt und heiß entgegendrängend fühlte – nie kam er ihm in dem überhellten, immer wachen und menschendurchhorchten Haus wirklich nahe. Nur am letzten Tag, als sie unter dem Vorwand, ihm einpacken zu helfen, in Wahrheit, um letzten Abschied zu nehmen, in sein schon abgeräumtes Zimmer kam und, gierig angerissen, taumelnd unter der Wucht seines Ansprungs gegen die Ottomane stürzte und fiel, als seine Küsse schon unter dem aufgezerrten Kleid ihre gebäumte Brust überglühten und gierig die weiße heiße Haut entlang bis dort, wo ihr Herz ihm keuchend entgegenschlug, da, als sie in diesen nachgebenden Minuten beinahe schon sein war mit ihrem hingegebenen Leibe, da – da stammelte sie aus ihrem Ergriffensein ein letztes flehendes »Nicht jetzt! Nicht hier! Ich bitte dich darum«.

Und so gehorsam, so unterjocht war selbst sein Blut noch der Ehrfurcht vor der so lange heilig Geliebten, daß er noch einmal seine schon strömenden Sinne zurückriß und zurückwich von ihr, die taumelnd aufstand und das Gesicht vor ihm verbarg. Er selbst blieb zuckend und mit sich selbst im Kampfe, gleichfalls abgewendet und so sichtlich der Trauer seiner Enttäuschung untertan, daß sie fühlte, wie sehr seine unbegnadete Zärtlichkeit an ihr litt. Da trat sie, ganz wieder Herrin ihres Gefühls, ihm nah und tröstete ihn leise: »Ich durfte es nicht hier, nicht hier in meinem, in seinem Haus. Aber wenn du wiederkommst, wann immer du willst.«

Der Zug hielt ratternd an, aufkreischend unter dem Zangengriff der angezogenen Bremse. Wie ein Hund unter der Peitsche erwachend, tauchte sein Blick aus dem Träumerischen auf, aber – beglückte Erkenntnis! – siehe, da saß sie ja, die Geliebte, die lang Entfernte, da saß sie ja, still und atemnah. Die Krempe des Hutes verschattete ein wenig das zurückgelehnte Gesicht. Aber als hätte sie unbewußt verstanden, daß sein Wunsch sich nach ihrem Antlitz sehne, richtete sie sich jetzt auf, und ein lindes Lächeln kam ihm entgegen. »Darmstadt«, sagte sie hinausblickend, »noch eine Station.« Er antwortete nicht. Er saß und sah sie nur an. Ohnmächtige Zeit, dachte er innen, Ohnmacht der Zeit wider unser Gefühl: neun Jahre seitdem und nicht ein Ton ihrer Stimme ist anders geworden, nicht ein Nerv meines Leibes hört anders ihr zu. Nichts ist verloren, nichts ist vergangen, zärtliche Beglückung wie damals ihre Gegenwart.

Leidenschaftlich sah er auf ihren still lächelnden Mund, den einmal geküßt zu haben er sich kaum entsinnen konnte, und sah hin auf ihre Hände, die ausgeruht und locker auf dem Schoße glänzten: unendlich gern hätte er sich niedergebeugt und sie mit den Lippen berührt oder die stillgefalteten in seine genommen, eine Sekunde nur, eine Sekunde! Aber schon begannen die gesprächigen Herren im Coupé ihn neugierig zu mustern und um sein Geheimnis zu hüten, lehnte er sich wieder wortlos zurück.

Wieder blieben sie einander ohne Zeichen und Wort gegenüber, und nur ihre Blicke küßten einander.

Draußen schrillte ein Pfiff, der Zug hub wieder an zu rollen, und seine schwingende Monotonie schaukelte, stählerne Wiege, ihn wieder in die Erinnerung zurück. Oh, dunkle und unendliche Jahre zwischen damals und heute, graues Meer zwischen Ufer und Ufer, zwischen Herz und Herz! Wie war es nur gewesen? Irgendeine Erinnerung war da, an die wollte er nicht rühren, nicht sich besinnen an jene Stunde des letzten Abschieds, die Stunde am Perron der gleichen Stadt, wo er heute aufgeweiteten Herzens ihrer gewartet. Nein, weg damit, vorbei daran, nicht mehr daran denken, es war zu fürchterlich. Weiter zurück, weiter zurück flatterten die Gedanken: andere Landschaft, andere Zeit tat sich träumerisch auf, vom rasch ratternden Takt der Räder hergerissen. Er war damals zerrissener Seele nach Mexiko gegangen, und die ersten Monate, die ersten entsetzlichen Wochen, ehe er von ihr eine Nachricht empfangen hatte, vermochte er nicht anders zu ertragen, [als] daß er sich das Gehirn vollstopfte mit Zahlen und Entwürfen, den Körper todmüdete mit Ritten ins Land und Expeditionen, von endlosen und doch entschlossen zu Ende geführten Unterhandlungen und Untersuchungen. Von Früh bis Nacht schloß er sich ein in dieses zahlenhämmernde, redende, schreibende, pausenlos werkende Maschinenhaus des Betriebs, nur um zu hören, wie die innere Stimme einen Namen, ihren Namen verzweifelt aufrief. Er übertäubte sich mit Arbeit wie mit Alkohol oder Gift, nur um die Gefühle, die übermächtigen, dumpf zu machen. Jeden Abend aber, so müde er auch war, setzte er sich hin, um Blatt auf Blatt, Stunde um Stunde alles zu verzeichnen, was er tagsüber getan, und mit jeder Post sandte er ganze Stöße solcher zitternd beschriebener Blätter an eine vereinbarte Deckadresse, damit die ferne Geliebte genau so wie im Haus an seinem Leben stündlich teilnehmen könne und er den milden Blick über tausend Meermeilen, Hügel und Horizonte ahnungshaft auf seinem Tagewerk ruhen fühlte. Dank dafür boten die Briefe, die er von ihr erhielt. Aufrechter Schrift und ruhigen Wortes, Leidenschaft verratend, aber doch in gebändigter Form: sie erzählten ernst, ohne zu klagen, von der Tage Gang, und ihm war, als fühlte er blau das sichere Auge auf sich gerichtet, nur das Lächeln fehlte darin, das leicht begütigende Lächeln, das allem Ernst seine Schwere nahm. Diese Briefe waren Trank und Speise des Einsamen geworden. Leidenschaftlich nahm er sie mit sich auf Reisen durch Steppen und Gebirge, in den Sattel hatte er eigene Taschen nähen lassen, daß sie geschützt waren gegen die plötzlichen Wolkenbrüche und die Nässe der Flüsse, die sie auf Expeditionen durchqueren mußten. So oft hatte er sie gelesen, daß er sie auswendig wußte, Wort um Wort, so oft entfaltet, daß die Bugstellen darin durchsichtig geworden waren und einzelne Worte verwischt von Küssen und Tränen. Manchmal, wenn er allein war und niemand um sich wußte, nahm er sie vor, um sie Wort für Wort in ihrem Stimmfall zu sprechen und so die Gegenwart der Entfernten magisch zu beschwören. Manchmal stand er plötzlich auf in der Nacht, wenn ihm ein Wort, ein Satz, eine Schlußformel entfallen war, entzündete Licht, um sie wiederzufinden und in ihren Schriftzügen sich das Bildnis der Hand zu erträumen, und von der Hand empor, Arm, Schulter, Haupt, die ganze über Meer und Land hergetragene Gestalt. Und wie ein Holzfäller im Urwald, so hieb er mit Berserkerwut und Kraft hinein in die vor ihm wilde und undurchdringlich noch drohende Zeit, ungeduldig schon, sie licht zu sehen, den Ausblick der Rückkehr, die Stunde der Reise, den Ausblick, den tausendmal vorgetäuschten, des wieder ersten Umfangens. In dem rasch gezimmerten, blechgedeckten Holzhaus der neugeschaffenen Arbeiterkolonie hatte er sich über dem roh gezimmerten Bett einen Kalender aufgehängt, darin strich er jeden Abend, oft schon ungeduldig am Mittag den abgewerkten Tag ab und zählte und überzählte die immer kürzere schwarz-rote Reihe der noch zu ertragenden: 420, 419, 418 Tage bis zur Wiederkehr. Denn er zählte nicht wie die andern Menschen seit Christi Geburt von einem Anfang an, sondern immer nur auf eine bestimmte Stunde zu, die Stunde der Heimkehr. Und immer wenn diese Zeitspanne zu einer runden Zahl sich formte, zu 400, zu 350 oder 300, oder wenn ihr Geburtstag, ihr Namenstag oder jene heimlichen Festtage, etwa da er sie zum erstenmal gesehen, oder jener, da sie ihm zum erstenmal ihr Gefühl verraten, – immer gab er dann den unwissend staunenden und fragenden Leuten um sich eine Art Fest. Er beschenkte die schmierigen Kinder der Mestizen mit Geld und die Arbeiter mit Branntwein, daß sie johlten und sprangen wie braune wilde Füllen, er zog sein Sonntagskleid an, ließ Wein holen und die besten Konserven. Eine Fahne flatterte dann, Flamme der Freude, von eigens aufgestockter Stange, und kamen Nachbarn und Helfer neugierig, welchen Heiligen oder kuriosen Anlaß er feiere, so lächelte er nur und sagte: »Was geht's euch an? Freut euch mit mir!«

So ging es Woche und Monat, so werkte sich ein Jahr zu Tode und weiter ein halbes Jahr, schon waren es nur mehr sieben kleine winzige armselige Wochen bis zur bestimmten Rückkehr. Längst hatte er sich in maßloser Ungeduld die Bootsfahrt ausgerechnet und zum Staunen der Booker seinen Kabinenplatz auf der ›Arcansas‹ hundert Tage früher schon belegt und ausbezahlt: da kam jener katastrophische Tag, der mitleidslos nicht nur seinen Kalender durchriß, sondern Millionen Schicksale und Gedanken gleichgiltig zerfetzte. Katastrophischer Tag: frühmorgens war der Geometer mit zwei Vorarbeitern und hinten ein Trupp eingeborener Diener mit Pferden und Mauleseln aus der schwefelgelben Ebene hinauf in das Gebirge geritten, um eine neue Bohrungsstelle zu untersuchen, wo man Magnesit vermutete: zwei Tage hämmerten, gruben, pochten und forschten die Mestizen unter den senkrechten Stichen einer unerbittlichen Sonne, die rechtwinkelig ab vom nackten Gestein noch ein zweitesmal gegen sie sprang: aber wie ein Besessener trieb er die Arbeiter an, gönnte seiner durstigen Zunge nicht die hundert Schritte zur rasch gegrabenen Wassergrube – er wollte zurück sein zur Post, ihren Brief sehen, ihre Worte. Und als am dritten Tage die Tiefe noch nicht erreicht war, die Probe noch nicht endgiltig, überfiel ihn die unsinnige Leidenschaft nach ihrer Botschaft, der Durst nach ihren Worten dermaßen wahnwitzig, daß er beschloß, allein die ganze Nacht zurückzureiten, nur um jenen Brief zu holen, der gestern mit der Post gekommen sein mußte. Gleichmütig ließ er die andern in dem Zelt zurück und ritt, nur von einem Diener begleitet, auf gefährlich dunklem Saumpfad die ganze Nacht bis zur Eisenbahnstation. Aber als sie am Morgen auf dampfenden Pferden, durchfroren von der eisigen Felsengebirgskälte, endlich in den kleinen Ort einritten, überraschte sie ungewohnter Anblick. Die paar weißen Ansiedler hatten ihre Arbeit gelassen und umstanden inmitten eines schreienden, fragenden, dumm glotzenden Wirbels von Mestizen und Eingeborenen die Station. Es kostete Mühe, den aufgeregten Knäuel zu durchstoßen. Dort erfuhren sie dann am Amt unvermutete Nachricht. Von der Küste waren Telegramme gekommen, Europa stände im Krieg, Deutschland gegen Frankreich, Österreich gegen Rußland. Er wollte es nicht glauben, stieß dem stolpernden Gaul die Sporen so grimmig in die Weichen, daß das erschrockene Tier wiehernd aufbockte, und jagte hin zum Regierungsgebäude, um dort noch niederschmetterndere Botschaft zu hören: es war richtig und noch ärger, England hatte gleichfalls den Krieg erklärt, das Weltmeer für Deutsche verschlossen. Der Eiserne Vorhang zwischen dem einen Kontinent und dem andern war für unberechenbare Zeit schneidend niedergefallen.

Vergebens, daß er in erster Wut mit geballter Faust auf den Tisch schlug, als wollte er damit das Unsichtbare treffen: so wüteten ja Millionen machtloser Menschen jetzt gegen die Kerkerwand des Schicksals. Sofort erwog er alle Möglichkeiten, sich hinüberzuschmuggeln auf listige, auf gewaltsame Weise, dem Schicksal Schach zu bieten – aber der englische, zufällig anwesende Konsul, ihm befreundet, deutete ihm mit vorsichtiger Warnung an, er sei gezwungen, von nun an jeden seiner Schritte zu bewachen. So tröstete ihn einzig die Hoffnung, die bald betrogene von Millionen anderer Menschen, ein solcher Wahnwitz könne nicht lange dauern, in einigen Wochen, einigen Monaten müsse dieser Tölpelstreich entfesselter Diplomaten und Generäle zu Ende sein. Und diesem dünnen Fusel Hoffnung gab bald ein anderes Element, ein noch blühenderes, stärker betäubendes Kraft: die Arbeit. Durch Kabeldepeschen über Schweden erhielt er von seiner Firma den Auftrag, um einer möglichen Sequestration vorzubeugen, das Unternehmen selbständig zu machen und als mexikanische Compagnie mit einigen Strohmännern zu führen. Das erforderte äußerste Energie der Bewältigung, bedurfte doch auch der Krieg, dieser herrische Unternehmer, Erz aus den Gruben, der Abbau mußte beschleunigt, der Betrieb intensiviert werden. Das spannte alle Kräfte, überdröhnte jeden eigenmächtigen Gedanken. Er arbeitete zwölf, vierzehn Stunden des Tages mit fanatischer Verbissenheit, um dann abends erschlagen von diesem Katapult von Zahlen traumlos ermüdet und unbewußt ins Bett zu sinken.

Aber doch: indes er noch unverwandt zu fühlen meinte, lockerte sich von innen her allmählich die leidenschaftliche Umspannung. Es liegt nicht im Wesen der menschlichen Natur, einzig von Erinnerungen zu leben, und so wie die Pflanzen und jegliches Gebilde Nährkraft des Bodens und immer neu gefiltertes Licht des Himmels brauchen, damit ihre Farben nicht verblassen und die Kelche [nicht] welk zerblättern, so bedürfen selbst Träume, auch sie, die scheinbar unirdischen, einer gewissen Nahrung vom Sinnlichen her, einer zarten und bildhaften Nachhilfe, sonst gerinnt ihr Blut und ihre Leuchtkraft verblaßt. So geschah es auch diesem Leidenschaftlichen, ehe er es selbst bemerkte – als Wochen, Monate und schließlich ein Jahr und dann ein zweites keine einzige Botschaft, kein geschriebenes Wort, kein Zeichen von ihr mehr herüberkam, da begann allmählich ihr Bild zu verdämmern. Jeder in Arbeit verbrannte Tag legte ein paar Stäubchen Asche über die Erinnerung; noch glühte sie durch wie rote Glut unter dem Rost, doch schließlich war der graue Belag dichter und dichter. Noch nahm er manchmal die Briefe hervor, aber die Tinte war blaß geworden, die Worte schlugen nicht mehr hinein in sein Herz, und einmal erschrak er im Anblick ihrer Fotografie, weil er sich nicht entsinnen konnte der Farbe ihrer Augen. Und immer seltener zog er die einst so kostbaren Zeugnisse, die magisch belebenden, heran, ohne es zu wissen, schon müde ihres ewigen Stilleseins, des sinnlosen Sprechens mit einem Schatten, der keine Antwort gab. Außerdem hatte die rasch entstandene Unternehmung Menschen und Gefährten hergebracht, er suchte Gesellschaft, suchte Freunde, suchte Frauen. Und als ihn eine Geschäftsreise im dritten Jahr des Krieges in das Haus eines deutschen Großkaufmannes führte, nach Vera Cruz, und er dort seine Tochter kennenlernte, still, blond und von häuslicher Art, da überwältigte ihn die Angst vor diesem unablässigen Alleinsein inmitten einer vom Haß, Krieg und Tollheit hinabstürzenden Welt. Er entschloß sich rasch und heiratete das Mädchen. Dann kam ein Kind, ein zweites folgte, lebende blühende Blumen über dem vergessenen Grab seiner Liebe: nun war der Kreis rund geschlossen, außen lärmende Tätigkeit, innen häusliches Ruhen, und von dem früheren Menschen, der er gewesen, wußte er nach vier oder fünf Jahren nichts mehr.

Nur einmal kam ein Tag, [ein] brausender, glockenstürmender Tag, da die Telegrafendrähte zuckten und in allen Gassen der Stadt zugleich schreiende Stimmen, faustgroße Lettern die endliche Botschaft des Friedensschlusses aufriefen, da die Engländer und Amerikaner des Ortes mit rücksichtslosem Hurra-Rufen in allen Fenstern die Vernichtung seiner Heimat schmetterten, – an diesem Tag stand, aufgerissen von all den Erinnerungen an das gerade im Unglück wieder geliebte Land, auch jene Gestalt wieder in ihm auf, zwingend trat sie in sein Gefühl. Wie mochte es ihr ergangen sein während all dieser Jahre des Elends und der Entbehrungen, das hier die Zeitungen mit behaglicher Breite und journalistischer frecher Betriebsamkeit breit und spaßend auswälzten? War ihr Haus, sein Haus, verschont geblieben von den Revolten und Plünderungen, ihr

Mann, ihr Sohn, lebten sie noch? Mitten in der Nacht stand er auf von der Seite seiner atmenden Frau, zündete Licht an und schrieb fünf Stunden lang bis zum Morgengrauen einen nicht enden wollenden Brief, in dem er ihr, monologisch zu sich selber sprechend, sein ganzes Leben in diesem Jahrfünft erzählte. Nach zwei Monaten, schon hatte er des eigenen Briefes vergessen, kam die Antwort: unschlüssig wog er das umfangreiche Couvert in den Händen, aufrührerisch schon durch die innig vertraute Schrift: er wagte nicht gleich das Siegel zu brechen, als hielte, Pandorens Gefäß gleich, dieses Verschlossene ein Verbotenes in sich. Zwei Tage lang trug er ihn uneröffnet in der Brusttasche: manchmal spürte er wie sein Herz dawiderschlug. Aber der Brief, endlich eröffnet, war einerseits ohne andrängende Vertraulichkeit und doch jeder kalten Förmlichkeit bar: unverstellt atmete er in ruhigen Schriftzügen jene zarte Neigung aus, die ihn von je an ihr so sehr beglückte. Ihr Mann war gestorben, gleich zu Anfang des Krieges, fast wage sie dies nicht zu beklagen, denn so sei ihm erspart geblieben, die Gefährdung seines Unternehmens, die Besetzung ihrer Stadt und das Elend seines allzu vorzeitig siegestrunkenen Volkes zu sehen. Sie selbst und ihr Sohn seien gesund, und wie freue es sie, von ihm Günstiges zu erfahren, Besseres als sie selbst zu berichten habe. Zur Verheiratung beglückwünschte sie ihn klar und in ehrlichen Worten: unwillkürlich horchte er sie mißtrauischen Herzens an, aber kein versteckter, verschlagener Nebenton dämpfte ihren klaren Anschlag. Alles war rein gesagt, ohne jede ostentative Übertriebenheit oder sentimentalische Rührung, alles Vergangene schien rein gelöst in fortwirkende Teilnahme, die Leidenschaft lichthaft geklärt zu kristallener Freundschaft. Nie hatte er es anders von ihrer Herzensvornehmheit erwartet, aber doch, diese klare sichere Art fühlend (er meinte mit einmal wieder in ihre Augen zu blicken), ernst und doch lächelnd in einem Widerglanz der Güte, da überkam ihn eine Art dankbarer Rührung: sofort setzte er sich hin, schrieb ihr lange und ausführlich, und die langentbehrte Gewohnheit des gegenseitigen Lebensberichts war wieder einverständlich aufgenommen – hier hatte der Wettersturz einer Welt nichts zu zerstören vermocht.

Mit tiefer Dankbarkeit empfand er nun die klare Form seines Lebens. Der Aufstieg war gelungen, das Unternehmen prosperierte, im Haus wuchsen Kinder aus zarter Blumenhaftigkeit allmählich zu sprechenden, freundlich blickenden Spielwesen empor, die ihm den Abend erheiterten. Und vom Vergangenen her, von jenem Feuerbrand seiner Jugend, in dem seine Nächte, seine Tage qualvoll sich verzehrten, kam nurmehr ein Leuchten her, ein stilles gutes Freundschaftslicht, ohne Forderung und Gefahr. So war es ein nur selbstverständlicher Gedanke, als er zwei Jahre später, von einer amerikanischen Compagnie beauftragt, in Berlin wegen chemischer Patente zu verhandeln, in Deutschland mit der nun zur Freundin gewordenen Geliebten von einst einen Gruß naher Gegenwart zu tauschen. Kaum in Berlin eingelangt, war es sein erstes, im Hotel telefonisch Frankfurt zu verlangen: symbolisch war es ihm, daß die Nummer sich nicht verändert hatte in diesen neun Jahren. Gute Vorbedeutung, dachte er, nichts hat sich verändert. Da klirrte schon auf dem Tisch frech die Klingel des Apparates, und plötzlich zitterte er im Vorgefühl, nun nach Jahren und Jahren wieder ihre Stimme zu vernehmen, hergeschleudert über Felder, Äcker, Häuser und Kamine, aufgerufen von seinem Klang, nah über diese Meilen von Jahren und Wasser und Erde. Und kaum daß er seinen Namen genannt und plötzlich mit einem aufschreckenden Schrei staunender Überraschung ihr »Ludwig, bist du es?« ihm entgegendrang, in die horchenden Sinne zuerst und dann gleich hinabpochend in die plötzlich gestaute Herzkammer des Blutes – da hielt ihn plötzlich etwas in Feuer: er hatte Mühe weiterzusprechen, das leichte Hörrohr taumelte in seiner Hand. Dieser helle aufschreckende Ton ihres Überraschtseins, dieser klingende Stoß der Freude, mußte irgendeinen verborgenen Nerv seines Lebens getroffen haben, denn er fühlte das Blut an die Schläfen surren, mit Mühe verstand er ihre Worte. Und ohne daß er es selbst wußte und wollte, gleichsam als hätte es ihm jemand zugeflüstert, versprach er, was er gar nicht sagen gewollt, er würde übermorgen nach Frankfurt kommen. Und damit war seine Ruhe dahin; fiebrig erledigte er die Geschäfte, jagte in Automobilen herum, um die Verhandlungen mit doppelter Geschwindigkeit zu perfektionieren. Und als er am nächsten Morgen aufwachend dem Traum dieser Nacht nachspürte, wußte er: seit Jahren, seit vier Jahren wieder zum erstenmal hatte er von ihr geträumt.

Zwei Tage später, als er, angekündigt durch ein Telegramm, nach durchfrorener Nacht morgens sich ihrem Hause näherte, da merkte er plötzlich, auf seine eigenen Füße schauend: das ist nicht mein Schritt, nicht mein Schritt von drüben, mein fester, gerade fortsteuernder, sicherer Schritt. Warum gehe ich wieder so wie der schüchterne, ängstliche Dreiundzwanzigjährige von damals, der beschämt seinen abgeschabten Rock noch einmal zitternden Fingers abstaubt und sich die neuen Handschuhe über die Hände zieht, ehe er an die Klingel rührt? Warum schlägt mir mit einmal das Herz, warum bin ich befangen? Damals da spürte geheime Ahnung das Schicksal hinter dieser kupfernen Türe hocken, mich anzufassen, zärtlich oder böse. Aber heute, warum ducke ich mich, warum löst diese aufschwellende Unruhe wieder alles Feste und Sichere in mir? Vergebens bemühte er sich seiner zu besinnen, rief seine Frau, die Kinder, sein Haus, sein Unternehmen, das fremde Land in seinen Sinn. Aber wie weggetragen von gespenstigem Nebel dämmerte dies alles: er spürte sich allein und noch immer wie ein Bittender, wie der ungelenke Knabe vor ihrer Nähe. Und die Hand ward zitternd und heiß, die er nun auf die metallene Klinke legte.

Aber kaum eingetreten, verschwand schon die Fremdheit, denn der alte Diener, abgemagert und in sich eingetrocknet, hatte fast Tränen in den Augen. »Der Herr Doktor«, stammelte er über ein Schluchzen hinweg. Odysseus, mußte der mit ihm Erschütterte denken, die Hunde im Hause erkennen dich: wird dich die Herrin erkennen? Aber da schob sich schon die Portiere beiseite, gebreiteter Hände kam sie ihm entgegen. Einen

Augenblick, indes die Hände ineinander blieben, sahen sie sich an. Kurz und doch magisch erfüllte Pause des Vergleichens, Betrachtens, Abtastens, feurigen Nachdenkens, beschämter Beglückung und das Beglücktsein schon wieder verbergender Blicke. Dann erst löste sich die Frage in ein Lächeln, der Blick in vertraulichen Gruß. Ja, sie war es noch, ein wenig gealtert allerdings, links bog sich silberne Strähne durch das immer noch gleich gescheitelte Haar, noch stiller um einen Ton, noch ernster machte dieser Silberschein ihr mildes trauliches Gesicht und den Durst unendlicher Jahre fühlte er nun, wie er diese Stimme trank, die sanfte, durch weichen Dialekt so sehr trauliche, die ihn nun grüßte: »Wie lieb von dir, daß du gekommen bist.«

Wie das klang, rein und frei, als sei eine Stimmgabel tönend angeschlagen: nun hatte das Gespräch seinen Ton und Halt, Fragen und Erzählen ging wie rechte und linke Hand über die Tasten, klingend und klar ineinander. Alle die gestaute Schwüle und Befangenheit war gelöst vom ersten Wort ihrer Gegenwart. Solange sie sprach, gehorchte ihr jeder Gedanke. Aber kaum daß sie einmal, ergriffen nachdenkend, schwieg, die sinnend gesenkten Lider die Augen unsichtbar machten, huschte wie ein Schatten plötzlich leichtfüßig die Frage durch ihn hin: »Sind das nicht die Lippen, die ich geküßt?« Und als sie dann, für einen Augenblick ans Telefon gerufen, ihn im Zimmer allein ließ, drängte ungebärdig von überall Vergangenes auf ihn zu. Solange ihre klare Gegenwart herrschte, duckte sich diese unsichere Stimme, jetzt aber hatte jeder Sessel, jedes Bild eine leise Lippe, und alle sprachen sie auf ihn ein, unhörbares Geflüster, ihm allein verständlich und offenbar. In diesem Haus habe ich gelebt, mußte er denken, etwas von mir ist zurückgeblieben, etwas noch da von jenen Jahren, ich bin noch nicht ganz drüben, nicht ganz noch in meiner Welt. Sie trat wieder zurück in das Zimmer, heiter selbstverständlich, und wieder duckten sich die Dinge. »Du bleibst doch zu Mittag, Ludwig«, sagte sie mit heiterer Selbstverständlichkeit. Und er blieb, blieb den ganzen Tag an ihrer Seite, und sie blickten zusammen im Gespräch in die vergangenen Jahre zurück, und ihm schienen sie erst wirklich wahr, seit er sie hier erzählte. Und als er endlich Abschied nahm, ihre mütterlich milde Hand geküßt und die Tür hinter sich geschlossen hatte, war ihm, als sei er niemals weg gewesen.

Nachts aber, allein im fremden Hotelzimmer, nur das Ticken der Uhr neben ihm und mitten in der Brust ein noch heftiger schlagendes Herz, wich dieses beruhigte Gefühl. Er konnte nicht schlafen, stand auf und zündete Licht, löschte wieder ab, um schlaflos weiterzuliegen. Immer mußte er an ihre Lippen denken und daß er sie anders gekannt als in dieser sanft redenden Vertraulichkeit. Und mit einmal wußte er, daß alle diese plaudernde Gelassenheit zwischen ihnen doch Lüge war, daß irgend noch ein Unerlöstes und Ungelöstes in ihrer Beziehung war und daß alle Freundschaft nur künstlich aufgetane Maske war über einem nervösen, fahrigen, von Unruhe und Leidenschaft verwirrten Gesicht. Zu lange, in zuviel Nächten, im Lagerfeuer drüben in seiner Hütte, zuviele Jahre, zuviele Tage hatte er dieses Wiedersehen anders gedacht – ineinanderstürzend, brennende Umfassung, letzte Hingabe, stürzendes Kleid – als daß dieses Freundlichsein, dieses höfliche Plaudern und sich Erkunden ganz wahrhaft sein könnte. Schauspieler, sagte er sich, und Schauspielerin, einer dem andern gegenüber, aber keiner betrügt doch den andern. Gewiß schläft sie ebensowenig wie ich diese Nacht.

Als er dann am nächsten Morgen zu ihr kam, mußte ihr das Unbeherrschte, Fahrige seines Wesens, der ausweichende Blick sofort aufgefallen sein, denn ihr erstes Wort war schon wirr, doch später fand sie nicht mehr das unbeschwerte Gleichgewicht des Gesprächs. Es zuckte hoch, fiel ab, es gab Pausen und Spannungen, die mit gewaltsamem Druck weggestoßen werden mußten. Irgend etwas stand zwischen ihnen, an dem sich die Fragen und Antworten unsichtbar zerstießen wie Fledermäuse gegen die Wand. Und beide spürten sie es, daß sie über etwas [aneinander] vorbei oder über etwas hinweg sprachen, und schließlich, schon taumelig von diesem vorsichtigen Im-Kreise-Herumgehen der Worte, ermüdete das Gespräch. Er erkannte es rechtzeitig und schützte, als sie ihn wiederum zum Mittagessen einlud, eine dringende Besprechung in der Stadt vor.

Sie bedauerte das sehr und wirklich, jetzt wagte die scheue Wärme der Herzlichkeit sich wieder aus ihrer Stimme. Aber doch, sie wagte nicht ernstlich, ihn zu halten. Indes sie ihn hinausbegleitete, sahen sie nervös aneinander vorbei. Irgend etwas knisterte in den Nerven, immer wieder stolperte das Gespräch über das Unsichtbare, das mit ihnen von Zimmer zu Zimmer, von Wort zu Wort ging und nun ihnen schon, gewaltsam wachsend, den Atem drückte. So war es Erleichterung, als er, den Mantel schon umgeworfen, bei der Türe stand. Aber mit einmal wandte er sich entschlossen wieder zurück. »Ich wollte dich eigentlich noch etwas bitten, ehe ich fortgehe.« »Du mich bitten, gern!« lächelte sie, schon wieder angestrahlt von der Freude, ihm einen Wunsch erfüllen zu können.

»Es ist vielleicht töricht«, sagte er zögernden Blicks, »aber gewiß, du wirst es begreifen, ich hätte gern noch einmal das Zimmer gesehen, mein Zimmer, wo ich zwei Jahre gewohnt. Ich bin immer unten in den Empfangsräumen, den Zimmern für die Fremden gewesen, und siehst du, wenn ich jetzt heimginge, hätte ich gar nicht das Gefühl, zu Hause gewesen zu sein. Wenn man älter wird, sucht man seine eigene Jugend und hat seine dumme Freude an kleinen Erinnerungen.«

»Du und älter werden, Ludwig«, entgegnete sie fast übermütig, »daß du so eitel bist! Sieh lieber mich an, da dieser graue Streif hier im Haar. Wie ein Knabe bist du noch gegen mich und will schon vom Altern reden: lasse mir doch das kleine Vorrecht! Aber wie vergeßlich von mir, daß ich dich nicht gleich in dein Zimmer führte, denn dein Zimmer ist es ja noch immer. Nichts wirst du verändert finden: in diesem Hause ändert sich nichts.«

»Ich hoffe, du auch nicht«, versuchte er zu scherzen, aber da sie ihn ansah, wurde sein Blick unwillkürlich zärtlich und warm. Sie errötete leicht. »Man altert, aber man bleibt derselbe.«

Sie gingen hinauf in sein Zimmer. Schon beim Eintreten ereignete sich eine leichte Peinlichkeit: sie war öffnend zurückgewichen, um ihm den Vortritt zu lassen, und durch die gleichzeitige Bewegung beiderseitiger Höflichkeit stießen flüchtig ihre Schultern im Türrahmen zusammen. Beide schreckten unwillkürlich zurück, aber schon dieses flüchtigste Anstreifen von Leib an Leib genügte, sie verlegen zu machen. Wortlos umschlug sie, doppelt fühlbar im lautlosen leeren Raum, eine lähmende Befangenheit: nervös hastete sie an den Zugstreifen des Fensters, die Gardinen hochzuziehen, damit mehr Licht in die gleichsam geduckte Dunkelheit der Dinge falle. Aber kaum, daß jetzt im plötzlichen Guß Grelligkeit hereinstürzte, war es, als ob alle Gegenstände plötzlich Blicke bekämen und unruhig aufgeschreckt sich regten. Alles trat bedeutsam vor und sprach eine Erinnerung zudringlich aus. Hier der Schrank, den ihre sorgende Hand immer heimlich für ihn geordnet, dort die Bücherwand, die sich sinnvoll nach seinen flüchtigsten Wünschen gefüllt, da – schwüler sprechend noch – das Bett, unter dessen übergebreiteter Decke er unzählige Träume von ihr begraben wußte. Dort in der Ecke – heiß fuhr ihn der Gedanke an – die Ottomane, wo sie sich ihm damals entwunden: überall spürte er, entzündet von der nun brennenden, aufflackernden Leidenschaft Zeichen und Botschaft von ihr, von derselben, die jetzt neben ihm stand, still atmend, gewaltsam fremd, abgewandten, unfaßbaren Blicks. Und dieses Schweigen, das von Jahren her dick und eingesackt in dem Raume ruhte, blähte sich jetzt aufgeschreckt von der Gegenwart der Menschen mächtig auf, wie ein Luftdruck lag es auf der Lunge und dem niedergedrückten Herzen. Etwas mußte jetzt gesagt sein, etwas mußte dieses Schweigen wegstoßen, damit es nicht erdrückte – beide spürten sie es. Und sie tat's – plötzlich sich umwendend.

»Nicht wahr, es ist alles genau so wie früher«, begann sie mit dem festen Willen, etwas Gleichgiltiges, Argloses zu sprechen (und doch zitterte ihre Stimme wie belegt). Aber er nahm den verbindlichen Konversationston nicht an, sondern preßte die Zähne.

»Ja, alles«, stieß ihm ein plötzlich aufschießender Ingrimm erbittert durch die Zähne. »Alles ist wie früher, nur wir nicht, wir nicht!«

Ein Biß, fuhr dieses Wort auf sie los. Erschreckt wandte sie sich um.

»Wie meinst du das, Ludwig?« Aber sie fand nicht seinen Blick. Denn seine Augen griffen jetzt nicht nach den ihren, sondern starrten stumm und lodernd zugleich auf ihre Lippen, auf die Lippen, die er seit Jahren und Jahren nicht berührt und die doch einst Fleisch brannten an seinem Fleisch, diese Lippen, die er gefühlt, feucht und inwendig wie eine Frucht. Geniert verstand sie das Sinnliche seines Anschauens, eine Röte überflog ihr Gesicht, geheimnisvoll sie verjüngend, so daß sie ihm die gleiche schien wie damals zur Stunde des Abschieds in dem gleichen Zimmer. Noch einmal versuchte sie, um diesen saugenden, diesen gefährlichen Blick von sich wegzuhalten, mit Absicht das Unverkennbare mißzuverstehen.

»Wie meinst du das, Ludwig?« wiederholte sie noch einmal, aber mehr Bitte war es, nicht sich zu erklären, als eine Frage um Antwort.

Da machte er eine feste entschlossene Bewegung, männlich stark faßte sein Blick jetzt den ihren. »Du willst mich nicht verstehen, aber ich weiß, du verstehst mich doch. Erinnerst du dich dieses Zimmers – und erinnerst du dich, was du mir in diesem Zimmer zugeschworen ... wenn ich wiederkomme ...«

Ihre Schultern zitterten, noch versuchte sie abzuwehren: »Laß das, Ludwig ... das sind alte Dinge, rühren wir nicht daran. Wo ist die Zeit?«

»In uns ist die Zeit«, antwortete er fest, »in unserem Willen. Ich habe neun Jahre gewartet mit verbissenen Lippen. Aber ich habe nichts vergessen. Und ich frage dich, erinnerst du dich noch?«

»Ja«, blickte sie ihn ruhiger an, »auch ich habe nichts vergessen.«

»Und willst du« – er mußte Atem holen, damit das Wort wieder Kraft fände – »willst du es erfüllen?«

Wieder sprang die Röte auf und wogte nun bis unter das Haar. Sie trat begütigend auf ihn zu: »Ludwig, besinn dich doch! Du sagtest, du hast nichts vergessen. Aber vergiß nicht, ich bin beinahe eine alte Frau. Mit grauen Haaren hat man nichts mehr zu wünschen, hat man nichts mehr zu geben. Ich bitte dich, laß das Vergangene sein.«

Aber wie eine Lust kam es über ihn, jetzt hart und entschlossen zu sein. »Du weichst mir aus«, drängte er ihr nach, »aber ich habe zu lange gewartet, ich frage dich, erinnerst du dich deines Versprechens?«

Ihre Stimme schwankte bei jedem Wort: »Warum fragst du mich? Es hat doch keinen Sinn, daß ich es dir jetzt sage, jetzt, wo alles zu spät ist. Aber wenn du es forderst, so antworte ich dir. Ich hätte dir nie etwas verweigern können, immer habe ich dir gehört, seit dem Tage da ich dich kannte.«

Er sah sie an: wie sie doch aufrecht war, selbst in der Verwirrung, wie klar, wie wahr, ohne Feigheit, ohne Ausflucht, immer dieselbe, die Geliebte, wundervoll sich bewahrend in jedem Augenblick, verschlossen und aufgetan zugleich. Unwillkürlich trat er auf sie zu, aber kaum sie das Ungestüme seiner Bewegung sah, wehrte sie schon bittend ab.

»Komme jetzt, Ludwig, komm, bleiben wir nicht hier, gehen wir hinunter; es ist Mittag, jeden Augenblick kann mich das Dienstmädchen hier suchen, wir dürfen nicht länger hier bleiben.«

Und so unwiderstehlich bog ihres Wesens Gewalt seinen Willen, daß er, genau wie damals, ihr wortlos gehorchte. Sie gingen hinab zum Empfangszimmer, durch den Flur und bis [zur] Tür, ohne ein Wort zu versuchen, ohne einander anzusehen. Bei der Tür wandte er sich plötzlich um und ihr zu.

»Ich kann jetzt nicht zu dir sprechen, verzeihe mir's. Ich will dir schreiben.«

Sie lächelte ihm dankbar zu. »Ja, schreibe mir, Ludwig, es ist besser so.«

Und kaum in sein Hotelzimmer zurückgelangt, warf er sich hin an den Tisch und schrieb ihr einen langen Brief, von Wort zu Wort, von Seite zu Seite immer zwanghafter hingerissen von der plötzlich verstoßenen Leidenschaft. Es sei sein letzter Tag in Deutschland für Monate, für Jahre, für immer vielleicht, und er wolle, er könne nicht so von ihr gehen mit der Lüge des kühlen Gesprächs, der Unwahrhaftigkeit gezwungen gesellschaftlichen Beisammenseins, er wolle, er müsse sie noch einmal sprechen, allein, losgelöst vom Haus, von der Angst und Erinnerung und Dumpfheit der überwachten, der abhaltenden Räume. Und so schlug er ihr vor, ihn mit dem Abendzug nach Heidelberg zu begleiten, wo sie beide einmal vor einem Jahrzehnt zu einem kurzen Aufenthalt gewesen, fremd einander noch und doch bewegt schon von der Ahnung innerer Nähe: heute aber solle es Abschied sein, der letzte, der tiefste, den er noch begehrte. Diesen Abend, diese Nacht fordere er noch von ihr. Hastig siegelte er den Brief, sandte ihn mit einem Boten in ihr Haus hinüber. In einer Viertelstunde schon war er zurück, ein kleines gelbgesiegeltes Couvert in den Händen. Zitternder Hand riß er es auf, nur ein Zettel war darin, ein paar Worte in ihrer festen entschlossenen Schrift, hastig und doch stark hingeschrieben:

»Es ist Torheit, was du verlangst, aber nie konnte, nie werde ich dir etwas verweigern; ich komme.«

Der Zug verlangsamte seine Fahrt, eine Station, lichterflimmernd, gebot ihm zurückhaltenden Gang. Unwillkürlich hob des Träumenden Blick sich von innen heraus und griff suchend vor, um wieder zärtlich die sich ihm zugewandte, ganz ins Helldunkle gebettete Gestalt seines Traumes zu erkennen. Ja, da war sie ja, die immer Getreue, die still Liebende, sie war gekommen, mit ihm, zu ihm – immer wieder umfing er das Handgreifliche ihrer Gegenwart. Und als hätte etwas in ihr dieses Suchende seines Blickes, diese scheu liebkosende Berührung von ferne gefühlt, so richtete sie sich jetzt empor und blickte durch die Scheibe, hinter der eine ungewisse Landschaft feucht und frühlingsdunkel wie glitzerndes Wasser vorbeistrich.

»Wir müssen gleich ankommen«, sagte sie wie zu sich selber.

»Ja«, seufzte er tief, »es hat so lange gedauert.«

Er wußte selbst nicht, meinte er die Fahrt mit diesem ungeduldig aufstöhnenden Wort oder all die langen Jahre bis heran an diese Stunde: Verwirrung zwischen Traumhaftigkeit und Wirklichkeit durchwogte ihm das Gefühl. Er spürte nur, daß unter ihm knatternde Räder liefen, auf irgend etwas zu, irgendeinem Augenblick entgegen, den er sich aus einer merkwürdigen Dumpfheit nicht verdeutlichen konnte. Nein, nicht denken daran, nur so tief sich tragen lassen von einer unsichtbaren Macht, irgend etwas Geheimnisvollem entgegen, verantwortungslos, mit entspannten Gliedern. Eine Art bräutlichen Erwartens war das, süß und sinnlich und doch auch dunkel durchmengt von der Vorangst der Erfüllung, von jenem mystischen Schauer, wenn plötzlich ein unendlich Ersehntes leibhaftig herantritt an das aufstaunende Herz. Nein, nur nichts ausdenken jetzt, nichts wollen, nicht begehren, nur so bleiben, traumhaft gerissen ins Ungewisse, getragen von fremder Flut, nicht sich berührend und doch sich fühlend, sich begehrend und sich nicht erreichend, ganz hingeschwungen ins Schicksal und zurück ins Eigene gefügt. Nur so bleiben, noch stundenlang, eine Ewigkeit lang in dieser dauernden Dämmerung, umhüllt von Träumen: und schon wie eine leise Bangnis meldete sich der Gedanke, dies könnte bald zu Ende sein.

Aber da flirrten schon, Johanniskäfern gleich, da und dort, hüben und drüben, immer lichter und lichter elektrische Funken im Tal, Laternen schossen zusammen in schnurgeraden Doppelreihen, Geleise überklirrten sich, und da wölbte bereits eine blasse Kuppel helleren Dunst aus der Dunkelheit.

»Heidelberg«, sagte aufstehend einer der Herren zu den anderen. Alle drei verstauten ihre geblähten Reisetaschen und hasteten, um früher beim Ausgang zu sein, aus dem Coupé. Schon ratterten stolperig die angebremsten Räder in das Bahnhofsrelais, es gab einen harten, aufrüttelnden Ruck, dann stockte die Geschwindigkeit, nur einmal noch quarrten die Räder wie ein gequältes Tier. Eine Sekunde saßen sie beide allein sich gegenüber, gleichsam erschreckt von der plötzlichen Wirklichkeit.

»Sind wir schon da?« Unwillkürlich klang es beängstigt.

»Ja«, antwortete er und stand auf. »Kann ich dir helfen?« Sie wehrte ab und ging hastig voraus. Aber bei dem Trittbrett des Waggons blieb sie noch einmal stehen: wie vor eiskaltem Wasser zauderte der Fuß einen Augenblick, hinabzusteigen. Dann gab sie sich einen Ruck, er folgte stumm. Und beide standen sie auf dem Perron dann einen Augenblick nebeneinander, hilflos, fremd, peinlich berührt, und der kleine Koffer pendelte ihm schwer in der Hand. Da stieß plötzlich die wieder anschneubende Maschine neben ihnen grell ihren Dampf aus. Sie zuckte zusammen, sah ihn dann blaß an, mit verwirrten und unsicheren Augen.

»Was hast du?« fragte er.

»Schade, es war so schön. Man fuhr so hin. Ich wäre gern noch so Stunden und Stunden gefahren.«

Er schwieg. Genau dasselbe hatte er in dieser Sekunde gedacht. Aber nun war es vorbei: etwas mußte geschehen.

»Wollen wir nicht gehen?« fragte er behutsam.

»Ja, ja gehen wir«, murmelte sie kaum verständlich. Aber dennoch blieben sie beide locker nebeneinander stehen, als wäre etwas in ihnen zerbrochen. Dann erst (er vergaß ihren Arm zu nehmen) wandten sie sich unschlüssig und verwirrt dem Ausgang zu.

Sie traten aus dem Bahnhof, aber kaum aus der Tür, stieß ein Brausen wie Sturm gegen sie, zerknattert von Trommeln, überschrillt von Pfeifen, wuchtiger tönender Lärm – eine vaterländische Demonstration der Kriegervereine und Studenten. Wan-

dernde Mauer, Viererreihen nach Viererreihen, von Fahnen be-
wimpelt, krachend im Paradeschritt marschierten militärisch
gewandete Männer in einem Takt wie ein einziger Mann, den
Nacken starr rückgestoßen, gewaltsame Entschlossenheit, den
Mund aufgehöhlt zum Gesang, eine Stimme, ein Schritt, ein
Takt. In der ersten Reihe Generäle, weißhaarige Würdenträger,
ordensüberdeckt flankiert von der Jungmannschaft, die in ath-
letischer Starrheit riesige Fahnen steil senkrecht trugen, Toten-
köpfe, Hakenkreuz, alte Reichsbanner im Winde wehend, breit
gespannt die Brust, vorgestoßen die Stirn, als ginge es feindli-
chen Batterien entgegen. Wie von einer taktierenden Faust vorgestoßen, geometrisch, geordnet, marschierten Massen, zirkel-
haft genau Abstand haltend und Schritt bewahrend, von Ernst
jeder Nerv gespannt, Drohblick im Gesicht, und jedesmal wenn
eine neue Reihe – Veteranen, Jungvolk, Studenten – an der erhöhten Estrade vorbeikam, wo das trommelnde Schlagwerk beharrlich im Rhythmus Stahl auf einem unsichtbaren Amboß
zerschlug, ging militärisch stramm ein Ruck durch die Menge
der Köpfe: links warfen eines Willens, einer Bewegung sich die
Nacken herüber, aufzuckten wie auf Schnüren gerissen die Fahnen vor dem Heerführer, der steinernen Angesichts hart die Parade der Zivilisten abnahm. Bartlose, Flaumige oder Zerkerbte
mit Falten, Arbeiter, Studenten, Soldaten oder Knaben, alle hatten sie diese Sekunde dasselbe Gesicht durch den harten, entschlossenen zornigen Blick, das aufgestoßene Kinn des Trotzes
und die unsichtbare Geste des Schwertgriffes. Und immer wieder von Truppe zu Truppe hämmerte der prasselnde, in seiner
Monotonie doppelt aufrührerische Trommeltakt die Rücken
straff, die Augen hart – Schmiede des Krieges, der Rache, unsichtbar aufgestellt auf friedlichem Platz in einen von linden
Wolken süß überflogenen Himmel hinein.

»Wahnsinn«, stammelte der Überraschte auftaumelnd zu sich
selbst. »Wahnsinn! Was wollen sie? Noch einmal, noch einmal?«

Noch einmal diesen Krieg, der eben ihm sein ganzes Leben
zerschlagen? Mit einem fremden Schauer sah er hinein in diese

jungen Gesichter, starrte er hin auf diese schwarz wandelnde Masse, die viergereihte, dies quadratische Filmband, das aus der engen Gasse einer dunklen Schachtel sich aufrollte, und jedes Antlitz, das er anfaßte, war gleich starr von entschlossener Erbitterung, eine Drohung, eine Waffe. Warum diese Drohung klirrend hinaufgereckt in einen milden Juniabend, hineingehämmert in eine freundlich hinträumende Stadt?

»Was wollen sie? Was wollen sie?« Noch immer würgte ihn diese Frage. Noch eben hatte er die Welt gläsern hell und klingend gefühlt, übersonnt von Zärtlichkeit und Liebe, war eingeschlagen gewesen in eine Melodie der Güte und des Vertrauens, und plötzlich da tappte dieser eherne Massenschritt alles nieder, militärisch gegürtet, tausendstimmig, tausendartig und doch nur eines atmend in Schrei und Blick, Haß, Haß, Haß.

Unwillkürlich faßte er ihren Arm, etwas Warmes zu fühlen, Liebe, Leidenschaft, Güte, Mitleid, ein weiches beschwichtendes Gefühl, aber die Trommeln prasselten ihm die innere Stille entzwei, und jetzt, da alle die Tausende von Stimmen zu einem unverständlichen Kriegsgesang zusammendröhnten, die Erde bebte vom takthaft geschlagenen Schritt, die Luft explodierte von dem plötzlichen Hurra-Geschrei der riesigen Rotte, da war ihm, als zerbreche innen etwas Zartes und Klingendes an diesem gewaltsamen, laut vordringenden Gedröhn der Wirklichkeit.

Eine leichte Berührung an seiner Seite schreckte ihn auf: ihre Hand mit behandschuhten Fingern, zart die seine mahnend, nicht so wild sich zur Faust zu krampfen. Da wandte er den verhafteten Blick – sie sah ihn bittend an ohne Worte, nur am Arme fühlte er leise drängenden Zug.

»Ja, gehen wir«, murmelte er sich zusammenfassend, zog die Schultern hoch wie in Abwehr gegen etwas Unsichtbares und gab sich gewaltsamen Abstoß durch den dünstig gedrängten Menschengallert, der wortlos wie er selbst und gebannt auf den unaufhörlichen Vormarsch der militärischen Legionen starrte. Er wußte nicht, wohin er sich durchrang, nur heraus aus diesem tosenden Tumult, weg von hier, von diesem Platz, wo ein klirrender Mörser in unerbittlichem Takt alles Leise und Traumhafte in ihm zerstampfte. Nur fort sein, allein sein mit ihr, dieser einen, umwölbt von Dunkel, von einem Dach, ihren Atem fühlen, zum erstenmal seit zehn Jahren unbewacht, ungestört in ihre Augen schauen, ausgenießen dieses Alleinsein, vorgeschworen in unzähligen Träumen und nun schon fast weggeschwemmt von dieser wirbelnden, in Schrei und Schritt sich selbst immer wieder überrennenden Menschenwoge. Sein Blick griff nervös die Häuser ab, fahnenüberwimpelt sie alle, dazwischen manche, wo goldene Lettern Firmen ankündigten, und manche einen Gasthof. Mit einmal spürte er das leise Ziehen des kleinen Koffers mahnend in der Hand: irgendwo rasten, zu Hause sein, allein! Sich eine Handvoll Stille kaufen, ein paar Quadratmeter Raum! Und gleichsam Antwort gebend, sprang jetzt vor hoher steinerner Fassade der goldglitzernde Name eines Hotels vor, und ihnen entgegen wölbte es sein gläsernes Portal. Sein Schritt wurde klein, sein Atem dünn. Beinahe betroffen blieb er stehen, unwillkürlich löste sich sein Arm aus dem ihren. »Dies soll ein gutes Hotel sein, man hat es mir empfohlen«, log stammelnd seine nervöse Verlegenheit.

Sie wich erschreckt zurück, Blut übergoß das blasse Gesicht. Ihre Lippen bewegten sich und wollten etwas sagen – vielleicht das Gleiche wie vor zehn Jahren, das aufgestörte »Nicht jetzt! Nicht hier«.

Aber da sah sie seinen Blick auf sich gerichtet, ängstlich, verstört, nervös. Und da senkte sie das Haupt in wortlosem Einverständnis und folgte ihm mit kleinen mutlosen Schritten die Schwelle des Eingangs empor.

In der Empfangsecke des Hotels stand, farbig bekappt und wichtigtuerisch wie der Kapitän am verantwortlichen Auslug des Schiffes, spielend der Portier hinter seinem distanzierenden Verschlag. Keinen Schritt ging er den zögernd Eintretenden entgegen, bloß ein flüchtig und schon geringschätzender, rasch taxierender Blick streifte den kleinen Toilettenkoffer. Er wartete, und man mußte bis an ihn heran, der mit einmal wieder emsig in den breit aufgeschlagenen Folioblättern der riesigen Strazze beschäftigt schien. Erst als der Einlaßwerbende schon ganz knapp vor ihm stand, hob er [den] kühlen Blick und examierte sachlich streng: »Haben die Herrschaften bestellt?«, um dann die beinahe schuldbewußte Verneinung mit einem neuerlichen Blättern zu beantworten. »Ich fürchte, es ist alles besetzt. Wir hatten heute Fahnenweihe, aber –«, fügte er gnädig hinzu, »ich werde sehen, was sich machen läßt.«

Ihm eine in die Fresse schlagen können, diesem galonierten Feldwebel, dachte der Gedemütigte erbittert, Bettler hier wieder, Gnadennehmer und Eindringling zum erstenmal seit einem Jahrzehnt. Aber inzwischen hatte der Wichtigtuerische seine umständliche Prüfung beendet. »Nummer 27 ist eben frei geworden, ein zweibettiges Zimmer, wenn Sie darauf reflektieren.« Was blieb übrig, als dumpf grollend ein rasches »Gut« zu sagen, und schon nahm die unruhige Hand den dargereichten Schlüssel, ungeduldig schon, schweigende Wände zwischen sich und dem Menschen zu haben. Da drängte von rückwärts noch einmal die strenge Stimme »Einschreiben, bitte«, und ein rechteckiges Blatt wurde ihm vorgelegt, zerschachtelt in zehn oder zwölf Rubriken, die er ausfüllen mußte, Stand, Name, Alter, Herkunft, Ort und Heimat, die aufdringliche Frage des Amts an den lebendigen Menschen. Das Widerwärtige ward fliegenden Stifts getan: nur als er ihren Namen eintragen mußte, unwahrerweise (was sonst einst geheimster Wunsch gewesen) dem seinen ehelich verbindend – da zitterte der leichte Bleistift ihm täppisch in der Hand. »Hier noch Dauer des Aufenthalts«, reklamierte der Unerbittliche, das Geschriebene nachprüfend und deutete mit fleischigem Finger auf die noch leere Rubrik. »Einen Tag«, zeichnete der Stift zornig ein: schon fühlte der Erregte seine Stirne feucht, er mußte den Hut abnehmen, so drückte ihn diese fremde Luft.

»Erster Stock links«, erläuterte flink zuspringend ein höflich beflissener Kellner, als der Erschöpfte sich jetzt zur Seite wandte. Aber er suchte nur sie: sie hatte krampfhaft interessiert während der ganzen Prozedur vor einem Plakat reglos gestanden, das den Schubertabend einer unbekannten Sängerin verhieß, doch über die Schultern lief während dieses reglosen Dastehens eine zitternde Welle wie Wind über eine Wiese. Er merkte, beschämt, ihre gewaltsam beherrschte Erregtheit: wozu habe ich sie aus ihrer Stille gerissen, hierher, dachte er wider seinen Willen? Aber nun gab es kein Zurück. »Komm«, drängte er leise. Sie löste sich, ohne ihm ihr Gesicht zu zeigen, von dem fremden Plakat und ging die Treppe voraus, langsam, mühsam mit schweren Schritten: wie eine alte Frau, dachte er unwillkürlich.

Eine Sekunde nur hatte er es gedacht, wie sie, die Hand am Geländer, die wenigen Stufen sich hinaufmühte, und sofort den häßlichen Gedanken weggestoßen. Aber etwas Kaltes, Wehtuendes blieb an der Stelle der gewaltsam fortgestoßenen Empfindung.

Endlich waren sie oben im Gange: eine Ewigkeit diese zwei schweigenden Minuten. Eine Tür stand offen, es war ihr Zimmer: das Stubenmädchen manipulierte noch darin mit Staubtuch und Besen. »Einen Augenblick, ich mache gleich fertig«, entschuldigte sie sich, »das Zimmer ist eben geräumt worden, aber die Herrschaften können schon eintreten, ich bringe nur frisches Bettzeug.«

Sie traten ein. Die Luft stockte dick und süßlich im verschlossenen Raum, es roch nach Olivenseife und kaltem Zigarettenrauch, irgendwo duckte sich noch fremder Menschen gestaltlose Spur.

Frech und vielleicht noch menschenwarm stand in der Mitte das aufgewühlte Doppelbett als offenbarer Sinn und Zweck des Raumes: ihn ekelte vor dieser Deutlichkeit: unwillkürlich flüchtete er zum Fenster hin und stieß es auf: feuchte weichliche Luft, durchmengt mit verdunstetem Lärm der Straße quoll langsam vorbei an den zurückweichenden schwankenden Gardinen. Er blieb beim offenen Fenster und blickte angespannt hinaus auf die schon abgedunkelten Dächer: wie häßlich dieses Zimmer war, wie beschämend dies Hiersein, wie enttäuschend dies seit

Jahren ersehnte Zuzweitsein, das weder er noch sie so plötzlich, so schamlos nackt gewollt! Drei, vier, fünf Atemzüge lang – er zählte sie – blickte er hinaus, feige vor dem ersten Wort; dann nein, das ging nicht an, zwang er sich herum. Und ganz wie er es vorausgefühlt, wie er es gefürchtet, stand sie steinern starr in ihrem grauen Staubmantel, mit niederhängenden, gleichsam geknickten Armen mitten im Zimmer als etwas, das hier nicht hineingehörte und nur durch gewaltsamen Zufall, durch Versehen in den widrigen Raum geraten war. Sie hatte die Handschuhe abgestreift, offenbar um sie abzulegen, aber es mußte sie geekelt haben, sie an irgendeine Stelle dieses Zimmers zu tun: so pendelten sie, leere Hülsen, ihr leer in den Händen. Ihre Augen stockten wie hinter einem Schleier von Starre: nun da er sich wandte, strömten sie flehend ihm zu. Er verstand. »Wollen wir nicht« – die Stimme stolperte über den gepreßten Atem – »wollen wir nicht noch ein wenig spazierengehen? ... Es ist doch so dumpf hier.«

»Ja ... ja.« Wie befreit strömte das Wort ihr aus – losgekettete Angst. Und schon griff ihre Hand gegen die Türklinke. Er folgte ihr langsamer und sah: ihre Schultern zitterten wie die eines Tieres, das tödlicher Umkrallung entkommen.

Die Straße wartete warm und menschenüberwogt, noch war ihr strömiger Gang vom Kielwasser des festlichen Aufmarsches unruhig bewegt – so bogen sie seitab zu stilleren Gassen, zu dem waldigen Weg, dem gleichen, der sie vor einem Jahrzehnt auf sonntäglichem Ausflug zum Schlosse emporgeführt. »Erinnerst du dich, es war ein Sonntag«, sagte er unwillkürlich laut und sie, offenbar mit gleicher Erinnerung innerlich beschäftigt, antwortete leise. »Nichts mit dir habe ich vergessen. Otto ging mit seinem Schulfreund, sie eilten so ungestüm voraus – fast hätten wir sie verloren im Wald. Ich rief nach ihm und rief, er möchte zurückkommen, und tat's doch wider Willen, denn mich drängte es doch mit dir allein zu sein. Aber damals waren wir einander noch fremd.«

»Und heute«, versuchte er zu scherzen. Aber sie blieb stumm. Ich hätte es nicht sagen sollen, fühlte er dumpf: was drängt mich, immer zu vergleichen, heute und damals. Aber warum glückt mir kein Wort heute zu ihr: immer drängt sich dies Damals dazwischen, vergangene Zeit.

Sie stiegen schweigend die Höhe empor. Schon bückten sich matten Geleuchts die Häuser unter ihnen zusammen, aus dämmerigem Tal wölbte immer heller schon der geschwungene Fluß, indes hier die Bäume rauschten und Dunkel über sie herabsenkten. Niemand kam ihnen entgegen, nur vor ihnen schoben sich schweigend ihre Schatten. Und immer wenn schräge eine Laterne ihre Gestalten überleuchtete, schmolzen die Schatten vor ihnen zusammen, als umarmten sie sich, sie dehnten sich und sehnten sich zueinander, Leib in Leib eine Gestalt, wichen wieder auseinander, um neu sich zu umfangen, indes sie selbst blaß und atemweit schritten. Wie gebannt sah er dies sonderbare Spiel, dieses Fliehen und Fassen und Wiedereinanderlassen dieser unbeseelten Gestalten, schattender Leiber, die doch nur Widerschein ihrer eigenen waren, mit einer kranken Neugier sah er dieser wesenlosen Figuren Flucht und Verstrickung, und fast vergaß er der Lebendigen neben ihm [= sich] über dem schwarzen fließenden und flüchtenden Bild. Er dachte an nichts deutlich dabei und fühlte doch dumpf, daß an irgend etwas dies scheue Spiel ihn mahnte, an irgend etwas, das brunnenhaft tief in ihm lag und nun unruhig aufwogte, als tastete der Eimer des Erinnerns unruhig und drohend heran. Was war es nur? – Er spannte alle Sinne, woran gemahnte ihn dieser Schattengang hier im schlafenden Wald: Worte mußten es sein, eine Situation, ein Erlebtes, Gehörtes, Gefühltes, irgend gehüllt in eine Melodie, ein ganz tief Vergrabenes, an das er Jahre und Jahre nicht gerührt.

Und plötzlich brach es auf, blitzender Spalt im Dunkel des Vergessens: Worte waren es, ein Gedicht, das sie ihm einmal vorgelesen abends im Zimmer. Ein Gedicht, ja, französisch, er wußte die Worte, und wie hergerissen von einem heißen Wind waren sie mit einmal bis hoch an die Lippen, er hörte über ein Jahrzehnt weg mit ihrer Stimme diese vergessenen Verse aus einem fremden Gedicht:

Dans le vieux parc solitaire et glacé
Deux Spectres cherchent le passé

Und kaum daß sie aufleuchteten im Gedächtnis, diese Verse, fügte sich magisch schnell ein ganzes Bild daran: die Lampe golden glühend im verdunkelten Salon, wo sie ihm eines Abends das Gedicht Verlaines vorgelesen. Er sah sie, vom Schatten der Lampe abgedunkelt, wie sie damals saß, nah und fern zugleich, geliebt und unerreichbar, fühlte mit einmal sein eigenes Herz von damals hämmernd vor Erregung, ihre Stimme schwingen zu hören auf der klingenden Woge des Verses, sie im Gedicht, – wenn auch im Gedicht nur – die Worte »Sehnsucht« [sagen] zu hören und »Liebe«, [in] fremder Sprache zwar und Fremden zugemeint, aber doch berauschend zu hören von dieser Stimme, ihrer Stimme. Wie hatte er's vergessen können, jahrelang, dies Gedicht, diesen Abend wo sie allein im Haus und verwirrt vom Alleinsein flüchteten von gefährdendem Gespräch in der Bücher umgänglicheres Gefild, wo hinter Worten und Melodie manchmal deutsam Geständnis innigeren Gefühls aufblitzte wie Licht im Gesträuch, unfaßbar funkelnd und doch beglückend ohne Gegenwart. Wie hatte er's vergessen können so lange? Aber wie auch war es plötzlich wiedergekommen, dies verlorene Gedicht? Unwillkürlich sagte, übersetzte er sich die Zeilen:

Im alten Park, eisstarrend und verschneit
Zwei Schatten suchen die Vergangenheit

und kaum, daß er sich's gesagt, so verstand er sie schon, lag schon schwer und funkelnd der Schlüssel in seiner Hand, die Assoziation, die aus schlafendem Schacht das Erinnern, dies eine, plötzlich so sinnlich hell, so scharf emporgerissen: Die Schatten da waren es über dem Weg, die Schatten, sie hatten ihr eigenes Wort berührt und erweckt, ja, aber noch mehr. Und schauernd fühlte er plötzlich erschreckten Erkennens Sinn; Worte wahrsagenden Sinns: waren sie es nicht selbst, diese Schatten, die ihre Vergangenheit suchten, dumpfe Fragen richteten an ein Damals, das nicht mehr wirklich war, Schatten, Schatten, die lebendig werden wollten und es nicht mehr vermochten, nicht sie, nicht er mehr dieselben und sich doch suchend in vergebenem Bemühen, sich fliehend und sich haltend in wesenlosen kraftlosen Bemühungen wie diese schwarzen Gespenster vor ihrem Fuß?

Unbewußt mußte er aufgestöhnt haben, denn sie wandte sich herum: »Was hast du, Ludwig? Woran denkst du?«

Aber er wehrte nur ab »Nichts! Nichts!« Und er horchte nur tiefer in das Innen hinein, in das Damals zurück, ob nicht nochmals diese Stimme, die wahrsagende des Erinnerns, zu ihm sprechen wolle und mit Vergangenheit ihm die Gegenwart enthüllen.

# War er es?

Persönlich bin ich soviel wie gewiß, daß er der Mörder gewesen ist, aber mir fehlt der letzte, der unumstößliche Beweis. »Betsy«, sagt mein Mann immer zu mir, »du bist eine kluge Frau, du beobachtest rasch und scharf, aber du läßt dich von deinem Temperament verleiten und urteilst oft zu voreilig.« Schließlich, mein Mann kennt mich seit zweiunddreißig Jahren und vielleicht, ja sogar wahrscheinlich, hat er recht mit seiner Mahnung. Ich muß mich also gewaltsam zwingen, da mir jener letzte Beweis fehlt, meinen Verdacht vor allen andern zu unterdrücken. Aber jedesmal, wenn ich ihm begegne und er kommt bieder und freundlich auf mich zu, stockt mir das Herz. Und eine innere Stimme sagt mir: er und nur er war der Mörder.

Ich will also versuchen, vor mir selbst und für mich allein den ganzen Hergang noch einmal zu rekonstruieren. Vor etwa sechs Jahren hatte mein Mann seine Dienstzeit in den Kolonien als hoher Regierungsbeamter beendet, und wir beschlossen, uns an einen stillen Ort in der englischen Provinz zurückzuziehen, um dort gemächlich – unsere Kinder sind längst verheiratet – mit den kleinen stillen Dingen des Lebens wie Blumen und Büchern die restlichen, schon ein wenig abendkühlen Tage unseres Alters zu verbringen. Unsere Wahl fiel auf einen kleinen ländlichen Ort in der Nähe von Bath. Von dieser alten, ehrwürdigen Stadt zieht sich, nachdem er sich durch vielerlei Brücken hindurchgeschlängelt, ein schmaler, gemächlicher Wasserlauf gegen das immer grüne Tal von Limpley Stoke, der Kenneth-Avon-Kanal. Vor mehr als einem Jahrhundert war diese Wasserstraße sehr kunstvoll und kostspielig mit vielen hölzernen Schleusen und Wärterstationen angelegt worden, um die Kohle von Cardiff bis nach London zu befördern. Auf dem schmalen Seitenweg rechts und links von dem Kanal zogen Pferde in schwerem Trott die breiten, schwarzen Barken gemächlich den weiten Weg entlang. Es war eine großzügige Anlage und vielversprechend für ein Zeitalter, dem die Zeit noch wenig galt. Aber dann kam die Eisenbahn, die rascher, billiger und bequemer die schwarze Fracht nach der Hauptstadt beförderte. Der Verkehr stockte, die Schleusenwärter wurden entlassen, der Kanal verödete und versumpfte, aber eben diese völlige Verlassenheit und Nutzlosigkeit macht ihn heute so romantisch und zauberhaft. In dem stockenden schwarzen Wasser wachsen die Algen vom Grunde so dicht empor, daß die Fläche dunkelgrün schimmert wie Malachit, Wasserrosen schaukeln sich farbig auf der glatten Fläche, die in ihrer schlafenden Unbewegtheit die blumenbestandenen Hänge, die Brücken und Wolken mit photographischer Treue spiegelt; ab und zu liegt halb eingesunken und schon mit buntem Gewächs überwuchert, ein alter zerbrochener Kahn aus jener geschäftigen Vorzeit am Ufer, und die eisernen Nägel an den Schleusen sind längst verrostet und von dichtem Moos überzogen. Niemand kümmert sich mehr um diesen alten Kanal, selbst die Badegäste von Bath kennen ihn kaum, und wenn wir beiden ältlichen Leute den ebenen Weg an seinem Rande, von dem früher die Pferde die Barken an den Seilen mühsam vorwärtsschleppten, entlanggingen, begegneten wir stundenlang niemandem andern als etwa einem heimlichen Liebespaar, das sein junges Glück, solange es noch nicht durch Verlöbnis oder Heirat befestigt war, in diesem Abseits vor dem Gerede der Nachbarn verbergen wollte.

Gerade dieser stille romantische Wasserlauf inmitten einer milden und hügligen Landschaft gefiel uns über alle Maßen. Wir kauften uns an einer Stelle, wo der Hügel von Bathampton sich als schöne üppige Wiese bis zum Kanal freundlich niedersenkt, mitten im Leeren ein Grundstück. Auf der Höhe bauten wir ein kleines ländliches Haus, von dem sich dann ein Garten mit behaglichen Pfaden, vorbei an Früchten, Gemüsen und Blumen, bis zum Kanal niederzog, so daß wir, wenn wir an seinem Rande auf unserer kleinen freien Gartenterrasse saßen, im Wasserspiegel noch einmal Wiese, Haus und Garten beschauen konnten. Das Haus war friedlicher und behaglicher, als ich es mir jemals geträumt, und ich klagte nur, daß es ein wenig einsam sei, ohne jede Nachbarn. »Sie werden schon kommen«, tröstete mein Mann, »wenn sie erst sehen, wie schön wir hier wohnen.« Und tatsächlich, noch hatten unsere Pfirsichbäumchen und Pflaumen nicht recht angesetzt, so erschienen schon eines Tages die Vorboten nachbarlichen Baus, erst geschäftige Agenten, dann die Vermesser und nach ihnen Maurer und Zimmerleute. Innerhalb eines Dutzends von Wochen stellte sich ein Häuschen mit roter Ziegelmütze freundlich neben das unsere; schließlich rollte das Lastautomobil mit den Möbeln an. Wir hörten in der stillen Atmosphäre unablässig hämmern und pochen, aber noch immer hatten wir unsere Nachbarn nicht zu Gesicht bekommen.

An einem Morgen klopfte es an unsere Tür. Eine schmale hübsche Frau mit gescheiten freundlichen Augen, kaum älter als acht- oder neunundzwanzig Jahre, stellte sich als die Nachbarin vor und bat, ihr eine Säge zu leihen; die Handwerker hätten die ihre vergessen. Wir kamen ins Gespräch. Sie erzählte, ihr Mann sei in Bristol bei einer Bank angestellt, aber es wäre schon lang beider Wunsch gewesen, lieber etwas abseits und mehr in der Landschaft zu wohnen, und unser Haus hätte, als sie einmal sonntags den Kanal entlangschlenderten, es ihnen sofort angetan. Für ihren Mann bedeute es freilich morgens und abends je eine Stunde Fahrt von Haus zu Haus, aber er würde unterwegs schon Gesellschaft zu finden wissen und sich leicht daran gewöhnen. Wir machten ihr den nächsten Tag Gegenbesuch. Sie war noch immer allein im Haus und erzählte heiter, ihr Mann käme erst herüber, wenn alles fertig sei. Vorher könne sie ihn nicht brauchen, und schließlich sei es ja nicht so eilig. Ich weiß nicht warum, aber die gleichgültige, beinahe zufriedene Art, mit der sie von der Abwesenheit ihres Mannes sprach, gefiel mir nicht. Ich machte dann, als wir zu Hause allein bei Tisch saßen, eine Bemerkung, es scheine ihr nicht viel an ihm gelegen zu sein. Mein Mann wies mich zurecht, ich solle nicht immer derart vorschnell urteilen, die Frau wäre durchaus sympathisch, klug und angenehm; hoffentlich sei es auch der Mann.

Nun, es dauerte nicht lange, bis wir ihn kennenlernten. Als wir Samstag unser Haus zu dem gewohnten Spaziergang abends verließen, hörten wir hastige schwere Schritte uns nachkommen, und da wir uns umwandten, stand ein massiver Mann heiter da und streckte uns eine breite, rote, sommersprossige Hand entgegen. Er sei der neue Nachbar und habe gehört, wie freundlich wir zu seiner Frau gewesen seien. Natürlich zieme es sich nicht, daß er uns so in Hemdsärmeln nachlaufe, statt vorerst formellen Besuch zu machen. Aber seine Frau hätte ihm soviel Nettes von uns erzählt, daß es ihn nicht eine Minute geduldet hätte, uns zu danken. Und da sei er nun, John Charleston Limpley, und wäre es nicht eigentlich famos, daß sie das Tal schon im voraus ihm zu Ehren Limpley Stoke benannt hätten, noch ehe er selber ahnen konnte, daß er hier jemals Hausung nehmen wollte, – ja, da sei er nun und hoffe hier zu bleiben, solange ihn Gott leben ließe. Er finde es hier herrlicher als irgendwo in der Welt und er wolle uns gleich mit Hand und Herz zusagen, ein guter und anständiger Nachbar zu sein. Er sprach so rasch und munter und in so fließendem Zuge, daß man kaum Gelegenheit hatte, ihn zu unterbrechen. So blieb mir wenigstens reichlich Zeit, ihn gründlich anzusehen. Dieser Limpley war ein mächtiges Stück Mann, mindestens sechs Fuß hoch und mit breitgequaderten Schultern, die einem Lastträger Ehre gemacht hätten, aber wie oft die Riesen, zeigte er sich von einer kindlichen Gutmütigkeit. Seine engen, ein wenig wäßrigen Augen zwinkerten mit ihren rötlichen Augenlidern einem voll Vertrauen zu. Ununterbrochen zeigte er lachend im Sprechen seine weißen, blanken Zähne; er wußte nicht recht, was mit seinen großen schweren Händen anzufangen, er hatte Mühe, sie ruhig zu halten, und man spürte, er hätte einem am liebsten damit kameradschaftlich auf die Schulter geschlagen, und so ließ er, um seine Kraft loszuwerden, wenigstens die Finger ein wenig in den Gelenken knacken. Ob er uns auf unserem Spaziergang begleiten dürfe, so wie er sei, in Hemdsärmeln? Und als wir bejahten, wanderte er mit uns und erzählte kreuz und quer, daß er mütterlicherseits von Schotten abstamme, aber in Kanada aufgewachsen sei, und zwischendurch deutete er da auf einen üppigen Baum oder einen schönen Hang, wie herrlich, wie unvergleichlich herrlich das sei. Er sprach, er lachte, er begeisterte sich fast ohne Pause; es ging von diesem wuchtigen, gesunden, vitalen Menschen ein erquickender Strom von Kraft und Glück aus, der einen unwillkürlich mitriß. Als wir uns schließlich verabschiedeten, waren wir beide gleichsam wie erwärmt. »Ich bin eigentlich schon lange keinem so herzlichen, so vollblütigen Menschen begegnet«, äußerte mein Mann, der, wie ich vordem schon bemerkte, sonst immer sehr vorsichtig und zurückhaltend in seinem Urteil über Menschen war.

Aber es dauerte nicht lange und unsere erste Freude an dem neuen Nachbarn begann merklich nachzulassen. Menschlich war gegen Limpley nicht das mindeste einzuwenden. Er war gutmütig bis zum Überschwang, er war anteilnehmend und dermaßen gefällig, daß man eigentlich ständig seine Angebote ablehnen mußte, er war überdies anständig, bieder, offen und keineswegs dumm. Aber er wurde schwer erträglich durch die laute, lärmende Art, mit der er permanent glücklich war. Seine wäßrigen Augen strahlten immer von Zufriedenheit, über alles und jedes. Was ihm gehörte, was ihm begegnete, war herrlich, war wonderful; seine Frau war die beste Frau der Welt, seine Rosen die schönsten Rosen, seine Pfeife die beste Pfeife mit dem besten Tabak. Er konnte eine Viertelstunde auf meinen Mann einreden, um ihm zu beweisen, daß man eine Pfeife eben nur genau so stopfen müsse, wie er sie stopfe, und daß sein Tabak um einen Penny billiger sei und doch besser als die teuren Marken. Ständig dampfend von überschüssiger Begeisterung an ganz nichtigen, gleichgültigen und selbstverständlichen Dingen, hatte er das Bedürfnis, diese banalen Entzückungen ausführlich zu begründen und zu erläutern. Nie stand der lärmende Motor in ihm still. Limpley konnte nicht im Garten arbeiten, ohne laut zu singen, nicht sprechen, ohne zu lachen und zu gestikulieren, nicht die Zeitung lesen, ohne bei einer Nachricht, die ihn erregte, sofort aufzuspringen und zu uns hinüberzulaufen. Seine breiten, sommersprossigen Hände waren wie sein weites Herz immer aggressiv. Nicht nur, daß er jedes Pferd abklopfte und jeden Hund streichelte, auch mein Mann mußte, obwohl gute fünfundzwanzig Jahre älter, es sich gefallen lassen, daß er ihm beim gemütlichen Zusammensitzen mit kameradschaftlich-kanadischer Unbefangenheit auf die Knie schlug. Weil an allem mit seinem warmen, übervollen und gleichsam von Gefühl ständig explodierenden Herzen teilnehmend, hielt er auch bei allen andern Teilnahme für selbstverständlich, und man mußte hundert kleine Listen erfinden, um sich seiner aufdringlichen Gutmütigkeit zu erwehren. Er respektierte keine Ruhestunde und keinen Schlaf, weil er in seiner Kraftfülle es sich gar nicht denken konnte, daß ein anderer müde oder mißgelaunt sein könne, und man hätte heimlich gewünscht, durch eine tägliche Injektion von Brom seine prächtige, aber kaum erträgliche Vitalität auf ein normales Maß zu lindern. Mehrmals ertappte ich meinen Mann dabei, daß, wenn Limpley eine Stunde bei uns gesessen – oder vielmehr er saß nicht, sondern sprang dazwischen immer auf und stürzte im Zimmer herum –, instinktiv das Fenster aufmachte, wie wenn der Raum durch die Gegenwart dieses dynamischen und irgendwie barbarischen Menschen überheizt worden wäre. Solange man ihm gegenüberstand und in seine hellen, guten, ja von Güte überströmenden Augen blickte, konnte man ihm nicht böse sein; erst nachher spürte man an der eigenen Erschöpfung, daß man ihn zu allen Teufeln wünschte. Nie, ehe wir Limpley kannten, hatten wir alten Leute geahnt, daß derart rechtschaffene Eigenschaften wie Gutmütigkeit, Herzlichkeit, Offenheit und Wärme des Gefühls durch ein penetrantes Übermaß einen zur Verzweiflung treiben könnten.

Nun verstand ich auch, was mir zuerst unverständlich gewesen war, daß es keineswegs Mangel an Anhänglichkeit seitens seiner Frau bedeutete, wenn sie seine Abwesenheit mit so heiterer Genugtuung empfand. Denn sie war das eigentliche Opfer seiner Übertreiblichkeit. Selbstverständlich liebte er sie leidenschaftlich, wie er alles leidenschaftlich liebte, was ihm oder zu ihm gehörte. Es war rührend, mit welcher Zärtlichkeit er sie umgab, mit welcher Sorge er sie behütete; sie mußte nur einmal hüsteln, und schon lief er und holte ihr einen Mantel oder stöberte im Kamin, um das Feuer frisch anzufachen, und wenn sie zur Stadt ging, gab er ihr tausend Ratschläge, als hätte sie eine gefährliche Reise zu bestehen. Nie habe ich ein unfreundliches Wort zwischen den beiden gehört, im Gegenteil, er liebte es, sie derart anzupreisen und zu rühmen, daß es bis ins Peinliche ging. Auch in unserer Gegenwart konnte er sich nicht enthalten, sie zu streicheln und ihr über das Haar zu fahren und vor allem alle erdenkbaren Vorzüge aufzuzählen. »Haben Sie eigentlich schon gesehen, was für reizende Fingernägelchen meine Ellen hat?« konnte er plötzlich fragen, und trotz ihres beschämten Protestes mußte sie dann ihre Hände zeigen. Und dann sollte ich wieder bewundern, wie geschickt sie ihr Haar aufsteckte, und selbstverständlich mußten wir jede kleine Marmelade kosten, die sie angefertigt hatte und die nach seiner Meinung unvergleichlich besser war als alle der berühmtesten Fabriken Englands. Die stille, bescheidene Frau saß bei solchen peinlichen Gelegenheiten dann immer mit bestürzt gesenkten Augen da. Anscheinend hatte sie es schon aufgegeben, sich gegen das kataraktische Gehaben ihres Mannes zu wehren. Sie ließ ihn reden und erzählen und lachen und streute höchstens ein mattes »Ach« oder »So« ein. »Sie hat es nicht leicht«, äußerte mein Mann einmal, als wir nach Hause gingen. »Aber man kann ihm eigentlich nichts übelnehmen. Er ist doch ein grundguter Mensch, und sie kann glücklich mit ihm sein.«

»Zum Teufel mit seinem Glücklichsein«, sagte ich erbittert. »Es ist eine Unverschämtheit, so ostentativ glücklich zu sein und mit seinen Gefühlen so schamlos herumzulizitieren. Ich würde toll werden bei einem solchen Exzeß, bei einem solchen Abzeß von Anständigkeit. Siehst du denn nicht, daß er mit seiner Glücksprotzerei und seiner mörderischen Vitalität diese Frau schwer unglücklich macht?«

»Übertreib' nicht immer«, rügte mein Mann, und eigentlich hatte er recht. Limpleys Frau war keineswegs unglücklich oder vielmehr, sie war nicht einmal das mehr. Sie war schon unfähig, irgend etwas deutlich zu fühlen, sie war einfach gelähmt und erschöpft von diesem Unmaß an Vitalität. Wenn Limpley morgens in sein Office ging und sein letztes abschiednehmendes »Hallo« an der Gartenpforte verklungen, beobachtete ich, daß sie sich zunächst einmal hinsetzte oder hinstreckte, ohne irgend etwas zu tun, um nur das Ungewohnte zu genießen, daß es still um sie war. Und den ganzen Tag war dann noch in ihren Bewegungen etwas leicht Müdes. Es war nicht leicht, mit ihr ins Gespräch zu kommen, denn eigentlich hatte sie in den acht Jahren ihrer Ehe das Sprechen beinahe verlernt. Einmal erzählte sie mir, wie es zu der Heirat gekommen sei. Sie hatte bei ihren Eltern am Lande gewohnt, er war auf einem Ausflug vorübergewandert, und mit seinem wilden Überschwang hatte er sich mit ihr verlobt und sie eigentlich schon geheiratet, ohne daß sie recht wußte, wer er war und was für einen Beruf er hatte. Mit keinem Wort, keiner Silbe aber deutete die stille, nette Frau an, daß sie nicht glücklich sei, und dennoch spürte ich an ihrer ausweichenden Art als Frau genau, wo die wirkliche Crux dieser Ehe lag. Im ersten Jahre hatten sie ein Kind erwartet und ebenso im zweiten und im dritten; dann, nach sechs und sieben Jahren, hatten sie die Hoffnung aufgegeben, und nun war ihr Tag zu leer und der Abend wiederum zu überfüllt durch seine polternde Turbulenz. »Am besten«, dachte ich im stillen, »sie würde ein fremdes Kind ins Haus nehmen, oder sie müßte Sport treiben oder irgendeine Beschäftigung suchen. Dieses Stillsitzen muß zur Melancholie führen, und diese Melancholie wieder zu einer Art Haß gegen seine provokante und einen normalen Menschen erschöpfende Fröhlichkeit. Irgend jemand, irgend etwas müßte um sie sein, sonst wird die Spannung zu stark.«

Nun wollte es der Zufall, daß ich einer Jugendfreundin, die in Bath wohnte, seit Wochen Besuch schuldig war. Wir plauderten gemütlich; dann erinnerte sie sich plötzlich, sie wolle mir etwas Reizendes zeigen, und führte mich hinaus in den Hof. In einer Scheune sah ich im Halbdunkel zuerst nur, daß etwas sich dort im Stroh balgte und überschlug und wild durcheinanderkroch. Es waren vier junge Bulldoggen, sechs oder sieben Wochen alt, die tölpisch mit ihren breiten Pfoten herumtappten und ab und zu ein kleines quäkendes Gebell versuchten. Sie waren reizend, wie sie aus dem Korb stolperten, in dem massig und mißtrauisch die Mutter lag. Ich hob einen an dem überschüssigen weichen Fell empor; er war braun und weiß gefleckt und mit seiner entzückenden Stupsnase machte er dem vornehmen Pedigree, das mir seine Herrin erklärte, volle Ehre. Ich konnte mich nicht enthalten, mit ihm zu spielen, ihn zu ärgern, zu necken und ungeschickt nach meinen Fingern schnappen zu lassen. Meine Freundin fragte, ob ich ihn nicht mitnehmen möchte, sie liebe die Hunde sehr und sei bereit, sie zu verschenken, wenn sie nur in ein richtiges Haus kämen, wo sie gute Pflege hätten. Ich zögerte, denn ich wußte, mein Mann hatte es sich verschworen, seit er seinen geliebten Spaniel verloren, nicht ein zweitesmal sein Herz an einen anderen Hund zu hängen. Aber da fiel mir ein, ob dieses reizende Tier nicht ein richtiger Spielfreund für Mrs. Limpley sein könnte, und ich versprach meiner Freundin, ihr am nächsten Tag Bescheid zu geben. Abends brachte ich meinen Vorschlag den Limpleys vor. Die Frau schwieg; sie war gewöhnt, keine Meinung zu äußern, aber Limpley stimmte mit seiner gewohnten Begeisterung zu. Ja, das sei das Einzige, was noch gefehlt habe. Ein Haus sei kein richtiges Haus ohne Hund. Am liebsten hätte er mich in seinem Ungestüm gezwungen, noch in der Nacht mit ihm nach Bath hineinzufahren, bei meiner Freundin einzubrechen und das Tier zu holen. Aber da ich diese Übertreiblichkeit abwehrte, mußte er sich bescheiden.

Und erst am nächsten Tag wurde in einem Körbchen, maulend und höchst befremdet über die unvermutete Reise, der junge Bulldogg ihnen ins Haus gebracht.

Das Resultat war eigentlich wesentlich anders, als wir vorausgesehen hatten. Meine Absicht war gewesen, der stillen, tagsüber etwas vereinsamten Frau einen Gefährten in das leere Haus zu geben. Aber es war Limpley selbst, der sich mit seinem ganzen unerschöpflichen Zärtlichkeitsbedürfnis auf den Hund stürzte. Seine Begeisterung über das kleine drollige Tier war grenzenlos und wie immer bei ihm übertreiblich und ein wenig lächerlich. Selbstverständlich war Ponto – so wurde er aus einem unerfindlichen Grund benannt – der schönste, der klügste aller Hunde auf Erden, und jeden Tag, jede Stunde entdeckte Limpley neue Herrlichkeiten und Talente bei ihm. Was es an aparten Toilettegegenständen für Vierfüßler gab, Leine, Körbchen, Maulkorb, Schüsselchen, Spielzeug, Bälle und Knöchelchen wurde verschwenderisch gekauft; Limpley studierte alle Aufsätze und Inserate in den Zeitungen, die sich mit Hundepflege und Ernährung befaßten, und abonnierte zur Erlangung soliderer Fachkenntnis sogar eine Hundezeitschrift; die gewaltige Industrie, die ausschließlich von solchen Hundenarren lebt, gewann an ihm einen neuen und unermüdlichen Kunden; bei dem kleinsten Anlaß wurde der Tierarzt bemüht. Es benötigte Bände, um all die Übertreiblichkeiten zu schildern, welche diese neue Leidenschaft in ununterbrochener Folge zeitigte; oft hörten wir ein heftiges Bellen vom Nachbarhaus. Aber es war nicht der Hund, der bellte, sondern sein Herr, der flach auf dem Boden lag und sich bemühte, durch Nachahmung der Hundesprache, seinen Liebling zu einem allen übrigen Irdischen unverständlichen Dialog anzuregen. Die Verpflegung des verwöhnten Tieres beschäftigte ihn mehr als seine eigene, sie folgte ängstlich allen diätetischen Anweisungen der Hundeprofessoren; Ponto speiste viel vornehmer als Limpley und seine Frau, und als einmal in der Zeitung etwas von einem Typhus stand – in einer ganz anderen Provinz übrigens – bekam das Tier nur

Mineralwasser; erfrechte sich ab und zu ein respektloser Floh, dem Unnahbaren einen Besuch abzustatten und ihn niederträchtigerweise zu einem Pfotenkratzen oder beißendem Suchen zu entwürdigen, so übernahm Limpley erregt das klägliche Geschäft der Flohjagd; in Hemdsärmeln über den Bottich mit desinfiziertem Wasser gebückt, arbeitete er mit Kamm und Bürste unentwegt, bis der letzte der lästigen Gäste gemordet war. Keine Mühe war ihm zuviel, keine Entwürdigung zu beschämend, und kein Königskind konnte zärtlicher und behutsamer behütet sein. Erfreulich inmitten all dieser Narrheiten war einzig der Umstand, daß infolge dieser Fixierung aller Gefühlskräfte auf das neue Objekt die Frau Limpleys und auch wir von Limpleys Impetuosität wesentlich entlastet wurden; er ging stundenlang mit dem Hund spazieren, redete auf ihn ein, ohne daß der Dickfellige sich dadurch in seinem Herumschnüffeln sonderlich stören ließ, und die Frau blickte lächelnd und ohne jede Eifersucht zu, wie ihr Mann seinen täglichen Götzendienst vor dem vierbeinigen Altar verrichtete. Was er ihr an Gefühl entzog, war nur der lästige und schwer erträgliche Überschuß, und ihr blieb noch immer ein volles Maß an Zärtlichkeit. So war es unverkennbar, daß der neue Hausgenosse die Ehe womöglich noch glücklicher gemacht hatte als vordem.

Inzwischen wuchs von Woche zu Woche Ponto heran. Die dicken kindischen Falten an seinem Fell füllten sich mit hartem, festem, gut durchmuskeltem Fleisch, er wurde ein mächtiges Tier mit breiter Brust, starkem Gebiß und harten, straff gebürsteten Hinterbacken. An sich durchaus gutmütig, wurde er erst unbehaglich, sobald er seine dominierende Stellung im Hause erkannte, dank derer er sich ein hochmütiges und herrisches Auftreten zulegte. Das kluge, scharf beobachtende Tier hatte nicht lange gebraucht, um festzustellen, daß sein Gebieter oder vielmehr sein Sklave ihm jede Ungezogenheit entschuldigte; zuerst nur ungehorsam, nahm er bald tyrannische Manieren an und verweigerte aus Prinzip alles, was als Unterwürfigkeit gedeutet werden konnte. Vor allem duldete er im Hause keinerlei privacy. Nichts durfte ohne seine Anwesenheit und eigentlich ohne seine ausdrückliche Zustimmung geschehen. Immer wenn Besuch kam, warf er sich gebieterisch gegen die geschlossene Tür, völlig gewiß, daß Limpley dienstfertig aufspringen würde, ihm zu öffnen, und stieg dann stolz, ohne die Gäste eines Blicks zu würdigen, auf einen Fauteuil, um ihnen sichtbar zu zeigen, er sei der eigentliche Herr im Hause und ihm gebühre vor allem Bewunderung und Reverenz. Daß kein anderer Hund auch nur an den Zaun sich wagen durfte, war selbstverständlich, aber auch gewisse Leute, gegen die er einmal seine Abneigung murrend bekundet hatte, wie der Briefbote oder der Milchmann, sahen sich gezwungen, ihre Pakete oder Flaschen vor der Schwelle abzulegen, statt sie ins Haus bringen zu dürfen. Je mehr sich Limpley in seiner kindlichen Liebeswut erniedrigte, um so schlechter behandelte ihn das freche Tier, allmählich ersann sich Ponto sogar, so unwahrscheinlich es klingen mag, ein ganzes System, um ihm zu beweisen, daß er Liebkosungen und Begeisterung zwar gnädig dulde, aber sich keineswegs durch diese täglichen Huldigungen zu irgendeiner Dankbarkeit verpflichtet fühle. Aus Prinzip ließ er Limpley bei jedem Anruf warten, und Pontos infernalische Verstellung ging allmählich so weit, daß er zwar den ganzen Tag über wie ein normaler vollblütiger Hund herumjagte, Hühner hetzte, im Wasser herumschwamm, gierig fraß, was ihm in den Weg kam und seinem Lieblingsvergnügen frönte, in lautlos raschem Lauf heimtückisch die Wiese zum Kanal mit der Wucht einer Petarde hinunterzusausen und die am Kanal aufgestellten Waschkörbe und Bottiche mit einem boshaft wilden Kopfstoß in das Wasser zu stoßen und dann mit einem riesigen Triumphgeheul die verzweifelten Frauen und Mädchen zu umtanzen, die ihre Wäsche Stück für Stück aus dem Wasser herausholen mußten. Sofort aber, wie die Stunde fällig war, da Limpley aus seinem Office kam, legte der raffinierte Komödiant die übermütige Haltung ab und nahm die unnahbare eines Sultans an. Faul hingelehnt und ohne das geringste Zeichen einer Bewillkommung erwartete er seinen Herrn, der mit heftigem »Hallo, Ponty« sich auf ihn stürzte, noch ehe er seine Frau begrüßt oder den Rock abgelegt hatte. Ponto regte nicht einmal das Schweifende zum Gegengruß. Manchmal ließ er sich großmütig auf den Rücken rollen und das weiche seidige Bauchfell kraulen, aber auch in solchen gnädigen Augenblicken hütete er sich wohl, durch irgendein Schnaufen oder behagliches Grunzen zu verraten, daß diese Liebkosung ihm wohltat; deutlich sollte sein höriger Knecht sehen, daß es nur eine Gnade sei, wenn er von ihm derlei Zärtlichkeiten sich überhaupt gefallen ließe. Und mit einem kurzen Knurren, das etwa sagen mochte: »Jetzt aber genug!«, drehte er sich dann plötzlich um und machte mit dem Spiel Schluß. Ebenso ließ er sich jedesmal bitten, die geschnittene Leber, die ihm Limpley Stückchen für Stückchen bis vor das Maul schob, zu verspeisen. Manchmal schnüffelte er sie nur an und ließ sie trotz alles Zuredens verächtlich liegen, um nur darzutun, daß er nicht immer dann geruhe, seine Mahlzeiten zu sich zu nehmen, wenn dieser zweibeinige Knecht sie ihm servierte. Zu einem Spaziergang aufgefordert, drehte und reckte er sich zunächst erst faul und gähnte so ausführlich, daß man bis tief in seinen schwarzgefleckten Schlund sehen konnte; jedesmal bestand er zuerst darauf, mit irgendeiner frechen Haltung zu zeigen, daß ihm persönlich an einer Promenade nicht viel gelegen sei und er nur Limpley zuliebe sich von dem Sofa erhebe. Verwöhnt und dadurch unverschämt geworden, zwang er mit hunderterlei solchen Tricks seinen Herrn, vor ihm ständig die Haltung des Bettelnden und Bittenden einzunehmen; eigentlich mußte man eher die servile Passioniertheit Limpleys »hündisch« nennen, als das Benehmen des impertinenten Tieres, das die Rolle eines orientalischen Paschas mit der größten schauspielerischen Vollendung spielte.

Wir beide, mein Mann und ich, konnten diese Unverschämtheiten dieses Tyrannen einfach nicht länger mitansehen. Klug wie er war, merkte Ponto bald unsere respektlose Einstellung und befliß sich nun seinerseits, in der gröblichsten Weise uns seine Mißachtung darzutun. Daß er Charakter besaß, war nicht zu leugnen; seit dem Tage, da ihn unser Mädchen, als er eine unverkennbare Spur seines Vorbeiwandelns in einem Rosenbeet zurückgelassen, energisch aus unserem Garten hinausgewiesen hatte, durchschlüpfte er nie mehr die dichte Hecke, die unsere Grundstücke friedlich abgrenzte und weigerte sich trotz Limpleys Zureden oder Bitten, unsere Schwelle auch nur zu betreten. Auf seinen Besuch nun verzichteten wir mit Vergnügen; peinlicher war dagegen, daß, wenn wir Limpley in seiner Begleitung auf der Straße oder vor dem Hause trafen und der gutmütig geschwätzige Mann mit uns ein Gespräch begann, das tyrannische Tier eine längere freundschaftliche Konversation durch sein provokatorisches Benehmen verunmöglichte. Nach zwei Minuten begann er zornig zu jaulen oder zu knurren und stupste rücksichtslos Limpleys Bein mit dem vorgestemmten Kopf, was unverkennbar hieß: »Schluß jetzt! Schwätze nicht mit solchen widerlichen Leuten.« Und beschämenderweise muß ich berichten, daß Limpley dann jedesmal unruhig wurde. Zuerst versuchte er den Ungezogenen zu begütigen: »Gleich, gleich! Wir gehen schon«, aber der Tyrann ließ sich nicht abfertigen, und so nahm – etwas beschämt und verwirrt – der arme Hörige Abschied von uns. Und mit stolz aufgereckten Hinterbacken, sichtlich triumphierend, daß er uns seine unbeschränkte Macht gezeigt, trabte das hochmütige Tier von hinnen; ich bin sonst nicht gewalttätig, aber mir juckte dann immer die Hand, einmal, nur einmal diesem verwöhnten Luder eins mit der Peitsche überzuziehen.

Derart hatte Ponto, ein ganz gewöhnlicher Hund, es vermocht, unsere vormals so freundschaftlichen Beziehungen merklich abzukühlen. Limpley litt sichtlich darunter, daß er nicht mehr wie einst jeden Augenblick zu uns herüberstürmen konnte; die Frau wiederum genierte sich, weil sie fühlte, wie sehr ihr Mann sich vor uns allen mit seiner Hörigkeit lächerlich machte. Mit diesen kleinen Plänkeleien verging abermals ein

Jahr, während dessen das Tier womöglich noch frecher und herrschsüchtiger und vor allem noch raffinierter in seinen Demütigungen Limpleys wurde, bis dann eines Tages sich eine Veränderung ereignete, die alle Beteiligten in gleichem Maße überraschte, die einen freilich in heiterer, den Hauptbeteiligten in tragischer Art. Ich hatte nicht umhin können, meinem Mann zu berichten, daß Frau Limpley seit den letzten zwei oder drei Wochen mit einer merkwürdigen Scheu jedem längeren Gespräch auswich. Als gute Nachbarinnen liehen wir einander sonst gelegentlich dies und jenes, was jedesmal Anlaß zu einer gemütlichen Plauderei ergab, denn ich mochte diese stille, bescheidene Frau wirklich von Herzen. Seit kurzem aber nahm ich bei ihr eine peinliche Hemmung wahr, mir nahezukommen; sie sandte lieber das Hausmädchen, wenn sie etwas wünschte, sie zeigte sich, wenn ich sie ansprach, sichtlich befangen und ließ sich nicht recht in die Augen sehen. Mein Mann, der für sie eine besondere Neigung hatte, redete mir zu, einfach zu ihr hinüberzugehen und sie geradewegs zu fragen, ob wir sie unbewußt in irgendeiner Weise gekränkt hätten. »Man soll derlei kleine Verstimmungen zwischen Nachbarn nicht aufkommen lassen. Und vielleicht ist es genau das Gegenteil von dem, was du befürchtest, vielleicht – und ich glaube es sogar – will sie dich um etwas bitten und hat nur nicht den Mut.« Ich nahm mir seinen Rat zu Herzen. Ich ging hinüber und fand sie in dem Gartensessel so völlig in ihre Träumerei vertieft, daß sie mein Kommen gar nicht hörte. Ich legte ihr die Hand auf die Schulter und sagte ganz ehrlich: »Frau Limpley, ich bin eine alte Frau, ich brauche keine Scheu mehr zu haben. Lassen Sie mich den Anfang machen. Wenn Sie irgendwie verstimmt sind gegen uns, sagen Sie mir offen, weshalb und warum.« Die arme kleine Frau fuhr ganz erschrocken auf. Wie ich so etwas denken könnte! Sie sei nur nicht gekommen, weil … Sie errötete statt weiterzusprechen und begann zu schluchzen, aber es war, wenn ich so sagen darf, ein gutes, ein glückliches Schluchzen. Schließlich gestand sie mir alles ein. Nach neunjähriger Ehe hätte sie längst alle Hoffnung aufgegeben, Mutter zu werden, und selbst als in den letzten Wochen ihr Verdacht sich gemehrt hätte, daß das Unerwartete eintreten könnte, habe sich nicht den Mut gehabt, daran zu glauben. Vorgestern sei sie nun heimlich zum Arzt gegangen und sei nun gewiß. Aber sie habe es noch nicht über sich gebracht, ihrem Mann davon Mitteilung zu machen, ich kenne ihn ja, wie er sei; sie habe beinahe Angst vor der Überschwenglichkeit seiner Freude. Ob es nicht das Beste wäre – sie hätte nur nicht den Mut gehabt, uns zu bitten –, daß wir es übernehmen würden, ihn ein wenig vorzubereiten. Ich erklärte mich gern dazu bereit; meinem Mann machte es besonderen Spaß, und er zäumte die Sache mit Absicht besonders vergnüglich auf. Er hinterließ Limpley einen Zettel, er lasse ihn bitten, sofort, wenn er vom Amt heimkehre, zu uns herüberzukommen. Und selbstverständlich stürmte in seiner prächtigen Beflissenheit der brave Kerl zu uns herüber, ohne auch nur sich Zeit zu nehmen, seinen Mantel abzunehmen. Er war sichtlich besorgt, daß bei uns etwas geschehen sei, und andererseits geradezu glücklich, seine freundschaftliche Dienstwilligkeit zu beweisen – fast möchte ich sagen: auszutoben. Atemlos stand er vor uns. Mein Mann bat ihn, sich an den Tisch zu setzen. Diese ungewohnte Feierlichkeit beunruhigte ihn, und er wußte wieder einmal nicht, wohin mit seinen großen, schweren, sommersprossigen Händen.

»Limpley«, begann mein Mann, »ich habe über Sie nachgedacht gestern abends, als ich in einem alten Buch las, daß jeder Mensch sich nicht zu viel wünschen sollte, sondern immer nur eines, nur eine einzige Sache. Da dachte ich mir: was würde sich zum Beispiel unser guter Nachbar wünschen, wenn ein Engel oder eine Fee oder sonst eines dieser liebenswürdigen Wesen ihn fragte: Limpley, was fehlt dir eigentlich noch? Einen einzigen Wunsch gebe ich dir frei.«

Limpley sah verdutzt auf. Die Sache machte ihm Spaß, aber er traute dem Spaß nicht ganz. Er hatte noch immer das beunruhigte Gefühl, daß hinter dieser feierlichen Vorladung etwas Besonderes sich versteckte.

»Nun, Limpley, betrachten Sie mich als diese freundliche Fee«, beruhigte mein Mann seine Verdutztheit. »Haben Sie gar keinen Wunsch?«

Limpley, halb ernst, halb lachend kraute sich im kurzgeschorenen rötlichen Haar.

»Eigentlich gar keinen«, gestand er schließlich. »Ich habe doch alles, was ich will, mein Haus, meine Frau, meine sichere Stellung, meinen …« – ich merkte, daß er sagen wollte: meinen Hund, aber im letzten Augenblick es doch als unpassend empfand »… ja, ich habe eigentlich alles.«

»Also keinen Wunsch an den Engel oder die Fee?«

Limpley wurde immer heiterer. Er fühlte sich strahlend glücklich, einmal aussprechen zu können, wie restlos glücklich er war. »Nein … gar keinen.«

»Schade«, sagte mein Mann. »Sehr schade, daß Ihnen gar nichts einfallen will«, und schwieg.

Limpley wurde es etwas unbehaglich unter dem prüfenden Blick. Er glaubte sich entschuldigen zu müssen.

»Etwas mehr Geld könnte man brauchen natürlich … ein kleines Avancement … aber wie gesagt, ich bin zufrieden … ich wüßte nicht, was ich mir sonst wünschen könnte.«

»Armer Engel«, sagte mit gespielter Feierlichkeit mein Mann. »So muß er mit leeren Händen zurückkommen, weil Mr. Limpley sich gar nichts mehr zu wünschen weiß. Nun, glücklicherweise ist er nicht gleich zurückgegangen, der gute gefällige Engel und hat zuvor noch Mrs. Limpley angefragt, und es scheint, er hat bei ihr etwas mehr Glück gehabt.«

Limpley stutzte. Der biedere Mann sah mit seinen wäßrigen Augen und seinem halboffenen Mund jetzt etwas einfältig aus. Aber er nahm sich zusammen und sagte beinahe ärgerlich – er konnte es nicht fassen, daß jemand, der zu ihm gehörte, nicht völlig zufrieden sein könnte –: »Meine Frau? Was kann die noch zu wünschen haben?«

»Nun – vielleicht etwas anderes als einen Hund.«

Jetzt begriff Limpley. Es war wie ein Blitzschlag: unwillkürlich riß er die Augen im guten Schrecken so weit auf, daß man das Weiße statt der Pupille sah. Mit einem Ruck sprang er dann empor und rannte, seinen Mantel vergessend, und ohne sich bei uns zu entschuldigen, hinüber und stürmte wie ein Irrsinniger in das Zimmer seiner Frau.

Wir lachten beide. Aber wir wunderten uns nicht. Wir hatten, seine famose Impetuosität kennend, nichts anderes erwartet.

Aber jemand anderer wunderte sich. Jemand anderer, der faul und mit blinzelnden halbgeschlossenen Augen auf dem Sofa lag und auf die zu jener Abendstunde ihm schuldige – oder schuldig vermeinte – Reverenz seines Herrn wartete: der schöngebürstete und selbstherrliche Ponto. Aber was war das? Da stürmte, ohne ihn zu begrüßen, ohne ihm zu schmeicheln, der Mann an ihm vorüber in das Schlafzimmer, und er hörte Lachen und Weinen und Reden und Schluchzen, und das dauerte und dauerte und niemand kümmerte sich um ihn, dem doch nach Recht und Brauch der erste zärtliche Gruß gebührte. Eine Stunde verging. Das Mädchen brachte ihm das Geschirr mit dem Essen. Ponto ließ es verächtlich stehen. Er war gewohnt, gebeten, gedrängt, gefüttert zu werden. Böse knurrte er das Mädchen an. Man sollte sehen, daß er sich nicht so gleichgültig abfertigen lasse. Aber niemand bemerkte überhaupt an jenem erregten Abend, daß er sein Essen verschmähte. Er war und blieb vergessen. Limpley sprach ohne Unterlaß auf seine Frau ein, überhäufte sie mit besorgten Anweisungen und umschmeichelte sie; für Ponto hatte er in seinem Glücksüberschwang keinen Blick, und das hochmütige Tier war wiederum zu stolz, sich durch ein Herandrängen in Erinnerung zu bringen. Zusammengekauert blieb er in seiner Ecke und wartete, es konnte sich doch nur um ein Mißverständnis handeln, um eine einmalige, wenn auch kaum entschuldbare Vergeßlichkeit. Aber er wartete vergeblich. Auch am nächsten Morgen stürmte Limpley, der über seinen ungezählten Mahnungen, wie die junge Frau sich schonen sollte, beinahe den Autobus versäumt hätte, ohne jeden Gruß an ihm vorbei.

Das Tier war klug, ohne Zweifel. Aber diese plötzliche Veränderung ging über seinen Verstand. Zufällig stand ich gerade beim Fenster, als Limpley in den Autobus stieg, und sah, wie, kaum er entschwunden war, ganz langsam – und ich möchte sagen: gedankenvoll – Ponto aus dem Hause herausschlich und dem wegrollenden Gefährt nachblickte. Eine halbe Stunde verharrte er so unbeweglich, offenbar hoffend, sein Herr werde zurückkehren und den vergessenen Abschiedsgruß nachholen. Dann erst schob er sich langsam zurück. Den ganzen Tag über spielte und tollte er nicht, er umstrich nur langsam und nachdenklich das Haus; vielleicht – wer von uns weiß, in welcher Weise und bis zu welchem Grade in einem tierischen Gehirn Vorstellungsreihen sich zu formen vermögen? – grübelte er nach, ob er etwa selbst durch irgendein ungeschicktes Gehaben das unverständliche Ausbleiben der gewohnten Huldigung verschuldet habe. Gegen Abend, etwa eine halbe Stunde bevor Limpley zurückzukehren pflegte, wurde er sichtlich nervös; er schlich mit eingezogenen Ohren immer wieder und wieder zum Zaun, um den Autobus rechtzeitig zu erspähen. Aber selbstverständlich hütete er sich zu zeigen, wie ungeduldig er gewartet hatte: kaum der Autobus zur gewohnten Stunde in Sicht kam, huschte er in das Zimmer zurück, legte sich wie sonst auf das Sofa und wartete.

Aber auch diesmal wartete er vergeblich. Auch diesmal eilte Limpley an ihm vorbei, und so ging es nun Tag für Tag. Einmal oder zweimal bemerkte ihn Limpley, rief ihm ein flüchtiges »Ach, da bist du ja, Ponto« zu und streichelte ihn im Vorübergehen. Aber es war nur eine gleichgültige, eine gedankenlose Liebkosung. Es war nicht mehr das alte Werben und Dienen, es gab kein Kosewort, kein Spiel, keinen Spaziergang mehr, nichts, nichts, nichts. An dieser schmerzlichen Gleichgültigkeit war nun Limpley, dieser grundgütige Mann, wirklich kaum schuldig zu nennen. Denn er hatte tatsächlich keinen anderen Gedanken, keine andere Sorge mehr als seine Frau. Kaum nach Hause gekommen, begleitete er sie auf jedem Wege und führte sie auf genau bemessenen Spaziergängen sorgfältig am Arm, nur damit sie keinen zu hastigen oder unvorsichtigen Schritt tue; er überwachte ihre Kost und ließ sich vom Mädchen genauen Bericht über jede Stunde des Tages erstatten. Spät nachts, wenn sie zur Ruhe gegangen war, kam er fast täglich zu uns herüber, um bei mir als einer erfahrenen Frau Ratschlag und Trost zu holen; er kaufte in den Warenhäusern schon die Ausstattung für das erwartete Kind zusammen, und all das tat er in einem Zustand ununterbrochener geschäftiger Erregung. Sein eigenes persönliches Leben war völlig ausgelöscht, er vergaß manchmal zwei Tage lang, sich zu rasieren, und kam mehrmals zu spät in sein Amt, weil er mit seinen unaufhörlichen Ratschlägen den Autobus versäumt hatte. So war es nicht im mindesten Böswilligkeit oder innere Untreue, wenn er verabsäumte, Ponto spazierenzuführen oder sich um ihn zu bekümmern; es war nur die Verworrenheit eines sehr passionierten und beinahe monomanisch veranlagten Menschen, der sich mit allen seinen Sinnen, Gedanken und Gefühlen an eine einzige Sache verlor. Aber wenn schon Menschen trotz ihres logisch voraus- und zurückdenkenden Verstandes kaum fähig sind, eine ihnen zugefügte Zurücksetzung ohne Groll zu entschuldigen, wie hätte das dumpfe Tier dies vermögen können. Ponto wurde von Woche zu Woche mehr nervös und gereizt. Sein Ehrgefühl ertrug nicht, daß man über ihn, den Herrn des Hauses, so einfach hinweglebte und er zur Nebenperson degradiert worden war. Wäre er vernünftig gewesen, er hätte sich bittend und schmeichelnd an Limpley herangedrängt; dann hätte sein alter Gönner gewiß sich seiner Versäumnisse erinnert. Aber noch war Ponto zu stolz, um auf dem Bauche zu kriechen. Nicht er, sondern sein Herr sollte den ersten Schritt zur Versöhnung tun. So beschloß er durch allerhand Kunststücke auf sich aufmerksam zu machen. In der dritten Woche begann er plötzlich zu hinken und das linke Hinterbein wie lahm nachzuziehen. Unter normalen Umständen hätte Limpley ihn sofort zärtlich und aufgeregt untersucht, ob er sich nicht etwa einen Dorn in die Pfote getreten.

Er hätte ihn bemitleidet und dringlich dem Tierarzt telephoniert, er wäre zweifelsohne des Nachts drei- oder viermal aufgestanden, um nach seinem Befinden zu sehen. Diesmal nahm jedoch weder er noch jemand anderer im Hause Notiz von dem komödiantischen Hinken, und Ponto blieb nichts anderes übrig, als es erbittert einzustellen. Abermals ein paar Wochen später versuchte er es mit einem Hungerstreik. Zwei Tage hindurch ließ er opfermutig seine Mahlzeiten stehen. Aber niemand kümmerte sich um seinen schlechten Appetit, während sonst, wenn er einmal in tyrannischer Anwandlung sein Süppchen nicht bis zum Grund ausgeleckt, Limpley eilfertig ihm besondere Biscuits oder eine Wurstscheibe gebracht. Schließlich besiegte der animalische Hunger seinen Willen, er vertilgte seine Mahlzeit heimlich und mit schlechtem Gewissen, ohne daß sie ihm mundete. Ein anderes Mal versuchte er es wiederum, auf sich aufmerksam zu machen, indem er für einen Tag sich versteckte. Vorsichtigerweise hatte er sich irgendwo in der Nähe hingekauert, in dem alten, unbenutzten Holzschuppen, von dem aus er den besorgten Ruf »Ponto! Ponto!« mit Genugtuung hören konnte. Aber niemand rief, niemand bemerkte oder erregte sich über seine Abwesenheit. Seine Tyrannis war gebrochen. Er war abgesetzt, erniedrigt, vergessen und ahnte nicht einmal, warum.

Ich glaube, ich war die erste, welche die Veränderung bemerkte, die in diesen Wochen mit dem Hund begann. Er magerte ab, er bekam einen anderen Gang. Statt wie früher aufrecht mit emporgestemmten Hinterbacken frech zu stolzieren, schlich er wie geprügelt herum, sein Fell, vordem täglich auf das sorglichste gebürstet, verlor seinen seidigen Glanz. Wenn man ihm begegnete, bückte er den Kopf, daß man seine Augen nicht sehen konnte und strich eilig vorbei. Aber obwohl man ihn erbärmlich erniedrigt hatte, war sein alter Stolz noch immer nicht gebrochen; noch schämte er sich vor uns andern, und seine innere Wut fand keinen anderen Auslauf als in verdoppelten Angriffen auf die Waschkörbe: in einer Woche stieß er nicht weniger als drei in den Kanal, um gewaltsam zu zeigen, daß er vorhanden sei und man ihn zu respektieren habe. Aber auch dies half ihm nichts, außer daß die erregten Mägde ihn mit Prügel bedrohten. Alle seine Künste und Schliche, sein Fasten, sein Hinken, sein Fortbleiben, sein spähendes Herumsuchen erwiesen sich als vergeblich – und unnütz quälte sich sein schwerer quadratischer Kopf: etwas Geheimnisvolles mußte sich damals an jenem Tage ereignet haben, das er nicht verstand. Etwas war und blieb seitdem im Hause und bei allen Menschen im Hause verändert, und mit Verzweiflung erkannte Ponto, daß er machtlos war gegen das Hinterhältige, was dort geschah oder geschehen war. Zweifellos: jemand stand gegen ihn, irgendeine fremde, böse Macht. Er, Ponto, hatte einen Feind. Einen Feind, der mächtiger war als er, und dieser Feind war unsichtbar, war unfaßbar. Man konnte ihn nicht anpacken, ihn nicht zerfleischen, ihm nicht die Knochen zerbeißen, diesem schurkischen, tückischen, feigen Widersacher, der ihm alle Macht im Hause genommen. Da half kein Schnüffeln an allen Türen, kein Spähen, kein mit gespitzten Ohren Lauern, kein Grübeln, kein Beobachten, er war und blieb unsichtbar, dieser Feind, dieser Teufel, dieser Dieb. Wie ein Irrer trieb Ponto sich rastlos in diesen Wochen rings um den Zaun herum, um eine Spur dieses Unsichtbaren, dieses Teufels zu entdecken, aber er spürte nur mit seinen aufgeregten Sinnen, daß im Hause sich etwas vorbereitete, das er nicht verstand und mit diesem Erzfeind zu tun haben müßte. Vor allem war da plötzlich eine ältliche Frau erschienen – die Mutter Frau Limpleys – und schlief nachts auf dem Sofa im Speisezimmer, »seinem« Sofa, auf dem er sonst zu lungern pflegte, wenn ihm sein großer wohlgepolsterter Korb nicht behagte. Dann wieder wurden – wozu? – allerhand Gegenstände gebracht, Leinenzeug und Pakete, immer wieder schellte es an der Tür, und mehrmals zeigte sich ein bebrillter schwarzgekleideter Herr, der nach etwas Scheußlichem, nach scharfen, unmenschlichen Tinkturen roch. Die Tür zum Schlafzimmer der Frau ging ständig auf und zu und immer wieder wurde dahinter getuschelt, oder sie saßen, die Frauen, beisammen und klimperten mit dem Nähzeug. Was hatte das alles zu bedeuten, und warum war er ausgeschlossen und entrechtet? Ponto bekam von dem unablässigen Grübeln allmählich einen stieren, beinahe gläsernen Blick; was den Tierverstand vom Menschenverstand unterscheidet, ist ja, daß er ausschließlich im Vergangenen und Gegenwärtigen begrenzt ist und Zukünftiges nicht zu imaginieren oder zu errechnen vermag. Und hier, das spürte dieses dumpfe Tier mit verzweifelter Qual, war etwas im Werden und Geschehen, das wider ihn ging und das er doch nicht abwehren oder bekämpfen konnte.

Sechs Monate dauerte es im ganzen, ehe der stolze, herrische, verwöhnte Ponto, erschöpft von diesem vergeblichen Kampf, demütig kapitulierte, und seltsamerweise war ich es, vor der er die Waffen streckte. Ich hatte mich an jenem Sommerabend, während mein Mann im Zimmer seine Patiencen legte, noch ein wenig in den Garten gesetzt; auf einmal spürte ich ganz leicht und zaghaft etwas Warmes sich an mein Knie anschmiegen. Es war Ponto, der in seinem gekränkten Hochmut anderthalb Jahre unseren Garten nicht mehr betreten hatte und jetzt in seiner Verstörung bei mir Zuflucht suchte. Ich mochte ihn vielleicht in jenen Wochen, während alle andern ihn vernachlässigten, einmal im Vorübergehen angerufen oder gestreichelt haben, so daß er sich meiner in dieser seiner letzten Verzweiflung entsann, und nie werde ich den bittenden, drängenden Blick vergessen, mit dem er nun zu mir aufschaute. Der Blick eines Tieres vermag in höchster Not viel eindringlicher, fast möchte ich sagen, sprechender zu werden als der des Menschen, denn wir geben das Meiste unserer Gefühle, unserer Gedanken an das vermittelnde Wort, indes das der Sprache nicht mächtige Tier genötigt ist, allen Ausdruck in seine Pupille zusammenzudrängen – nie habe ich Ratlosigkeit so rührend und so verzweifelt gesehen als damals in Pontos unbeschreiblichem Blick, während seine Pfote leise an meinem Rocksaum kratzte und bettelte. Er bat, ich verstand es bis zur Erschütterung: »Erkläre mir doch, was hat mein Herr, was haben sie alle gegen mich? Was geht dort im Hause gegen mich vor? Hilf mir doch, sag' mir doch: was soll ich tun?« Ich wußte wirklich nicht, was zu tun angesichts dieser rührenden Bitte. Unwillkürlich streichelte ich ihn und murmelte halblaut: »Mein armer Ponto, deine Zeit ist vorbei. Du wirst dich daran gewöhnen müssen, wie wir uns gewöhnen müssen an Vieles und Schlimmes.« Ponto spitzte bei meinen Worten die Ohren, die Falten zogen auf seiner Stirn sich qualvoll zusammen, als ob er durchaus meine Worte erraten wollte. Ungeduldig scharrte er dann mit der Pfote, es war eine drängende, ungeduldige Geste, die etwa meinte: »Ich verstehe dich nicht. Erklär's mir doch! Hilf mir doch!« Aber ich wußte, daß ich ihm nicht helfen konnte. Ich streichelte und streichelte ihn, um ihn zu beruhigen. Doch zutiefst spürte er, daß ich keinen Trost für ihn hatte. Still stand er auf und verschwand, ohne sich umzublicken, so lautlos wie er gekommen war.

Einen ganzen Tag, eine ganze Nacht blieb Ponto verschwunden; wäre er ein Mensch gewesen, mich hätte die Sorge gepackt, er habe Selbstmord verübt. Erst am Abend des nächsten Tages tauchte er auf, verschmutzt, hungrig, verwildert und etwas zerbissen; er dürfte in seiner ohnmächtigen Wut irgendwo fremde Hunde angefallen haben. Aber neue Erniedrigung erwartete ihn. Das Mädchen ließ ihn überhaupt nicht ins Haus und trug ihm die volle Schüssel vor die Schwelle, ohne ihn weiter zu beachten. Diese grobe Beleidigung war nun durch besondere Umstände gerechtfertigt, denn gerade war die schwere Stunde der Frau gekommen und die Räume voll beschäftigter Menschen. Limpley stand ratlos herum mit rotem Kopf und zitternd vor Aufregung, die Hebamme lief hin und her, assistiert vom Arzt, die Schwiegermutter saß tröstend neben dem Bett, und das Mädchen hatte alle Hände voll zu tun. Auch ich selbst war herübergekommen und wartete im Speisezimmer, um notfalls behilflich sein zu können, und so hätte Pontos Anwesenheit tatsächlich nur eine lästige Störung bedeutet. Aber wie sollte er dies mit seinem dumpfen Hundegehirn erfassen? Das erregte Tier begriff nur, daß man ihn zum erstenmal aus dem Hause –

aus seinem Hause – wie einen Fremden, wie einen Bettler, wie einen Störenfried hinausgewiesen hatte, daß man ihn tückisch von etwas Wichtigem fernhielt, das dort hinter verschlossenen Türen vor sich ging. Seine Wut war unbeschreiblich, und er zerknackte mit seinen mächtigen Zähnen die hingeworfenen Knochen, als wären sie der Nacken des unsichtbaren Feindes. Dann schnupperte er herum; seine geschärften Sinne rochen, daß hier andere fremde Menschen ins Haus – in sein Haus – gedrungen, er witterte auf dem Estrich die ihm schon bekannte Spur des verhaßten schwarzgekleideten Mannes mit der Brille. Aber da waren noch andere mit im Bunde, und was taten sie drinnen? Das erregte Tier horchte mit aufgestellten Ohrenspitzen. Es hörte, eng angeschmiegt an die Wand, leise und laute Stimmen, Stöhnen und Schreien und dann Plätschern, Schritte, die hastig gingen, Gegenstände, die gerückt wurden, Klirren von Gläsern und Metall – etwas, etwas, etwas geschah dort drinnen, was er nicht verstand. Aber instinktiv spürte er, es war das Gegen-Ihn. Es war das, was seine Erniedrigung, seine Entrechtung verschuldet hatte – es war der Feind, der unsichtbare, der infame, der feige, der schurkische Feind, und jetzt war er wirklich zur Stelle. Jetzt war er sichtbar, Jetzt konnte man ihn packen und ihm endlich den verdienten Genickfang geben. Mit gespannten, vor Erregung zitternden Muskeln duckte das mächtige Tier sich zusammen neben die Haustür, um sofort, wenn sie sich auftun sollte, hineinzuschießen. Diesmal sollte er ihm nicht mehr entkommen, der tückische Feind, der Usurpator seines Rechts und Vorrechts, der Mörder seines Friedens!

Von all dem ahnten wir im Hause nichts. Wir waren zu erregt und zu beschäftigt. Ich mußte – und das bedeutete keine geringe Mühe – Limpley beruhigen und trösten, dem der Arzt und die Hebamme den Zugang in das Schlafzimmer verboten hatten; er litt mit seinem ungeheuren Mitgefühl in diesen zwei Stunden des Wartens vielleicht mehr als die Wöchnerin. Endlich kam die gute Kunde, und nach einer Weile wurde der in Freude und Angst hinschwankende Mann vorsichtig in das Schlafzimmer gelassen, um sein Kind – ein Mädchen, wie die Hebamme schon vordem berichtet hatte – und die Mutter zu sehen. Er blieb lange, und wir, die Schwiegermutter und ich, die selbst schon solche Stunden erlebt, tauschten, allein gelassen, unterdessen lange Erinnerungen freundschaftlich aus. Endlich tat sich die Türe auf, Limpley erschien, gefolgt von dem Arzt. Er trug das Kind im Wickelkissen, um es uns stolz zu zeigen, und er trug es wie ein Priester die Monstranz; sein biederes, breites, ein wenig einfältiges Gesicht war von einem Glanz des Glücks beinahe schön erhellt. Unaufhaltsam liefen ihm die Tränen nieder, die er nicht zu trocknen wußte, denn mit beiden Händen hielt er das Kind wie etwas unsagbar Kostbares und Zerbrechliches. Der Arzt hinter ihm, an derlei Szenen gewöhnt, zog sich unterdessen den Mantel an. »Mein Geschäft ist hier zu Ende«, lachte er, grüßte und ging arglos zur Tür.

Aber in der knappen Sekunde, da der Arzt die Tür ahnungslos öffnete, schoß an seinen Beinen etwas vorbei, etwas, das dort mit gespannten Muskeln gelegen und gekauert hatte, und schon war Ponto mitten im Zimmer und füllte es mit einem rasenden Geheul. Er hatte sofort gesehen, daß Limpley einen neuen Gegenstand hielt, zärtlich hielt, den er nicht kannte, etwas Kleines und Rotes und Lebendiges, das wie eine Katze jaulte und nach Mensch roch – ha! das war der Feind, der langgesuchte, der versteckte, verborgene Feind, der Räuber seiner Macht, der Mörder seines Friedens! Zerreißen! Zerfleischen! Und mit gefletschten Zähnen sprang er Limpley an, um ihm das Kind zu entreißen. Ich glaube, wir alle schrien gleichzeitig auf, denn der Ansprung des mächtigen Tieres war so jäh und gewaltsam, daß der schwere, vierschrötige Mann unter der Wucht des Anpralls taumelte und gegen die Wand hinfiel. Aber im letzten Augenblick hatte er noch instinktiv das Wickelkissen mit dem Kinde hochgehalten, damit nur dem Kinde nichts geschehe, und mit raschem Griff hatte ich es an mich genommen, bevor er hinstürzte. Sofort warf sich der Hund gegen mich. Glücklicherweise schleuderte der Arzt, der bei unserem gellenden Aufschrei zurückgestürzt war, geistesgegenwärtig einen schweren Sessel gegen das rasende, mit blutunterlaufenen Augen und geifrigem Mund schäumende Tier, daß ihm die Knochen krachten. Ponto heulte auf vor Schmerz und wich einen Augenblick zurück, aber nur, um mich dann sofort von neuem in seiner frenetischen Wut anzufallen. Jedoch dieser eine Augenblick hatte genügt, daß Limpley sich von seinem Fall aufraffen konnte und mit einem Zorn, der dem seines Hundes grauenhaft ähnlich war, sich auf das Tier stürzte. Ein furchtbarer Kampf begann. Limpley, breit, schwer und kräftig, hatte sich mit der ganzen Wucht seines Körpers über Ponto geworfen, um ihn mit seinen starken Händen zu erwürgen, und beide wälzten sich als eine einzige ringende Masse auf dem Boden. Ponto schnappte und Limpley würgte, das Knie auf die Brust des Tieres gestemmt, das immer wieder seinem eisernen Griff sich entwand; wir alten Frauen flüchteten, um das Kind zu schützen, in das Nebenzimmer, während der Arzt und das Mädchen sich jetzt gleichfalls auf das rasende Tier stürzten. Sie schlugen auf Ponto ein mit allem, was ihnen gerade in die Hand kam, es klirrte und krachte von Holz und Glas, sie hämmerten mit den Fäusten und trampelten mit den Füßen zu dritt so lange auf ihn los, bis das tolle Bellen in ein keuchendes Röcheln überging; schließlich wurde das nur mehr schwach und zuckend atmende, völlig erschöpfte Tier an Vorderbeinen und Hinterbeinen vom Arzt und dem Mädchen und meinem Mann, der auf den Lärm hin herbeigeeilt war, mit seiner eigenen Lederleine und Stricken gefesselt und mit einem niedergerissenen Tischtuch geknebelt. Völlig wehrlos gemacht und halb betäubt wurde er dann aus dem Zimmer geschleift. Vor der Schwelle warf man ihn hin wie einen Sack, und nun erst eilte der Arzt zurück, um zu helfen.

Limpley war unterdessen, schwankend wie ein Betrunkener, hinübergetorkelt in das andere Zimmer, um nach dem Kinde zu sehen. Es war unverletzt und starrte aus kleinen schläfrigen Augen auf ihn. Auch für die Frau, die durch das Getöse aus ihrem schweren erschöpften Schlummer erwacht war, bestand keinerlei Gefahr; mühsam und zärtlich wandte sie ein blasses Lächeln ihrem Manne zu, der ihre Hände streichelte. Jetzt erst vermochte er an sich zu denken. Er sah furchtbar aus, weiß das Gesicht mit den irren Augen, der Kragen abgerissen, die Kleider zerknittert und bestaubt; erschreckt bemerkten wir, daß aus seinem rechten zerfetzten Ärmel Blut den Estrich entlang troff und tropfte. Er selbst war in seinem Furor gar nicht gewahr geworden, daß ihn das gewürgte Tier in verzweifelter Gegenwehr zweimal tief ins Fleisch gebissen; man entkleidete ihn und der Arzt eilte sich, ihm einen Verband anzulegen. Das Mädchen brachte unterdess einen Brandy, denn der Erschöpfte war vor Erregung und durch den Blutverlust einer Ohnmacht nahe, und mit Mühe gelang es uns, ihn auf ein Sofa zu betten; dort verfiel er, der schon zwei Nächte vor erregter Erwartung nicht richtig geruht hatte, in einen tiefen Schlaf.

Unterdessen überlegten wir, was mit Ponto zu beginnen. »Abschießen«, rief mein Mann und wollte schon hinüber, um seinen Revolver zu holen. Aber der Arzt erklärte, es sei seine Pflicht, das Tier ohne eine Minute Zeitverlust an eine Beobachtungsstelle zu bringen, um aus seinem Sputum festzustellen, ob er nicht tollwütig sei, weil in diesem Fall Limpleys Biß noch besondere Vorsichtsmaßregeln erfordern würde; er wolle Ponto gleich auf sein Auto laden. Wir gingen alle hinaus, dem Arzt behilflich zu sein. Vor der Tür lag – ein Anblick, den ich nie vergessen werde – wehrlos in seinen Fesseln das Tier; kaum es uns kommen hörte, drehte sich das blutunterlaufene Auge gewaltsam vor, als wollte es aus den Lidern springen. Er knirschte mit den Zähnen und würgte und schluckte, um den Knebel auszuspeien, während seine Muskeln sich zugleich wie Stricke spannten: der ganze gekrümmte Leib vibrierte in einem einzigen krampfigen Zittern; ich muß offen gestehen, daß, obwohl wir ihn verläßlich gebunden wußten, wir einer wie der andere zögerten, ihn anzupacken; nie im Leben hatte ich etwas Ähnliches an zusammengeballtem, mit allen bösen Instinkten geladenem Zorn gesehen, nie so viel Haß in einem irdischen Auge als in dem blutunterlaufenen und blutgierigen Blick. Und unwillkürlich durchzuckte mich die Angst, ob mein Mann nicht Recht habe mit seinem Vorschlag, das Tier einfach abzuschießen. Aber der Arzt bestand auf dem sofortigen Abtransport, und so wurde das gefesselte Tier in das Auto geschleift und trotz seines ohnmächtigen Widerstrebens wegbefördert.

Mit diesem wenig rühmlichen Abgang verschwand Ponto für längere Zeit aus unserem Gesichtskreise. Gelegentlich erfuhr mein Mann, die mehrtägige Beobachtung auf der Pasteurabteilung habe auch nicht das geringste Anzeichen für das Vorhandensein von infektiöser Tollwut ergeben, und da eine Rückkehr an die Stätte seiner Untat ausgeschlossen war, habe man Ponto einem Fleischermeister in Bath geschenkt, der auf der Suche nach einem kräftigen, bullenbeißerischen Tier gewesen. Wir dachten nicht weiter an ihn, und auch Limpley, der nur zwei oder drei Tage den Arm hatte in der Binde tragen müssen, vergaß ihn ganz; seine Leidenschaft und Sorge konzentrierte sich, seit seine Frau vom Kindbett genesen war, ganz auf das winzige Töchterchen, und ich brauche kaum zu erwähnen, daß sie ebenso fanatisch, ebenso übertreiblich sich gebärdete wie zu Pontos Zeiten und womöglich noch närrischer. Der schwere, mächtige Mann kniete vor dem Wägelchen mit dem Kinde wie auf den Bildern der alten italienischen Meister die Heiligen Drei Könige vor der Krippe; jeden Tag, jede Stunde, jede Minute entdeckte er andere Herrlichkeiten an dem – an und für sich reizenden – rosigen Geschöpfchen. Die stille bescheidene Frau lächelte diesen väterlichen Anbetungen ungleich freundlicher zu als seinerzeit den sinnlosen Vergötterungen des anmaßenden Vierfüßlers, und auch für uns ergab sich manche gute Stunde, denn vollkommenes, wolkenloses Glück in der Nachbarschaft zu haben, legt unwillkürlich ein freundliches Licht um das eigene Haus.

An Ponto hatten wir alle, wie gesagt, schon vollkommen vergessen, als ich eines Abends an sein Vorhandensein in überraschender Weise erinnert wurde. Ich war mit meinem Mann spät nachts aus London zurückgekommen, wo wir einem Konzert Bruno Walters beigewohnt hatten, und ich konnte nicht einschlafen, ich wußte nicht, warum. Waren es die nachschwingenden Melodien der Jupiter-Symphonie, die ich unbewußt zurückzufinden mich bemühte, war es die weiße, mondhelle weiche Sommernacht? Ich stand auf – es mochte schon gegen zwei Uhr morgens sein – und blickte hinaus. Der Mond segelte hoch oben mit leiser Gewalt, wie von einem unsichtbaren Wind getrieben, durch den von seinem Licht silbern erhellten Wolkenflor, und jedesmal, wenn er rein und blank vortrat, leuchtete der ganze Garten wie in Schnee gehüllt. Alles lag lautlos still; ich hatte das Gefühl, wenn ein einziges Blatt sich gerührt hätte, wäre es mir nicht entgangen. So erschrak ich beinahe, als ich plötzlich bemerkte, daß in dieser absoluten Stille sich an der Hecke zwischen unsern beiden Gärten etwas lautlos bewegte, etwas Schwarzes, das sich weich und unruhig vom erhellten Rasen abzeichnete. Unwillkürlich interessiert, blickte ich hin. Es war kein Wesen, es war nichts Lebendiges, nichts Körperliches, das dort unruhig sich bewegte. Es war ein Schatten. Nur ein Schatten. Aber es mußte der Schatten eines lebendigen Wesens sein, das, selbst von der Hecke gedeckt, sich vorsichtig und schleicherisch bewegte, der Schatten eines Menschen oder eines Tieres. Ich weiß es vielleicht nicht richtig auszudrücken, aber das Gedrückte, das Hinterhältige, das Lautlose dieses Schleichens hatte etwas Beunruhigendes; ich dachte, wie Frauen immer ängstlich sind, zuerst an einen Einbrecher oder Mörder, und das Herz begann mir in die Kehle zu pochen. Aber da war dieser Schatten schon von der Gartenhecke an die obere Terrasse gelangt, wo der Zaun begann, und den Stäben entlang schlich jetzt, merkwürdig zusammengezogen, das Lebendige selbst vor seinem Schatten – es war ein Hund, und ich erkannte ihn sofort; es war Ponto. Ganz langsam, ganz vorsichtig, und, man sah es, bereit, beim ersten Geräusch wegzuflüchten, schnupperte sich Ponto an Limpleys Haus heran; es war – ich weiß nicht, warum mir dieser Gedanke blitzartig kam –, als ob er etwas auskundschaften wollte, denn es war keineswegs das freie, lockere Spüren eines Hundes, der eine Spur suchte; es war in seinem Gehaben etwas von einem, der etwas Verbotenes tut oder etwas Heimtückisches plant. Er hielt die Schnauze nicht etwa schnuppernd am Boden, er lief nicht mit entspannten Muskeln, sondern schob sich, den Bauch beinahe ganz an die Erde gepreßt, um sich weniger sichtbar zu machen, Zoll für Zoll vor, wie ein Jagdhund sich an sein Opfer heranpirscht. Unwillkürlich beugte ich mich vor, um ihn besser zu beobachten. Aber dabei mochte ich ungeschickterweise das Fenster angestreift und ein leises Geräusch gemacht haben, denn mit einem lautlosen Sprung war Ponto im Dunkel verschwunden. Es schien, als hätte ich all das nur geträumt. Leer, weiß, blank, unbewegt lag der Garten wiederum im Mondlicht.

Ich weiß nicht warum, aber ich schämte mich, meinem Mann davon zu erzählen; es konnte ja wirklich nur eine Sinnestäuschung gewesen sein. Aber als ich am nächsten Morgen Limpleys Hausmädchen auf der Straße traf, fragte ich sie ganz beiläufig, ob sie Ponto in der letzten Zeit wieder einmal gesehen. Das Mädchen wurde unruhig und ein wenig verlegen; erst lebhaft ermutigt, gestand sie mir, mehrmals und unter sonderbaren Umständen ihm begegnet zu sein. Sie könne es eigentlich nicht erklären, aber sie habe Angst vor ihm. Vor vier Wochen sei sie mit dem Kinderwagen in der Stadt gewesen, und plötzlich habe sie ein gräßliches Gebell gehört; von dem vorbeifahrenden Fleischerkarren habe Ponto gegen sie oder, wie sie glaubte, gegen den Wagen mit dem Kinde losgeheult und hätte sich schon zum Sprung zusammengeduckt. Glücklicherweise sei das Lastautomobil so rasch gefahren, daß er den Sprung nicht wagen konnte, aber sein wütendes Gebell sei ihr durch Mark und Bein gegangen. Natürlich habe sie Mr. Limpley nicht verständigt. Es hätte ihn nur unnötig aufgeregt, und sie habe doch auch gemeint, der Hund sei in Bath in sicherer Hut. Aber jüngst, am Nachmittag, als sie aus der alten Holzhütte ein paar Scheite hätte holen wollen, habe sich dort im Dunkel etwas gerührt; sie hätte schon aufschreien wollen vor Angst, da habe sie erkannt, daß es Ponto sei, der sich dort versteckt habe, und sofort sei er weggewischt durch die Hecke in unserem Garten. Seitdem habe sie den Verdacht, daß er öfters hier sich verberge, und er müsse auch nachts um das Haus herumstreichen, denn jüngst nach dem schweren Gewitter in der Nacht habe sie deutlich auf dem nassen Sand Pfotenspuren gesehen, und sie hätten deutlich gezeigt, daß er mehrmals das ganze Haus umkreist habe. Offen gezeigt habe er sich freilich niemals; zweifellos schleiche er sich nur dann heimlich durch unsere Hecke oder die der Nachbarn, sobald er sicher sei, daß niemand ihn beobachte. Ob ich mir denken könne, daß er noch einmal zurückwolle? Mister Limpley würde ihn doch nie mehr ins Haus lassen, und Hunger könne er auch nicht leiden bei einem Fleischer, sonst hätte er doch zuerst bei ihr in der Küche gebettelt. Irgendwie sei ihr das Herumschleichen unheimlich, und ob ich meine, daß sie nicht doch Mr. Limpley oder wenigstens seiner Frau davon sagen sollte. Wir überlegten und kamen überein, daß, wenn er sich noch einmal zeigen sollte, wir seinen neuen Herrn, den Fleischer, verständigen würden, damit er Pontos seltsame Besuche abstelle; Limpley wollten wir zunächst gar nicht an die Existenz des verhaßten Tieres erinnern.

Ich glaube, das war ein Fehler von uns, denn vielleicht – wer kann es sagen? – wäre verhindert worden, was am nächsten, an dem gräßlich unvergeßbaren Sonntag geschah. Mein Mann und ich waren zu den Limpleys hinübergegangen, und wir saßen auf leichten Gartensesseln plaudernd an der kleinen unteren Terrasse, von der dann in ziemlich steilem Abhang die Wiese zum Kanal hinunterging. Neben uns auf derselben flachen Rasenterrasse stand der Kinderwagen, und ich muß nicht sagen, daß der närrische Vater jede fünf Minuten mitten im Gespräch aufstand, um sich an dem Kinde zu entzücken. Schließlich, es war ein reizendes Kind geworden, und es sah an jenem goldenleuchtenden Nachmittag wirklich entzückend aus, wie es vom Schatten des aufgeschlagenen Wagendachs mit blinzelnden blauen Augen in den Himmel lachte und mit seinen zierlichen, noch ein wenig täppischen Händchen nach den Sonnenkringeln auf der Decke griff – der Vater jubelte dazu, als habe ein solches Wunder der Vernunft sich noch nie ereignet, und wir taten ihm den Gefallen, gleichfalls zu tun, als ob wir derlei noch niemals gesehen. Dieser Anblick, dieser letzte glückliche, ist mir für immer im Gedächtnis geblieben. Dann rief von der oberen Terrasse, die von der Veranda des Hauses beschattet war, Frau Limpley zum Tee. Limpley beruhigte das Kindchen, als ob es ihn verstehen könnte: »Gleich! Gleich kommen wir zurück!« Wir ließen den Wagen mit dem Kinde auf dem schönen Rasenplatz, der von der schärfsten Sonne durch ein Laubdach kühlend geschützt war, und schlenderten langsam die wenigen Minuten – es mochten etwa zwanzig Meter von der unteren zur oberen Terrasse sein, die beide durch eine Pergola mit Rosen gegeneinander unsichtbar waren – zum gewohnten Teeplatz im Schatten empor. Wir plauderten, und ich brauche kaum zu sagen, wovon wir plauderten: Limpley war wunderbar heiter, aber seine Heiterkeit wirkte diesmal gar nicht unstatthaft angesichts eines so seidigblauen Himmels, eines derart sonntäglichen Friedens und im Schatten eines gesegneten Hauses; sie war gleichsam nur eine menschliche Spiegelung dieses seltenen Sommertags.

Plötzlich wurden wir aufgeschreckt. Vom Kanal her kamen grelle entsetzte Schreie, Stimmen von Kindern und Angstrufe von Frauen. Wir stürzten den grünen Abhang hinunter, Limpley uns allen voran. Sein erster Gedanke galt dem Kinde. Aber zu unserem Entsetzen stand die untere Terrasse, wo wir noch vor wenigen Minuten den Wagen mit dem heiter schlummernden Baby in voller Sicherheit zurückgelassen, leer, und die Schreie vom Kanal her schrillten immer greller und aufgeregter. Wir eilten hinab. An dem andern Ufer gestikulierten eng aneinandergepreßt einige Frauen mit ihren Kindern und starrten auf den Kanal. Und da schwamm umgestülpt im Wasser der Kinderwagen, den wir friedlich und sicher auf der unteren Terrasse vor zehn Minuten verlassen hatten. Ein Mann hatte bereits einen Kahn losgelöst, um das Kind zu retten, ein anderer war hinabgetaucht. Aber alles war zu spät. Erst nach einer Viertelstunde konnte die Leiche des Kindes aus dem grünlich mit Algen durchzogenen Brackwasser emporgeholt werden.

Ich kann die Verzweiflung der unseligen Eltern nicht schildern. Oder vielmehr, ich will gar nicht versuchen, sie zu schildern, denn ich möchte an diese entsetzlichen Augenblicke nie in meinem Leben mehr zurückdenken. Telephonisch verständigt, erschien ein Polizeikommissär, um festzustellen, wie sich das Furchtbare ereignet habe. Ob Fahrlässigkeit von seiten der Eltern oder ein Unfall oder ein Verbrechen vorläge. Man hatte den schwimmenden Kinderwagen längst aus dem Wasser gezogen und stellte ihn auf Anweisung des Kommissärs genau an seinen alten Platz auf der unteren Terrasse. Dann versuchte der Chief Constable persönlich, ob, wenn man es leicht anstieß, das Wägelchen von selbst den Abhang hinunterrollen könne. Aber die Räder rührten sich kaum in dem dichten hohen Gras. Es war also ausgeschlossen, daß etwa ein Windstoß ein solches jähes Herabrollen von dem durchaus ebenen Terrain hätte verursachen können. Der Kommissär versuchte ein zweites Mal und stieß nun etwas heftiger. Der Wagen rollte einen halben Schritt und blieb dann stehen. Aber die Terrasse war mindestens sieben Meter breit und der Wagen hatte – die Räderspur bewies es – fest und sicher in ziemlicher Entfernung von der Senkung gestanden. Erst als der Kommissär mit wirklich vehementem Anschwung gegen den Wagen anrannte, lief er den Hügel entlang und kam ins Niederrollen. Es mußte also etwas Unvorhergesehenes den Wagen plötzlich in Bewegung gesetzt haben. Aber wer oder was? Das war das Rätsel. Der Polizeikommissär nahm die Kappe von der schwitzenden Stirn und kraute immer nachdenklicher das struppige Haar; er verstünde das nicht. Ob schon je ein Gegenstand – auch nur ein Spielball – von selbst die Terrasse heruntergerollt sei. »Nein! Niemals!« beteuerten alle. Ob irgendein Kind in der Nähe oder im Garten sich aufgehalten habe, ein Kind, das vielleicht übermütig mit dem Wagen gespielt haben könnte? Nein! Niemand! Ob sonst jemand in der Nähe sich befunden hätte? Nein! Niemand! Die Gartenpforte sei verschlossen gewesen, und keiner von den Spaziergängern am Kanal hatte irgendeinen Menschen kommen oder sich entfernen gesehen. Als einziger tatsächlicher Augenzeuge konnte nur jener Arbeiter gelten, der entschlossen ins Wasser gesprungen war, um das Kind zu retten; aber noch ganz triefend und verstört, wußte er nicht mehr zu berichten, als daß seine Frau und er nichtsahnend am Rande des Kanals spazierengegangen seien. Da wäre plötzlich von dem Hange des Gartens der Kinderwagen herabgerollt, rascher und immer rascher, und im Wasser sofort umgeschlagen. Da er zu sehen glaubte, daß ein Kind im Wasser schwimme, sei er sofort herangelaufen, hätte den Rock abgeworfen und es aus dem Wasser zu retten versucht, aber sei durch das dichte Gewirr der Algen nicht so rasch durchgekommen, wie er gehofft habe. Mehr wisse er nicht.

Der Kommissär wurde immer verzweifelter. Einen solchen abstrusen Fall hätte er noch nie erlebt. Er könne sich das einfach nicht ausdenken, wie der Wagen habe ins Rollen kommen können. Die einzige Möglichkeit sei, daß das Kind sich vielleicht plötzlich aufgerichtet oder zur Seite geworfen haben könnte und dadurch das leichte Wägelchen aus dem Gleichgewicht geraten sei. Aber das sei doch kaum glaubhaft, er zumindest könne sich das nicht recht vorstellen. Ob irgend jemand von uns vielleicht eine andere Vermutung hätte?

Unwillkürlich sah ich das Hausmädchen an. Unsere Blicke begegneten sich. Wir dachten beide in der gleichen Sekunde dasselbe. Wir wußten beide, daß der Hund das Kind tödlich haßte. Wir wußten, daß er in letzter Zeit sich wiederholt hinterlistig im Garten versteckt hatte. Wir wußten, daß er oft und oft mit boshaftem Stoß Wäschekörbe in den Kanal gestoßen. Beide – ich sah es an ihren unruhig und blaß zuckenden Lippen – hatten wir den gleichen Verdacht, daß das verschlagene und bösartig gewordene Tier, endlich die Gelegenheit zur Rache wahrnehmend, kaum wir das Kind ein paar Minuten alleingelassen, aus einem Versteck sich herangeschlichen, mit einem wilden, raschen Stoß den Wagen mit dem verhaßten Nebenbuhler gegen den Kanal hinabgestoßen habe und dann ebenso lautlos wie sonst geflüchtet sei. Aber beide sprachen wir unseren Verdacht nicht aus. Ich wußte, daß schon der bloße Gedanke, er hätte sein Kind retten können, wenn er damals das rasende Tier getötet hätte, Limpley rasend machen würde. Und dann: trotz aller logischen Indizien fehlte doch der letzte, der faktische Beweis. Weder wir beide noch die andern hatten den Hund an jenem Nachmittage heranschleichen oder wegschleichen sehen. Die Holzhütte, sein Lieblingsversteck – ich sah sofort nach – war völlig leer, das trockene Erdreich zeigte nicht die geringste Spur, wir hatten keinen Ton gehört jenes wilden Gebells, das Ponto sonst immer triumphierend erschallen ließ, wenn er einen Korb in den Kanal gestoßen. Wir konnten darum nicht behaupten, daß er es gewesen. Es war nur eine quälende, eine grausam quälende Vermutung. Es war nur ein berechtigter, ein furchtbar berechtigter Verdacht. Aber es fehlte die letzte, die unumstößliche Gewißheit.

Und doch, ich wurde seit jener Stunde diesen gräßlichen Verdacht nicht mehr los – im Gegenteil, er bestärkte sich noch in den nächsten Tagen beinahe zur Gewißheit. Es war eine Woche später – das arme Kind war längst begraben, Limpleys hatten das Haus verlassen, weil sie den Anblick des verhängnisvollen Kanals nicht ertragen konnten – da ereignete sich etwas, das mich im tiefsten erregte. Ich hatte in Bath einige Kleinigkeiten für unser Haus zu besorgen; plötzlich schrak ich auf, denn neben dem Fleischerwagen sah ich Ponto, an den ich unbewußt in all diesen Schreckensstunden ununterbrochen gedacht, gemächlich hinschreiten, und im gleichen Augenblick erkannte er mich. Er blieb sofort stehen und ich ebenso. Und nun geschah, was mir noch heute die Seele bedrückt: während in all den Wochen seit seiner Erniedrigung ich Ponto immer nur verstört gesehen und er jede Begegnung, den Blick weggewandt, den Buckel schief niedergeduckt, scheu ausgewichen war, reckte er diesmal unbefangen den Kopf hoch und sah mich – ich kann es nicht anders sagen – mit stolzer, selbstsicherer Gelassenheit an; er war über Nacht wieder das stolze, hochmütige Tier von einst geworden. Eine Minute verharrte er in dieser provokatorischen Geste. Dann ging er, in den Schenkeln sich schaukelnd und beinahe tänzelnd über die Straße mit einer gespielten Freundlichkeit auf mich zu und blieb einen Schritt vor mir stehen, als wollte er sagen: »Nun, da bin ich! Was hast du gegen mich zu sagen oder zu klagen?«

Ich war wie gelähmt. Ich hatte keine Kraft, ihn wegzustoßen, keine Kraft, diesen selbstbewußten und fast möchte ich sagen: selbstzufriedenen Blick zu ertragen. Ich flüchtete rasch weiter. Gott schütze mich, daß ich ein Tier, geschweige einen Menschen unschuldig eines Verbrechens beschuldige. Aber seit dieser Stunde werde ich den grauenhaften Gedanken nicht mehr los: »Er war es. Er hat es getan.«

# Ein Mensch, den man nicht vergißt

## Ein Erlebnis

Undankbar wäre es, wollte ich den Menschen vergessen, der mich zwei der schwierigsten Dinge des Lebens gelehrt hat: einmal, aus völliger innerer Freiheit heraus sich der stärksten Macht der Welt, der Macht des Geldes nicht unterzuordnen, und dann, unter seinen Mitmenschen zu leben, ohne sich auch nur einen einzigen Feind zu schaffen.

Ich lernte diesen einzigartigen Menschen auf ganz einfache Weise kennen. Eines Nachmittags – ich wohnte damals in einer Kleinstadt – nahm ich meinen Spaniel auf einen Spaziergang mit. Plötzlich begann der Hund sich recht merkwürdig zu gebärden. Er wälzte sich am Boden, scheuerte sich an den Bäumen und jaulte und knurrte dabei fortwährend.

Noch ganz verwundert darüber, was er nur haben könne, gewahrte ich, daß jemand neben mir ging – ein Mann von ungefähr dreißig Jahren, ärmlich gekleidet und ohne Kragen und Hut. Ein Bettler, dachte ich und war schon dabei, in die Tasche zu greifen. Aber der Fremde lächelte mich ganz ruhig mit seinen klaren blauen Augen an wie ein alter Bekannter.

»Dem armen Tier fehlt was«, sagte er und zeigte auf den Hund. »Komm mal her, wir werden das gleich haben.«

Dabei duzte er mich, als wären wir gute Freunde; aus seinem Wesen sprach eine solch warmherzige Freundlichkeit, daß ich gar keinen Anstoß an dieser Vertraulichkeit nahm. Ich folgte ihm zu einer Bank und setzte mich neben ihn. Er rief den Hund mit einem scharfen Pfiff heran.

Und nun kommt das Merkwürdigste: mein Kaspar, sonst Fremden gegenüber äußerst mißtrauisch, kam heran und legte gehorsam seinen Kopf auf die Knie des Unbekannten. Der machte sich daran, mit seinen langen empfindsamen Fingern das Fell des Hundes zu untersuchen. Endlich ließ er ein befriedigtes »Aha« hören und nahm dann eine anscheinend recht schmerzhafte Operation vor, denn Kaspar jaulte mehrmals auf. Trotzdem machte er keine Miene wegzulaufen. Plötzlich ließ ihn der Mann wieder frei.

»Da haben wir's«, meinte er lachend und hielt etwas in die Höhe. »Nun kannst du wieder springen, Hundchen.« Während sich der Hund davonmachte, erhob sich der Fremde, sagte mit einem Kopfnicken »Grüß Gott« und ging seines Wegs. Er entfernte sich so rasch, daß ich nicht einmal daran denken konnte, ihm für seine Bemühung etwas zu geben, geschweige denn mich bedankte. Mit der gleichen selbstverständlichen Bestimmtheit, mit der er aufgetaucht war, verschwand er wieder.

Zu Hause angelangt, mußte ich noch immer an das seltsame Gehaben des Mannes denken und berichtete meiner alten Köchin von der Begegnung.

»Das war der Anton«, sagte sie. »Der hat ein Auge für solche Sachen.«

Ich fragte sie, was der Mann von Beruf sei und was er treibe, um seinen Lebensunterhalt zu verdienen.

Als sei meine Frage so erstaunlich, antwortete sie:

»Gar nichts. Einen Beruf? Was sollte er auch mit einem Beruf?«

»Na, schön und gut«, meinte ich, »aber schließlich muß doch jeder von irgend einer Beschäftigung leben?«

»Der Anton nicht«, sagte sie. »Dem gibt jeder von sich aus, was er nötig hat. Dem ist Geld ganz gleichgültig. Das braucht der gar nicht.«

Tatsächlich ein seltsamer Fall. In dieser kleinen Stadt, wie in jeder anderen kleinen Stadt auf der Welt, mußte man jedes Stück Brot und jedes Glas Bier mit Geld bezahlen. Man mußte sein Nachtquartier bezahlen und seine Kleidung. Wie brachte es dieser unscheinbare Mann in seinen abgerissenen Hosen fertig, ein so festgefügtes Gesetz zu umgehen und glücklich, frei von Sorgen dahinzuleben?

Ich beschloß, hinter das Geheimnis seines Tuns zu kommen und stellte dabei sehr bald fest, daß meine Köchin recht gehabt hatte. Dieser Anton hatte wirklich keine bestimmte Beschäftigung. Er begnügte sich damit, von früh bis abend in der Stadt herumzuschlendern – scheinbar ziellos –, aber mit seinen wachen Augen beobachtete er alles. So hielt er den Kutscher eines Wagens an und machte ihn darauf aufmerksam, daß sein Pferd schlecht angeschirrt sei. Oder er bemerkte, daß ein Pfosten in einem Zaun morsch geworden war. Dann rief er den Besitzer und riet ihm, den Zaun ausbessern zu lassen. Meistens übertrug man ihm dann die Arbeit, denn man wußte, daß er niemals aus Habgier Ratschläge erteilte, sondern aus aufrichtiger Freundlichkeit.

An wie vieler Leute Arbeit habe ich ihn nicht Hand anlegen sehen! Einmal fand ich ihn in einem Schusterladen Schuhe ausbessern, ein andermal als Aushilfskellner bei einer Gesellschaft, wieder ein andermal führte er Kinder spazieren. Und ich entdeckte, daß alle Leute sich in Notfällen an Anton wandten. Ja, eines Tages sah ich ihn auf dem Markt unter den Marktweibern sitzen und Äpfel verkaufen und erfuhr, daß die Eigentümerin des Standes im Kindbett lag und ihn gebeten hatte, sie zu vertreten.

Es gibt sicher in allen Städten viele Leute, die jede Arbeit verrichten. Das Einzigartige bei Anton aber war, daß er sich, wie hart seine Arbeit auch war, immer ganz entschieden weigerte, mehr Geld anzunehmen, als er für einen Tag brauchte. Und wenn es ihm gerade gut ging, dann nahm er überhaupt keine Bezahlung an.

»Ich sehe Sie schon noch mal wieder«, sagte er, »wenn ich wirklich was brauchen sollte.«

Mir wurde bald klar, daß der merkwürdige kleine Mann, diensteifrig und zerlumpt wie er war, für sich selbst ein ganz neues Wirtschaftssystem erfunden hatte. Er rechnete auf die

Anständigkeit seiner Mitmenschen. Anstatt Geld auf die Sparkasse zu legen, zog er es vor, sich bei seiner Umwelt ein Guthaben moralischer Verpflichtungen zu schaffen. Er hatte ein kleines Vermögen in sozusagen unsichtbaren Krediten angelegt. Und selbst den kaltherzigsten Menschen war es nicht möglich, sich dem Gefühl der Verpflichtung gegenüber einem Manne zu entziehen, der ihnen seine Dienste wie eine freundliche Gunst erwies, ohne dafür jemals Bezahlung zu fordern.

Man brauchte Anton nur auf der Straße zu sehen, um zu erkennen, auf welch besondere Art man ihn schätzte. Alle Welt grüßte ihn herzlich, jedermann gab ihm die Hand. Der einfache freimütige Mann in seinem schäbigen Anzug wandelte durch die Stadt wie ein Grundeigentümer, der mit großzügigem und freundlichem Wesen seine Besitzungen überwacht. Alle Türen standen ihm offen, und er konnte sich an jedem Tisch niederlassen, alles stand zu seiner Verfügung. Nie habe ich so gut begriffen, welche Macht ein Mensch ausüben kann, der nicht für morgen sorgt, sondern einfach auf Gott vertraut.

Ich muß ehrlich gestehen, daß es mich zuerst ärgerte, wenn der Anton nach der Sache mit meinem Hunde mich nur im Vorbeigehen mit einem kleinen Kopfnicken grüßte, als wäre ich ein beliebiger Fremder für ihn. Offensichtlich wünschte er keinen Dank für seinen kleinen Dienst. Ich aber fühlte mich durch diese höfliche Unbefangenheit aus einer großen und freundschaftlichen Gemeinschaft ausgeschlossen. Als nun eine Reparatur im Hause zu machen war – aus einer undichten Dachrinne tropfte Wasser –, veranlaßte ich meine Köchin, Anton holen zu lassen.

»Den kann man nicht einfach holen. Er hält sich nie lange am gleichen Ort auf. Aber ich kann ihn benachrichtigen.« Das war ihre Antwort.

So erfuhr ich, daß dies sonderbare Menschenwesen gar kein Zuhause hatte. Trotzdem war nichts leichter als ihn zu erreichen, eine Art drahtlose Telegraphie schien ihn mit der ganzen Stadt zu verbinden. Man konnte dem ersten Besten, den man traf, sagen: »Ich könnte jetzt den Anton gut brauchen.« Die Bestellung lief dann von Mund zu Mund, bis ihn zufällig jemand traf. Tatsächlich kam er auch noch am selben Nachmittag zu mir. Er ließ seinen prüfenden Blick rundherum gehen, meinte beim Gang durch den Garten, daß hier eine Hecke gestutzt werden müsse und dort ein junger Baum das Umpflanzen nötig hätte. Endlich sah er sich die Dachrinne an und machte sich an die Arbeit.

Zwei Stunden später erklärte er, nun sei die Sache in Ordnung und ging weg – wieder bevor ich ihm danken konnte. Aber diesmal hatte ich wenigstens die Köchin beauftragt, ihn anständig zu bezahlen. So erkundigte ich mich, ob Anton zufrieden gewesen sei.

»Aber natürlich«, gab sie zur Antwort, »der ist immer zufrieden. Ich wollte ihm sechs Schilling geben, aber er nahm nur zwei. Damit käme er für heute und morgen gut aus. Aber, wenn der Herr Doktor vielleicht einen alten Mantel für ihn übrig hätte – meinte er.«

Ich kann nur schwer mein Vergnügen beschreiben, diesem Mann – übrigens dem ersten Menschen in meiner Bekanntschaft, der weniger nahm, als man ihm anbot – einen Wunsch erfüllen zu können. Ich rannte ihm nach.

»Anton, Anton«, rief ich den Abhang hinunter, »ich habe einen Mantel für dich!«

Wieder begegneten meine Augen seinem leuchtenden ruhigen Blick. Er war nicht im geringsten erstaunt, daß ich hinter ihm hergelaufen kam. Es war für ihn nur natürlich, daß ein Mensch, der einen überzähligen Mantel besaß, ihn einem andern schenkte, der ihn bitter nötig hatte.

Meine Köchin mußte nun alle meine alten Sachen heraussuchen. Anton sah den Haufen durch, nahm sich dann einen Mantel heraus, probierte ihn an und sagte ganz ruhig: »Der hier wäre recht für mich!«

Er hatte das mit der Miene eines Herrn gesagt, der in einem Geschäft aus vorgelegten Waren seine Auswahl trifft. Dann warf er noch einen Blick auf die anderen Kleidungsstücke.

»Diese Schuhe könntest du dem Fritz in der Salsergasse schenken, der braucht nötig ein Paar! Und die Hemden da dem Joseph aus der Hauptstraße, die könnte er sich richten. Wenn's dir recht ist, bringe ich die Sachen für dich hin.«

Dies brachte er im hochherzigen Tone eines Menschen vor, der einem eine spontane Gunst erweist. Ich hatte das Gefühl, ihm dafür danken zu müssen, daß er meine Sachen an Leute verteilen wollte, die ich überhaupt nicht kannte. Er packte Schuhe und Hemden zusammen und fügte hinzu:

»Du bist wirklich ein anständiger Kerl, das alles so wegzuschenken!«

Und er verschwand.

Tatsächlich hat mir aber niemals eine lobende Kritik über eins meiner Bücher so viel Freude gemacht wie dies schlichte Kompliment. Ich habe in späteren Jahren noch oft voll Dankbarkeit an Anton denken müssen, denn kaum jemand hat mir so viel moralische Hilfe geleistet. Häufig, wenn ich mich über kleine Geldschereien aufregte, habe ich mich an diesen Mann erinnert, der ruhig und vertrauensvoll in den Tag hineinlebte, weil er nie mehr wollte, als was für einen Tag reichte. Immer führte mich das zu der gleichen Überlegung: Wenn alle Welt sich gegenseitig vertrauen würde, gäbe es keine Polizei, keine Gerichte, keine Gefängnisse und … kein Geld. Wäre es nicht vielleicht besser um unser kompliziertes Wirtschaftsleben bestellt, wenn alle lebten wie dieser Mensch, der sich immer ganz und gar einsetzte und doch nur annahm, was er unbedingt brauchte?

Viele Jahre habe ich nichts mehr von Anton gehört. Aber ich kann mir kaum jemand vorstellen, um den es einem weniger bange zu sein braucht: er wird niemals von Gott verlassen werden und, was viel seltener ist, auch niemals von den Menschen.

# Unvermutete Bekanntschaft
# mit einem Handwerk

Herrlich an jenem merkwürdigen Aprilmorgen 1931 war schon
die nasse, aber bereits wieder durchsonnte Luft. Wie ein Sei-
denbonbon schmeckte sie süß, kühl, feucht und glänzend, ge-
filterter Frühling, unverfälschtes Ozon, und mitten auf dem
Boulevard de Strasbourg atmete man überrascht einen Duft von
aufgebrochenen Wiesen und Meer. Dieses holde Wunder hatte
ein Wolkenbruch vollbracht, einer jener kapriziösen April-
schauer, mit denen der Frühling sich oftmals auf ungezogenste
Weise anzukündigen pflegt. Unterwegs schon war unser Zug
einem dunklen Horizont nachgefahren, der vom Himmel
schwarz in die Felder schnitt; aber erst bei Meaux – schon streu-
ten sich die Spielzeugwürfel der Vorstadthäuser ins Gelände,
schon bäumten sich schreiend die ersten Plakattafeln aus dem
verärgerten Grün, schon raffte die betagte Engländerin mir gegenüber im Coupé ihre vierzehn Taschen und Flaschen und Rei-
seetuis zusammen – da platzte sie endlich auf, jene schwammige,
vollgesogene Wolke, die bleifarben und böse seit Epernay mit
unserer Lokomotive um die Wette lief. Ein kleiner blasser Blitz
gab das Signal, und sofort stürzten mit Trompetengeprassel
kriegerische Wassermassen herab, um unseren fahrenden Zug
mit nassem Maschinengewehrfeuer zu bestreichen. Schwer getroffen weinten die Fensterscheiben unter den klatschenden
Schlägen des Hagels, kapitulierend senkte die Lokomotive ihre
graue Rauchfahne zur Erde. Man sah nichts mehr, man hörte
nichts als dies erregt triefende Geprassel auf Stahl und Glas, und
wie ein gepeinigtes Tier lief der Zug, dem Wolkenbruch zu entkommen, über die blanken Schienen. Aber siehe da, noch stand
man, glücklich angelangt, unter dem Vorbau des Gare de l'Est

und wartete auf den Gepäckträger, da blitzte hinter dem grauen Schnürboden des Regens schon wieder hell der Prospekt des Boulevards auf; ein scharfer Sonnenstrahl stieß seinen Dreizack durch das entflüchtende Gewölk, und sofort blinkten die Häuserfassaden wie poliertes Messing, und der Himmel leuchtete in ozeanischem Blau. Goldnackt wie Aphrodite Anadyomene aus den Wogen, so stieg die Stadt aus dem niedergestreiften Mantel des Regens, ein göttlicher Anblick. Und sofort, mit einem Flitz, stoben rechts und links aus hundert Unterschlupfen und Verstecken die Menschen auf die Straße, schüttelten sich, lachten und liefen ihren Weg, der zurückgestaute Verkehr rollte, knarrte, schnarrte und fauchte wieder mit hundert Vehikeln quirlend durcheinander, alles atmete und freute sich des zurückgegebenen Lichtes. Selbst die hektischen Bäume des Boulevards, festgerammt im harten Asphalt, griffen, noch ganz begossen und betropft, wie sie waren, mit ihren kleinen, spitzen Knospenfingern in den neuen, sattblauen Himmel und versuchten ein wenig zu duften. Wahrhaftig, es gelang ihnen. Und Wunder über Wunder: man spürte deutlich ein paar Minuten das dünne, ängstliche Atmen der Kastanienblüten mitten im Herzen von Paris, mitten auf dem Boulevard de Strasbourg.

Und zweite Herrlichkeit dieses gesegneten Apriltages: ich hatte, frisch angekommen, keine einzige Verabredung bis tief hinein in den Nachmittag. Niemand von den viereinhalb Millionen Stadtbürgern von Paris wußte von mir oder wartete auf mich, ich war also göttlich frei, zu tun, was ich wollte. Ich konnte ganz nach meinem Belieben entweder spazieren schlendern oder Zeitung lesen, konnte in einem Café sitzen oder essen oder in ein Museum gehen, Auslagen anschauen oder die Bücher des Quais, ich konnte Freunde antelephonieren oder bloß in die laue, süße Luft hineinstarren. Aber glücklicherweise tat ich aus wissendem Instinkt das Vernünftigste: nämlich nichts. Ich machte keinerlei Plan, ich gab mich frei, schaltete jeden Kontakt auf Wunsch und Ziel ab und stellte meinen Weg ganz auf die rollende Scheibe des Zufalls, das heißt, ich ließ mich treiben, wie mich die Straße trieb, locker vorbei an den blitzenden Ufern der Geschäfte und rascher über die Stromschnellen der Straßenübergänge. Schließlich warf mich die Welle hinab in die großen Boulevards; ich landete wohlig müde auf der Terrasse eines Cafés, Ecke Boulevard Haussmann und Rue Drouot.

Da bin ich wieder, dachte ich, locker in den nachgiebigen Strohsessel gelehnt, während ich mir eine Zigarre anzündete, und da bist du, Paris! Zwei ganze Jahre haben wir alten Freunde einander nicht gesehen, jetzt wollen wir uns fest in die Augen schauen. Also vorwärts, leg los, Paris, zeig, was du seitdem dazugelernt hast, vorwärts, fang an, laß deinen unübertrefflichen Tonfilm »Les Boulevards de Paris« vor mir abrollen, dies Meisterwerk von Licht und Farbe und Bewegung mit seinen tausend und tausend unbezahlten und unzählbaren Statisten, und mach dazu deine unnachahmliche, klirrende, ratternde, brausende Straßenmusik! Spar nicht, gib Tempo, zeig, was du kannst, zeig, wer du bist, schalte dein großes Orchestrion ein mit atonaler, pantonaler Straßenmusik, laß deine Autos fahren, deine Camelots brüllen, deine Plakate knallen, deine Hupen dröhnen, deine Geschäfte funkeln, deine Menschen laufen – hier sitze ich, aufgetan wie nur je, und habe Zeit und Lust dir zuzuschauen, dir zuzuhören, bis mir die Augen schwirren und das Herz dröhnt. Vorwärts, vorwärts, spar nicht, verhalte dich nicht, gib mehr und immer mehr, wilder und immer wilder, immer andere und immer neue Schreie und Rufe, Hupen und zersplitterte Töne, mich macht es nicht müd, denn alle Sinne stehen dir offen, vorwärts und vorwärts, gib dich ganz mir hin, so wie ich bereit bin, ganz mich dir hinzugeben, du unerlernbare und immer wieder neu bezaubernde Stadt!

Denn – und dies war die dritte Herrlichkeit dieses außerordentlichen Morgens – ich fühlte schon an einem gewissen Prikkeln in den Nerven, daß ich wieder einmal meinen Neugiertag hatte, wie meist nach einer Reise oder einer durchwachten Nacht. An solchen Neugiertagen bin ich gleichsam doppelt und sogar vielfach ich selbst; ich habe dann nicht genug an meinem eigenen umgrenzten Leben, mich drängt, mich spannt etwas von innen, als müßte ich aus meiner Haut herausschlüpfen wie der Schmetterling aus seiner Puppe. Jede Pore dehnt sich, jeder Nerv krümmt sich zu einem feinen, glühenden Enterhaken, eine fanatische Hellhörigkeit, Hellsichtigkeit überkommt mich, eine fast unheimliche Luzidität, die mir Pupille und Trommelfell schärfer spannt. Alles wird mir geheimnisvoll, was ich mit dem Blick berühre. Stundenlang kann ich einem Straßenarbeiter zusehen, wie er mit dem elektrischen Bohrer den Asphalt aufstemmt, und so stark spüre ich aus dem bloßen Beobachten sein Tun, daß jede Bewegung seiner durchschütterten Schulter unwillkürlich in die meine übergeht. Endlos kann ich vor irgendeinem fremden Fenster stehen und mir das Schicksal des unbekannten Menschen ausphantasieren, der vielleicht hier wohnt oder wohnen könnte, stundenlang irgendeinem Passanten zusehen und nachgehen, von Neugier magnetisch-sinnlos nachgezogen und voll bewußt dabei, daß dieses Tun völlig unverständlich und narrhaft wäre für jeden anderen, der mich zufällig beobachtete, und doch ist diese Phantasie und Spiellust berauschender für mich als jedes schon gestaltete Theaterstück oder das Abenteuer eines Buches. Mag sein, daß dieser Überreiz, diese nervöse Hellsichtigkeit sehr natürlich mit der plötzlichen Ortsveränderung zusammenhängt und nur Folge ist der Umstellung des Luftdruckes und der dadurch bedingten chemischen Umschaltung des Blutes – ich habe nie versucht, mir diese geheimnisvolle Erregtheit zu erklären. Aber immer, wenn ich sie fühle, scheint mir mein sonstiges Leben wie ein blasses Hindämmern und alle anderen durchschnittlichen Tage nüchtern und leer. Nur in solchen Augenblicken spüre ich mich und die phantastische Vielfalt des Lebens völlig.

So ganz aus mir herausgebeugt, so spiellüstern und angespannt saß ich auch damals an jenem gesegneten Apriltag auf meinem Sesselchen am Ufer des Menschenstromes und wartete, ich wußte nicht worauf. Aber ich wartete mit dem leisen frö-

stelnden Zittern des Anglers auf jenen gewissen Ruck, ich
wußte instinkthaft, daß mir irgend etwas, irgend jemand begegnen mußte, weil ich so tauschgierig, so rauschgierig war, meiner
Neugierlust etwas zum Spielen heranzuholen. Aber die Straße
warf mir vorerst nichts zu, und nach einer halben Stunde wurden meine Augen der vorbeigewirbelten Massen müde, ich
nahm nichts einzelnes mehr deutlich wahr. Die Menschen, die
der Boulevard vorbeispülte, begannen für mich ihre Gesichter
zu verlieren, sie wurden ein verschwommener Schwall von gelben, braunen, schwarzen, grauen Mützen, Kappen und Käppis,
leeren und schlecht geschminkten Ovalen, ein langweiliges Spü-
licht schmutzigen Menschenwassers, das immer farbloser und
grauer strömte, je ermüdeter ich blickte. Und schon war ich erschöpft, wie von einem undeutlich zuckenden und schlecht ko-
pierten Film, und wollte aufstehen und weiter. Da endlich, da
endlich entdeckte ich ihn.

Er fiel mir zuerst auf, dieser fremde Mensch, dank der sim-
plen Tatsache, daß er immer wieder in mein Blickfeld kam. Alle
die andern Tausende und Tausende Menschen, welche mir diese
halbe Stunde vorüberschwemmte, stoben wie von unsichtbaren
Bändern weggerissen fort, sie zeigten hastig ein Profil, einen
Schatten, einen Umriß, und schon hatte die Strömung sie für immer mitgeschleppt. Dieser eine Mensch aber kam immer wieder
und immer an dieselbe Stelle; deshalb bemerkte ich ihn. So wie
die Brandung manchmal mit unbegreiflicher Beharrlichkeit eine
einzige schmutzige Alge an den Strand spült und sofort mit ihrer nassen Zunge wieder zurückschluckt, um sie gleich wieder
hinzuwerfen und zurückzunehmen, so schwemmte diese eine
Gestalt immer wieder mit dem Wirbel heran, und zwar jedesmal
in gewissen, fast regelmäßigen Zeitabständen und immer an derselben Stelle und immer mit dem gleichen geduckten, merkwürdig überdeckten Blick. Ansonsten erwies sich dieses Stehaufmännchen als keine große Sehenswürdigkeit; ein dürrer,
ausgehungerter Körper, schlecht eingewickelt in ein kanarien-
gelbes Sommermäntelchen, das ihm sicher nicht eigens auf den

Leib geschneidert war, denn die Hände verschwanden ganz unter den überhängenden Ärmeln; es war in lächerlichem Maße zu weit, überdimensional, dieses kanariengelbe Mäntelchen einer längstverschollenen Mode, für dies dünne Spitzmausgesicht mit den blassen, fast ausgelöschten Lippen, über denen ein blondes Bürstchen wie ängstlich zitterte. Alles an diesem armen Teufel schlotterte falsch und schlapp – schiefschultrig mit dünnen Clownbeinen schlich er bekümmerten Gesichts bald von rechts, bald von links aus dem Wirbel, blieb dann anscheinend ratlos stehen, sah ängstlich auf wie ein Häschen aus dem Hafer, schnupperte, duckte sich und verschwand neuerdings im Gedränge. Außerdem – und dies war das zweite, das mir auffiel – schien dieses abgeschabte Männchen, das mich irgendwie an einen Beamten aus einer Gogolschen Novelle erinnerte, stark kurzsichtig oder besonders ungeschickt zu sein, denn zweimal, dreimal, viermal beobachtete ich, wie eiligere, zielbewußtere Passanten dies kleine Stückchen Straßenelend anrannten und beinahe umrannten. Aber dies schien ihn nicht sonderlich zu bekümmern; demütig wich er zur Seite, duckte sich und schlüpfte neuerdings vor und war immer da, immer wieder, jetzt vielleicht schon zum zehnten- oder zwölftenmal in dieser knappen halben Stunde.

Nun, das interessierte mich. Oder vielmehr, ich ärgerte mich zuerst, und zwar über mich selbst, daß ich, neugierig, wie ich an diesem Tage war, nicht gleich erraten konnte, was dieser Mensch hier wollte. Und je vergeblicher ich mich bemühte, desto ärgerlicher wurde meine Neugier. Donnerwetter, was suchst du eigentlich, Kerl? Auf was, auf wen wartest du da? Ein Bettler, das bist du nicht, der stellt sich nicht so tolpatschig mitten ins dickste Gewühl, wo niemand Zeit hat, in die Tasche zu greifen. Ein Arbeiter bist du auch nicht, denn die haben Schlag elf Uhr vormittags keine Gelegenheit, hier so lässig herumzulungern. Und auf ein Mädchen wartest du schon gar nicht, mein Lieber, denn solch einen armseligen Besenstiel sucht sich nicht einmal die Älteste und Abgetakeltste aus. Also Schluß, was suchst du da?

Bist du vielleicht einer jener obskuren Fremdenführer, die, von der Seite leise anschleichend, unter dem Ärmel obszöne Photographien herausvoltigieren und dem Provinzler alle Herrlichkeiten Sodoms und Gomorras für einen Bakschisch versprechen? Nein, auch das nicht, denn du sprichst ja niemanden an, im Gegenteil, du weichst jedem ängstlich aus mit deinem merkwürdig geduckten und gesenkten Blick. Also zum Teufel, was bist du, Duckmäuser? Was treibst du da in meinem Revier? Schärfer und schärfer nahm ich ihn aufs Korn, in fünf Minuten war es für mich schon Passion, schon Spiellust geworden, herauszubekommen, was dieses kanariengelbe Stehaufmännchen hier auf dem Boulevard wollte. Und plötzlich wußte ich es: es war ein Detektiv.

Ein Detektiv, ein Polizist in Zivil, ich erkannte das instinktiv an einer ganz winzigen Einzelheit, an jenem schrägen Blick, mit dem er jeden einzelnen Vorübergehenden hastig visitierte, jenem unverkennbaren Agnoszierungsblick, den die Polizisten gleich im ersten Jahre ihrer Ausbildung lernen müssen. Dieser Blick ist nicht einfach, denn einerseits muß er rapid wie ein Messer die Naht entlang von unten den ganzen Körper herauflaufen bis zum Gesicht und mit diesem erhellenden Blinkfeuer einerseits die Physiognomie erfassen und anderseits innerlich mit dem Signalement bekannter und gesuchter Verbrecher vergleichen. Zweitens aber – und das ist vielleicht noch schwieriger – muß dieser Beobachtungsblick ganz unauffällig eingeschaltet werden, denn der Spähende darf sich nicht als Späher vor dem andern verraten. Nun, dieser mein Mann hatte seinen Kurs ausgezeichnet absolviert; duselig wie ein Träumer schlich er scheinbar gleichgültig durch das Gedränge, ließ sich lässig stoßen und schieben, aber zwischendurch schlug er dann immer plötzlich – es war wie der Blitz eines photographischen Verschlusses – die schlaffen Augenlider auf und stieß zu wie mit einer Harpune. Niemand ringsum schien ihn bei seinem amtlichen Handwerk zu beobachten, und auch ich selber hätte nichts bemerkt, wäre dieser gesegnete Apriltag nicht glücklicherweise auch mein Neugiertag gewesen und ich so lange und ingrimmig auf der Lauer gelegen.

Aber auch sonst mußte dieser heimliche Polizist ein besonderer Meister seines Faches sein, denn mit wie raffinierter Täuschungskunst hatte er es verstanden, Gehaben, Gang, Kleidung oder vielmehr die Lumpen eines richtigen Straßentrotters für seinen Vogelfängerdienst nachzuahmen. Ansonsten erkennt man Polizisten in Zivilkleidung unweigerlich auf hundert Schritte Distanz, weil diese Herren sich in allen Verkleidungen nicht entschließen können, den letzten Rest ihrer amtlichen Würde abzulegen, niemals lernen sie bis zur täuschenden Vollkommenheit jenes scheue, ängstliche Geducktsein, das all den Menschen ganz natürlich in den Gang fällt, denen jahrzehntelange Armut die Schultern drückt. Dieser aber, Respekt, hatte die Verlotterung eines Stromers geradezu stinkend wahrgemacht und bis ins letzte Detail die Vagabundenmaske durchgearbeitet. Wie psychologisch richtig schon dies, daß der kanariengelbe Überzieher, der etwas schiefgelegte braune Hut mit letzter Anstrengung eine gewisse Eleganz markierte, während unten die zerfransten Hosen und oben der abgestoßene Rock das nackte Elend durchschimmern ließen: als geübter Menschenjäger mußte er beobachtet haben, daß die Armut, diese gefräßige Ratte, jedes Kleidungsstück zunächst an den Rändern anknabbert. Auf eine derart triste Garderobe war auch die verhungerte Physiognomie vortrefflich charakteristisch abgestimmt, das dünne Bärtchen (wahrscheinlich angeklebt), die schlechte Rasur, die künstlich verwirrten und zerknitterten Haare, die jeden Unvoreingenommenen hätten schwören lassen, dieser arme Teufel habe die letzte Nacht auf einer Bank verbracht oder auf einer Polizeipritsche. Dazu noch ein kränkliches Hüsteln mit vorgehaltener Hand, das frierende Zusammenziehen des Sommermäntelchens, das schleicherisch leise Gehen, als stecke Blei in den Gliedern; beim Zeus: hier hatte ein Verwandlungskünstler ein vollendetes klinisches Bild von Schwindsucht letzten Grades geschaffen.

Ich schäme mich nicht einzugestehen: ich war begeistert von der großartigen Gelegenheit, hier einen offiziellen Polizeibeobachter privat zu beobachten, obwohl ich es in einer anderen Schicht meines Gefühls zugleich niederträchtig fand, daß an einem solchen gesegneten Azurtag mitten unter Gottes freundlicher Aprilsonne hier ein verkleideter pensionsberechtigter Staatsangestellter nach irgendeinem armen Teufel angelte, um ihn aus diesem sonnenzitternden Frühlingslicht in irgendeinen Kotter zu schleppen. Immerhin, es war erregend, ihm zu folgen, immer gespannter beobachtete ich jede seiner Bewegungen und freute mich jedes neuentdeckten Details. Aber plötzlich zerfloß meine Entdeckungsfreude wie Gefrornes in der Sonne. Denn etwas stimmte mir nicht in meiner Diagnose, etwas paßte mir nicht. Ich wurde wieder unsicher. War das wirklich ein Detektiv? Je schärfer ich diesen sonderbaren Spaziergänger aufs Korn nahm, desto mehr bestärkte sich der Verdacht, diese seine zur Schau getragene Armseligkeit sei doch um einen Grad *zu* echt, *zu* wahr, um bloß eine Polizeiattrappe zu sein. Da war vor allem, erstes Verdachtsmoment, der Hemdkragen. Nein, etwas dermaßen Verdrecktes hebt man nicht einmal vom Müllhaufen auf, um sich's mit eigenen nackten Fingern um den Hals zu legen; so etwas trägt man nur in wirklicher verzweifeltster Verwahrlosung. Und dann – zweite Unstimmigkeit – die Schuhe, sofern es überhaupt erlaubt ist, derlei kümmerliche, in völliger Auflösung befindliche Lederfetzen noch Schuhe zu nennen. Der rechte Stiefel war statt mit schwarzen Senkeln bloß mit grobem Bindfaden zugeschnürt, während beim linken die abgelöste Sohle bei jedem Schritt aufklappte wie ein Froschmaul. Nein, auch ein solches Schuhwerk erfindet und konstruiert man sich nicht zu einer Maskerade. Vollkommen ausgeschlossen, schon gab es keinen Zweifel mehr, diese schlotterige, schleichende Vogelscheuche war kein Polizist und meine Diagnose ein Fehlschluß. Aber wenn kein Polizist, was dann? Wozu dieses ewige Kommen und Gehen und Wiederkommen, dieser von unten her geschleuderte, hastig spähende, suchende, kreisende Blick? Eine

Art Zorn packte mich, daß ich diesen Menschen nicht durch-
schauen konnte, und am liebsten hätte ich ihn an der Schulter
gefaßt: Kerl, was willst du? Kerl, was treibst du hier?

Aber mit einemmal, wie eine Zündung schlug es die Nerven
entlang, ich zuckte auf, so kernschußhaft fuhr die Sicherheit in
mich hinein – auf einmal wußte ich alles und nun ganz bestimmt, nun endgültig und unwiderleglich. Nein, das war kein
Detektiv – wie hatte ich mich so narren lassen können? –, das
war, wenn man so sagen darf, das Gegenteil eines Polizisten: es
war ein Taschendieb, ein echter und rechter, ein geschulter, pro-
fessioneller, veritabler Taschendieb, der hier auf dem Boulevard
nach Brieftaschen, Uhren, Damentaschen und anderen Beute-
stücken krebsen ging. Diese seine Handwerkszugehörigkeit
stellte ich zuerst fest, als ich merkte, daß er gerade dort dem
Gedränge zutrieb, wo es am dicksten war, und nun verstand ich
auch seine scheinbare Tolpatschigkeit, sein Anrennen und An-
stoßen an fremde Menschen. Immer klarer, immer eindeutiger
wurde mir die Situation. Denn daß er sich gerade diesen Posten
vor dem Kaffeehaus und ganz nahe der Straßenkreuzung ausgesucht, hatte seinen Grund in dem Einfall eines klugen Laden-
besitzers, der sich für sein Schaufenster einen besonderen Trick
ausgesonnen hatte. Die Ware dieses Geschäftes bestand an sich
zwar bloß aus ziemlich uninteressanten und wenig verlockenden Gegenständen, aus Kokosnüssen, türkischen Zuckerwaren
und verschiedenen bunten Karamels, aber der Besitzer hatte die
glänzende Idee gehabt, die Schaufenster nicht nur mit falschen
Palmen und tropischen Prospekten orientalisch auszustaffieren,
sondern mitten in dieser südlichen Pracht ließ er – vortrefflicher
Einfall – drei lebendige Äffchen sich herumtreiben, die in den
possierlichsten Verrenkungen hinter der Glasscheibe voltigier-
ten, die Zähne fletschten, einander Flöhe suchten, grinsten und
spektakelten und sich nach echter Affenart ungeniert und unan-
ständig benahmen. Der kluge Verkäufer hatte richtig gerechnet,
denn in dicken Trauben blieben die Vorübergehenden vor diesem Fenster kleben, insbesondere die Frauen schienen nach ih-

ren Ausrufen und Schreien an diesem Schauspiel unermeßliches Ergötzen zu haben. Jedesmal nun, wenn sich ein gehöriges Bündel neugieriger Passanten vor diesem Schaufenster besonders dicht zusammenschob, war mein Freund schnell und schleicherisch zur Stelle. Sanft und in falsch bescheidener Art drängte er sich mitten hinein unter die Drängenden; so viel aber wußte ich immerhin schon von dieser bisher nur wenig erforschten und meines Wissens nie recht beschriebenen Kunst des Straßendiebstahls, daß Taschendiebe zum guten Griff ein gutes Gedränge ebenso notwendig brauchen wie die Heringe zum Laichen, denn nur im Gepreßt- und Geschobensein spürt das Opfer nicht die gefährliche Hand, indes sie die Brieftasche oder die Uhr mardert. Außerdem aber – das lernte ich erst jetzt zu – gehört offenbar zum rechten Coup etwas Ablenkendes, etwas, das die unbewußte Wachsamkeit, mit der jeder Mensch sein Eigentum schützt, für eine kurze Pause chloroformiert. Diese Ablenkung besorgten in diesem Falle die drei Affen mit ihrem possierlichen und wirklich amüsanten Gebaren auf unüberbietbare Art. Eigentlich waren sie, die feixenden, grinsenden, nackten Männchen, ahnungsloserweise die ständig tätigen Hehler und Komplicen dieses meines neuen Freundes, des Taschendiebes.

Ich war, man verzeihe es mir, von dieser meiner Entdeckung geradezu begeistert. Denn noch nie in meinem Leben hatte ich einen Taschendieb gesehen. Oder vielmehr, um ganz ehrlich zu bleiben, einmal in meiner Londoner Studentenzeit, als ich, um mein Englisch zu verbessern, öfters in Gerichtsverhandlungen des Zuhörens halber ging, kam ich zurecht, wie man einen rothaarigen, pickeligen Burschen zwischen zwei Policemen vor den Richter führte. Auf dem Tisch lag eine Geldbörse, Corpus delicti, ein paar Zeugen redeten und schworen, dann murmelte der Richter einen englischen Brei, und der rothaarige Bursche verschwand – wenn ich recht verstand, für sechs Monate. Das war der erste Taschendieb, den ich sah, aber – dies der Unterschied – ich hatte dabei keineswegs feststellen können, daß dies wirklich ein Taschendieb sei. Denn nur die Zeugen behaupteten seine Schuld, ich hatte eigentlich nur der juristischen Rekonstruktion der Tat beigewohnt, nicht der Tat selbst. Ich hatte bloß einen Angeklagten, einen Verurteilten gesehen und nicht wirklich den Dieb. Denn ein Dieb ist doch Dieb nur eigentlich in dem Augenblick, da er diebt, und nicht zwei Monate später, da er für seine Tat vor dem Richter steht, so wie der Dichter wesenhaft nur Dichter ist, während er schafft, und nicht etwa, wenn er ein paar Jahre hernach am Mikrophon sein Gedicht vorliest; wirklich und wahrhaft ist der Täter einzig nur im Augenblick seiner Tat. Jetzt aber war mir Gelegenheit dieser seltensten Art gegeben, ich sollte einen Taschendieb in seinem charakteristischsten Augenblick erspähen, in der innersten Wahrheit seines Wesens, in jener knappen Sekunde, die sich so selten belauschen läßt wie Zeugung und Geburt. Und schon der Gedanke dieser Möglichkeit erregte mich.

Selbstverständlich war ich entschlossen, eine so gloriose Gelegenheit nicht zu verpassen, nicht eine Einzelheit der Vorbereitung und der eigentlichen Tat zu versäumen. Ich gab sofort meinen Sessel am Kaffeehaustisch preis, hier fühlte ich mich zu sehr im Blickfeld behindert. Ich brauchte jetzt einen übersichtlichen, einen sozusagen ambulanten Posten, von dem ich ungehemmt zuspähen konnte, und wählte nach einigen Proben einen Kiosk, auf dem Plakate aller Theater von Paris buntfarbig klebten. Dort konnte ich unauffällig in die Ankündigungen vertieft scheinen, während ich in Wahrheit hinter dem Schutze der gerundeten Säule jede seiner Bewegungen auf das genaueste verfolgte. Und so sah ich mit einer mir heute kaum mehr begreiflichen Zähigkeit zu, wie dieser arme Teufel hier seinem schweren und gefährlichen Geschäft nachging, sah ihm gespannter zu, als ich mich entsinnen kann, je im Theater oder bei einem Film einem Künstler gefolgt zu sein. Denn in ihrem konzentriertesten Augenblick übertrifft und übersteigert die Wirklichkeit jede Kunstform. Vive la réalité!

Diese ganze Stunde von elf bis zwölf Uhr vormittags mitten auf dem Boulevard von Paris verging mir demnach auch wirklich wie ein Augenblick, obwohl – oder vielmehr weil – sie derart erfüllt war von unablässigen Spannungen, von unzähligen kleinen aufregenden Entscheidungen und Zwischenfällen; ich könnte sie stundenlang schildern, diese eine Stunde, so geladen war sie mit Nervenenergie, so aufreizend durch ihre Spielgefährlichkeit. Denn bis zu diesem Tag hatte ich niemals und nie auch nur in annähernder Weise geahnt, ein wie ungemein schweres und kaum erlernbares Handwerk – nein, was für eine furchtbare und grauenhaft anspannende Kunst der Taschendiebstahl auf offener Straße und bei hellem Tageslicht ist. Bisher hatte ich mit der Vorstellung: Taschendieb nichts verbunden als einen undeutlichen Begriff von großer Frechheit und Handfertigkeit, ich hatte dies Metier tatsächlich nur für eine Angelegenheit der Finger gehalten, ähnlich der Jongliertüchtigkeit oder der Taschenspielerei. Dickens hat einmal im »Oliver Twist« geschildert, wie dort ein Diebmeister die kleinen Jungen anlernt, ganz unmerkbar ein Taschentuch aus einem Rock zu stehlen. Oben an dem Rock ist ein Glöckchen befestigt, und wenn, während der Neuling das Tuch aus der Tasche zieht, dieses Glöckchen klingelt, dann war der Griff falsch und zu plump getan. Aber Dickens, das merkte ich jetzt, hatte nur auf das Grobtechnische der Sache geachtet, auf die Fingerkunst, wahrscheinlich hatte er einen Taschendiebstahl niemals am lebendigen Objekt beobachtet – er hatte wahrscheinlich nie Gelegenheit gehabt, zu bemerken (wie es mir jetzt durch einen glückhaften Zufall gegeben war), daß bei einem Taschendieb, der am hellichten Tage arbeitet, nicht nur eine wendige Hand im Spiel sein muß, sondern auch geistige Kräfte der Bereitschaft, der Selbstbeherrschung, eine sehr geübte, gleichzeitig kalte und blitzgeschwinde Psychologie und vor allem ein unsinniger, ein geradezu rasender Mut. Denn ein Taschendieb, dies begriff ich jetzt schon, nach sechzig Minuten Lehrzeit, muß die entscheidende Raschheit eines Chirurgen besitzen, der – jede Verzögerung um eine Sekunde ist tödlich – eine Herznaht vornimmt; aber dort, bei einer solchen Operation, liegt der Patient wenigstens schön chloroformiert, er kann sich nicht rühren, er kann sich nicht wehren, indes hier der leichte jähe Zugriff an den völlig wachen Leib eines Menschen fahren muß – und gerade in der Nähe ihrer Brieftasche sind die Menschen besonders empfindlich. Während der Taschendieb aber seinen Griff ansetzt, während seine Hand unten blitzhaft vorstößt, in eben diesem angespanntesten, aufregendsten Moment der Tat muß er überdies noch gleichzeitig in seinem Gesicht alle Muskeln und Nerven völlig beherrschen, er muß gleichgültig, beinahe gelangweilt tun. Er darf seine Erregung nicht verraten, darf nicht, wie der Gewalttäter, der Mörder, während er mit dem Messer zustößt, den Grimm seines Stoßes in der Pupille spiegeln – er muß, der Taschendieb, während seine Hand schon vorfährt, seinem Opfer klare, freundliche Augen hinhalten und demütig beim Zusammenprall sein »Pardon, Monsieur« mit unauffälligster Stimme sagen. Aber noch nicht genug an dem, daß er im Augenblick der Tat klug und wach und geschickt sein muß – schon *ehe* er zugreift, muß er seine Intelligenz, seine Menschenkenntnis bewähren, er muß als Psychologe, als Physiologe seine Opfer auf die Tauglichkeit prüfen. Denn nur die Unaufmerksamen, die Nichtmißtrauischen sind überhaupt in Rechnung zu stellen und unter diesen abermals bloß jene, die den Oberrock nicht zugeknöpft tragen, die nicht zu rasch gehen, die man also unauffällig anschleichen kann; von hundert, von fünfhundert Menschen auf der Straße, ich habe es in jener Stunde nachgezählt, kommen kaum mehr als einer oder zwei ins Schußfeld. Nur bei ganz wenigen Opfern wird sich ein vernünftiger Taschendieb überhaupt an die Arbeit wagen, und bei diesen wenigen mißlingt der Zugriff infolge der unzähligen Zufälle, die zusammenwirken müssen, meist noch in letzter Minute. Eine riesige Summe von Menschenerfahrung, von Wachsamkeit und Selbstbeherrschung ist (ich kann es bezeugen) für dieses Handwerk vonnöten, denn auch dies ist zu bedenken, daß der Dieb, während er bei seiner Arbeit mit angespannten Sinnen seine Opfer wählen und beschleichen muß, gleichzeitig mit einem anderen Sinn seiner krampfhaft angestrengten Sinne darauf zu achten hat, daß er nicht zugleich selbst bei seiner Arbeit beobachtet werde. Ob nicht ein Polizist oder ein Detektiv um die Ecke schielt oder einer der ekelhaft vielen Neugierigen, die ständig die Straße bevölkern; all dies muß er stets im Auge behalten, und ob nicht eine in der Hast übersehene Auslage seine Hand spiegelt und ihn entlarvt, ob nicht von innen aus einem Geschäft oder aus einem Fenster jemand sein Treiben überwacht. Ungeheuer ist also die Anstrengung und kaum in vernünftiger Proportion zur Gefahr, denn ein Fehlgriff, ein Irrtum kann drei Jahre, vier Jahre Pariser Boulevard kosten, ein kleines Zittern der Finger, ein vorschneller nervöser Griff die Freiheit. Taschendiebstahl am hellichten Tage auf einem Boulevard, ich weiß es jetzt, ist eine Mutleistung höchsten Ranges, und ich empfinde es seitdem als gewisse Ungerechtigkeit, wenn die Zeitungen diese Art Diebe gleichsam als die Belanglosen unter den Übeltätern in einer kleinen Rubrik mit drei Zeilen abtun. Denn von allen Handwerken, den erlaubten und unerlaubten unserer Welt, ist dies eines der schwersten, der gefährlichsten: eines, das in seinen Höchstleistungen beinahe Anspruch hat, sich Kunst zu nennen. Ich darf dies aussprechen, ich kann es bezeugen, denn ich habe es einmal, an jenem Apriltage, erlebt und mitgelebt.

Mitgelebt: ich übertreibe nicht, wenn ich dies sage, denn nur anfangs, nur in den ersten Minuten gelang es mir, rein sachlich kühl diesen Mann bei seinem Handwerk zu beobachten; aber jedes leidenschaftliche Zuschauen erregt unwiderstehlich Gefühl, Gefühl wiederum verbindet, und so begann ich mich allmählich, ohne daß ich es wußte und wollte, mit diesem Dieb zu identifizieren, gewissermaßen in seine Haut, in seine Hände zu fahren, ich war aus dem bloßen Zuschauer seelisch sein Komplice geworden. Dieser Umschaltungsprozeß begann damit, daß ich nach einer Viertelstunde Zuschauens zu meiner eigenen Überraschung bereits alle Passanten auf Diebstauglichkeit oder -untauglichkeit abmusterte. Ob sie den Rock zugeknöpft trugen oder offen, ob sie zerstreut blickten oder wach, ob sie eine

beleibte Brieftasche erhoffen ließen, kurzum, ob sie arbeits-
würdig für meinen neuen Freund waren oder nicht. Bald mußte
ich mir sogar eingestehen, daß ich längst nicht mehr neutral war
in diesem beginnenden Kampfe, sondern innerlich unbedingt
wünschte, ihm möge endlich ein Griff gelingen, ja ich mußte
sogar den Drang, ihm bei seiner Arbeit zu helfen, beinahe mit
Gewalt niederhalten. Denn so wie der Kiebitz heftig versucht
ist, mit einem leichten Ellbogenstoß den Spieler zur richtigen
Karte zu mahnen, so juckte es mich geradezu, wenn mein
Freund eine günstige Gelegenheit übersah, ihm zuzublinzeln:
den dort geh an! Den dort, den Dicken, der den großen Blu-
menstrauß im Arm trägt. Oder als einmal, da mein Freund wieder einmal im Geschiebe untergetaucht war, unvermutet um die
Ecke ein Polizist segelte, schien es mir meine Pflicht, ihn zu
warnen, denn der Schreck fuhr mir so sehr ins Knie, als sollte ich
selber gefaßt werden, ich spürte schon die schwere Pfote des
Polizisten auf seiner, auf meiner Schulter. Aber – Befreiung! Da
schlüpfte schon das dünne Männchen wieder herrlich schlicht
und unschuldig aus dem Gedränge heraus und an der gefährlichen Amtsperson vorbei. All das war spannend, aber mir noch
nicht genug, denn je mehr ich mich in diesen Menschen einlebte,
je besser ich aus nun schon zwanzig vergeblichen Annäherungs-
versuchen sein Handwerk zu verstehen begann, desto ungedul-
diger wurde ich, daß er noch immer nicht zugriff, sondern
immer nur tastete und versuchte. Ich begann mich über sein töl-
pisches Zögern und ewiges Zurückweichen ganz redlich zu ärgern. Zum Teufel, faß doch endlich einmal straff zu, Hasenfuß!
Hab doch mehr Mut! Den dort nimm, den dort! Aber nur endlich einmal los!

   Glücklicherweise ließ sich mein Freund, der von meiner un-
erwünschten Anteilnahme nichts wußte und ahnte, keineswegs
durch meine Ungeduld beirren. Denn dies ist ja allemal der Unterschied zwischen dem wahren, bewährten Künstler und dem
Neuling, dem Amateur, dem Dilettanten, daß der Künstler aus
vielen Erfahrungen um das notwendig Vergebliche weiß, das

vor jedes wahrhafte Gelingen schicksalhaft gesetzt ist, daß er geübt ist im Warten und Sichgedulden auf die letzte, die entscheidende Möglichkeit. Genau wie der dichterisch Schaffende an tausend scheinbar lockenden und ergiebigen Einfällen gleichgültig vorübergeht (nur der Dilettant faßt gleich mit verwegener Hand zu), um alle Kraft für den letzten Einsatz zu sparen, so ging auch dieses kleine, mickrige Männchen an hundert einzelnen Chancen vorbei, die ich, der Dilettant, der Amateur in diesem Handwerk, schon als erfolgversprechend ansah. Er probte und tastete und versuchte, er drängte sich heran und hatte sicher gewiß schon hundertmal die Hand an fremden Taschen und Mänteln. Aber er griff niemals zu, sondern, unermüdlich in seiner Geduld, pendelte er mit der gleichen gut gespielten Unauffälligkeit immer wieder die dreißig Schritte zur Auslage hin und zurück, immer dabei mit einem wachen, schrägen Blick alle Möglichkeiten ausmessend und mit irgendwelchen mir, dem Anfänger, gar nicht wahrnehmbaren Gefahren vergleichend. In dieser ruhigen, unerhörten Beharrlichkeit war etwas, das mich trotz aller Ungeduld begeisterte und mir Bürgschaft bot für ein letztes Gelingen, denn gerade seine zähe Energie verriet, daß er nicht ablassen würde, ehe er nicht den siegreichen Griff getan. Und ebenso ehern war ich entschlossen, nicht früher wegzugehen, ehe ich seinen Sieg gesehen, und müßte ich warten bis Mitternacht.

So war es Mittag geworden, die Stunde der großen Flut, da plötzlich alle die kleinen Gassen und Gäßchen, die Treppen und Höfe viele kleine einzelne Wildbäche von Menschen in das breite Strombett des Boulevards schwemmen. Aus den Ateliers, den Werkstuben, den Bureaux, den Schulen, den Ämtern stürzen mit einem Stoß die Arbeiter und Nähmädchen und Verkäufer der unzähligen im zweiten, im dritten, im vierten Stock zusammengepreßten Werkstätten ins Freie; wie ein dunkler, zerflatternder Dampf quillt dann die gelöste Menge auf die Straße, Arbeiter in weißen Blusen oder Werkmänteln, die Midinettes zu zweien und dreien sich im Schwatzen unterfassend,

Veilchensträußchen ans Kleid gespendet, die kleinen Beamten mit ihren glänzenden Bratenröcken oder der obligaten Ledermappe unter dem Arm, die Packträger, die Soldaten in bleu d'horizon, alle die unzähligen, undefinierbaren Gestalten der unsichtbaren und unterirdischen Großstadtgeschäftigkeit. All das hat lange und allzulange in stickigen Zimmern gesessen, jetzt reckt es die Beine, läuft und schwirrt durcheinander, schnappt nach Luft, bläst sie mit Zigarrenrauch voll, drängt heraus-herein, eine Stunde lang bekommt die Straße von ihrer gleichzeitigen Gegenwart einen starken Schuß freudiger Lebendigkeit. Denn eine Stunde nur, dann müssen sie wieder hinauf hinter die verschlossenen Fenster, drechseln oder nähen, an Schreibmaschinen hämmern und Zahlenkolonnen addieren oder drucken oder schneidern und schustern. Das wissen die Muskeln, die Sehnen im Leib, darum spannen sie sich so froh und stark, und das weiß die Seele, darum genießt sie so heiter und voll die knapp bemessene Stunde; neugierig tastet und greift sie nach Helle und Heiterkeit, alles ist ihr willkommen für einen rechten Witz und eiligen Spaß. Kein Wunder, daß vor allem die Affenauslage von diesem Wunsch nach kostenloser Unterhaltung kräftig profitierte. Massenhaft scharten sich die Menschen um die verheißungsvolle Glasscheibe, voran die Midinettes, man hörte ihr Zwitschern wie aus einem zänkischen Vogelkäfig, spitz und scharf, und an sie drängten sich mit salzigen Witzen und festem Zugriff Arbeiter und Flaneure, und je dicker und dichter die Zuschauerschaft sich zum festen Klumpen ballte, desto munterer und geschwinder schwamm und tauchte mein kleiner Goldfisch im kanariengelben Überzieher bald da, bald dort durch das Geschiebe. Jetzt hielt es mich nicht länger auf meinem passiven Beobachtungsposten – jetzt galt es, ihm scharf und von nah auf die Finger zu blicken, um den eigentlichen Herzgriff des Handwerks kennenzulernen. Dies aber gab harte Mühe, denn dieser geübte Windhund hatte eine besondere Technik, sich glitschig zu machen und sich wie ein Aal durch die kleinsten Lücken eines Gedränges durchzuschlängeln – so sah ich ihn jetzt plötzlich, während er noch eben neben mir ruhig abwartend gestanden hatte, magisch verschwinden und im selben Augenblick schon ganz vorn an der Fensterscheibe. Mit einem Stoß mußte er sich durchgeschoben haben durch drei oder vier Reihen.

Selbstverständlich drängte ich ihm nach, denn ich befürchtete, er könnte, ehe ich meinerseits bis vorne ans Schaufenster gelangt sei, bereits wieder nach rechts oder links auf die ihm eigentümliche taucherische Art verschwunden sein. Aber nein, er wartete dort ganz still, merkwürdig still. Aufgepaßt! das muß einen Sinn haben, sagte ich mir sofort und musterte seine Nachbarn. Neben ihm stand eine ungewöhnlich dicke Frau, eine sichtlich arme Person. An der rechten Hand hielt sie zärtlich ein etwa elfjähriges blasses Mädchen, am linken Arm trug sie eine offene Einkaufstasche aus billigem Leder, aus der zwei der langen französischen Weißbrotstangen unbekümmert herausstiesßen; ganz offensichtlich war in dieser Tragtasche das Mittagessen für den Mann verstaut. Diese brave Frau aus dem Volk – kein Hut, ein greller Schal, ein kariertes selbstgeschneidertes Kleid aus grobem Kattun – war von dem Affenschauspiel in kaum zu beschreibender Weise entzückt, ihr ganzer breiter, etwas schwammiger Körper schüttelte sich dermaßen vor Lachen, daß die weißen Brote hin und her schwankten, sie schmetterte so kollernde, juchzende Stöße von Lachen aus sich heraus, daß sie bald den andern ebensoviel Spaß bereitete wie ein Äffchen. Mit der naiven Urlust einer elementaren Natur, mit der herrlichen Dankbarkeit all jener, denen im Leben wenig geboten ist, genoß sie das seltene Schauspiel: ach, nur die Armen können so wahrhaft dankbar sein, nur sie, denen es höchster Genuß des Genusses ist, wenn er nichts kostet und gleichsam vom Himmel geschenkt wird. Immer beugte sich die Gutmütige zwischendurch zu dem Kind herab, ob es nur recht genau sehe und ihm keine der Possierlichkeiten entgehe. »Rrregarrde doonc, Maarguieriete« munterte sie in ihrem breiten, meridionalen Akzent das blasse Mädchen immer wieder auf, das unter so viel fremden

Menschen zu scheu war, sich laut zu freuen. Herrlich war diese Frau, diese Mutter anzusehen, eine wahre Gäatochter, Urstamm der Erde, gesunde, blühende Frucht des französischen Volkes, und man hätte sie umarmen können, diese Treffliche, für ihre schmetternde, heitere, sorglose Freude. Aber plötzlich wurde mir etwas unheimlich. Denn ich merkte, wie der Ärmel des kanariengelben Überziehers immer näher an die Einkaufstasche heranpendelte, die sorglos offen stand (nur die Armen sind sorglos).

Um Gottes willen! Du willst doch nicht dieser armen, braven, dieser unsagbar gutmütigen und lustigen Frau die schmale Börse aus dem Einkaufskorb klauen? Mit einemmal revoltierte etwas in mir. Bisher hatte ich diesen Taschendieb mit Sportfreude beobachtet, ich hatte, aus seinem Leib, aus seiner Seele heraus denkend und mitfühlend, gehofft, ja gewünscht, es möge ihm endlich für einen so ungeheuren Einsatz an Mühe, Mut und Gefahr ein kleiner Coup gelingen. Aber jetzt, da ich zum erstenmal nicht nur den Versuch des Stehlens, sondern auch den Menschen leibhaftig sah, der bestohlen werden sollte, diese rührend naive, diese selig ahnungslose Frau, die wahrscheinlich für ein paar Sous stundenlang Stuben scheuerte und Stiegen schrubbte, da kam mich Zorn an. Kerl, schieb weg! hätte ich ihm am liebsten zugeschrien, such dir jemand anderen als diese arme Frau! Und schon drängte ich mich scharf vor und an die Frau heran, um den gefährdeten Einkaufskorb zu schützen. Aber gerade während meiner vorstoßenden Bewegung wandte sich der Bursche um und drängte glatt an mir vorbei. »Pardon, Monsieur«, entschuldigte sich beim Anstreifen eine sehr dünne und demütige Stimme (zum erstenmal hörte ich sie), und schon schlüpfte das gelbe Mäntelchen aus dem Gedränge. Sofort, ich weiß nicht warum, hatte ich das Gefühl: er hat bereits zugegriffen. Nur ihn jetzt nicht aus den Augen lassen! Brutal – ein Herr fluchte hinter mir, ich hatte ihn hart auf den Fuß getreten – drückte ich mich aus dem Quirl und kam gerade noch zurecht, um zu sehen, wie das kanariengelbe Mäntelchen bereits um die

Ecke des Boulevards in eine Seitengasse wehte. Ihm nach jetzt, ihm nach! Festbleiben an seinen Fersen! Aber ich mußte scharfe Schritte einschalten, denn – ich traute zuerst kaum meinen Augen –: dieses Männchen, das ich eine Stunde lang beobachtet hatte, war mit einemmal verwandelt. Während es vordem scheu und beinahe beduselt zu torkeln schien, flitzte es jetzt leicht wie ein Wiesel die Wand entlang mit dem typischen Angstschritt eines mageren Kanzlisten, der den Omnibus versäumt hat und sich eilt, ins Bureau zurecht zu kommen. Nun bestand kein Zweifel mehr für mich. Das war die Gangart nach der Tat, die Diebsgangart Nummer zwei, um möglichst schnell und unauffällig dem Tatort zu entflüchten. Nein, es bestand kein Zweifel: der Schuft hatte dieser hundearmen Person die Geldbörse aus der Einkaufstasche geklaut.

In erster Wut hätte ich beinahe Alarmsignal gegeben: Au voleur! Aber dann fehlte mir der Mut. Denn immerhin, ich hatte den faktischen Diebstahl nicht beobachtet, ich konnte ihn nicht voreilig beschuldigen. Und dann – es gehört ein gewisser Mut dazu, einen Menschen anzupacken und in Vertretung Gottes Justiz zu spielen: diesen Mut habe ich nie gehabt, einen Menschen anzuklagen und anzugeben. Denn ich weiß genau, wie gebrechlich alle Gerechtigkeit ist und welche Überheblichkeit es ist, von einem problematischen Einzelfall das Recht ableiten zu wollen in unserer verworrenen Welt. Aber während ich noch mitten im scharfen Nacheilen überlegte, was ich tun solle, wartete meiner eine neue Überraschung, denn kaum zwei Straßen weiter schaltete plötzlich dieser erstaunliche Mensch eine dritte Gangart ein. Er stoppte mit einemmal den scharfen Lauf, er duckte und drückte sich nicht mehr zusammen, sondern ging plötzlich ganz still und gemächlich, er promenierte gleichsam privat. Offenbar wußte er die Zone der Gefahr überschritten, niemand verfolgte ihn, also konnte niemand mehr ihn überweisen. Ich begriff, nun wollte er nach der ungeheuren Spannung locker atmen, er war gewissermaßen Taschendieb außer Dienst, Rentner seines Berufes, einer von den vielen Tausenden Men-

schen in Paris, die still und gemächlich mit einer frisch ange-
zündeten Zigarette über das Pflaster gehen; mit einer uner-
schütterlichen Unschuld schlenderte das dünne Männchen ganz
ausgeruhten, bequemen, lässigen Ganges über die Chaussée
d'Antin dahin, und zum erstenmal hatte ich das Gefühl, es musterte sogar die vorübergehenden Frauen und Mädchen auf ihre
Hübschheit oder Zugänglichkeit.

Nun, und wohin jetzt, Mann der ewigen Überraschungen?
Siehe da: in den kleinen, von jungem, knospendem Grün um-
buschten Square vor der Trinité? Wozu? Ach, ich verstehe! Du
willst dich ein paar Minuten ausruhen auf einer Bank, und wie
auch nicht? Dieses unablässige Hinundherjagen muß dich
gründlich müde gemacht haben. Aber nein, der Mann der unablässigen Überraschungen setzte sich nicht hin auf eine der
Bänke, sondern steuerte zielbewußt – ich bitte jetzt um Verzei-
hung! – auf ein kleines, für allerprivateste Zwecke öffentlich
bestimmtes Häuschen zu, dessen breite Tür er sorgfältig hinter
sich schloß.

Im ersten Augenblick mußte ich blank herauslachen: endet
Künstlertum an solch allmenschlicher Stelle? Oder ist dir der
Schreck so arg in die Eingeweide gefahren? Aber wieder sah ich,
daß die ewig possentreibende Wirklichkeit immer die amüsan-
teste Arabeske findet, weil sie mutiger ist als der erfindende
Schriftsteller. Sie wagt unbedenklich, das Außerordentliche neben das Lächerliche zu setzen und boshafterweise das unver-
meidbar Menschliche neben das Erstaunliche. Während ich –
was blieb mir übrig? – auf einer Bank auf sein Wiederkommen
aus dem grauen Häuschen wartete, wurde mir klar, daß dieser
erfahrene und gelernte Meister seines Handwerks hierin nur mit
der selbstverständlichen Logik seines Metiers handelte, wenn er
vier sichere Wände um sich stellte, um seinen Verdienst abzu-
zählen, denn auch dies (ich hatte es vorhin nicht bedacht) gehörte zu den von uns Laien gar nicht erwägbaren Schwierig-
keiten für einen berufsmäßigen Dieb, daß er rechtzeitig daran
denken muß, sich der Beweisstücke seiner Beute völlig unkon-

trollierbar zu entledigen. Und nichts ist ja in einer so ewig wachen, mit Millionen Augen spähenden Stadt schwerer zu finden als vier schützende Wände, hinter denen man sich völlig verbergen kann; auch wer nur selten Gerichtsverhandlungen liest, erstaunt jedesmal, wie viele Zeugen bei dem nichtigsten Vorfall, bewaffnet mit einem teuflisch genauen Gedächtnis, prompt zur Stelle sind. Zerreiße auf der Straße einen Brief und wirf ihn in die Gosse: Dutzende schauen dir dabei zu, ohne daß du es ahnst, und fünf Minuten später wird irgendein müßiger Junge sich vielleicht den Spaß machen, die Fetzen wieder zusammenzusetzen. Mustere deine Brieftasche in einem Hausflur: morgen, wenn irgendeine in dieser Stadt als gestohlen gemeldet ist, wird eine Frau, die du gar nicht gesehen hast, zur Polizei laufen und eine so komplette Personsbeschreibung von dir geben wie ein Balzac. Kehr ein in ein Gasthaus, und der Kellner, den du gar nicht beachtest, merkt sich deine Kleidung, deine Schuhe, deinen Hut, deine Haarfarbe und die runde oder flache Form deiner Fingernägel. Hinter jedem Fenster, jeder Auslagenscheibe, jeder Gardine, jedem Blumentopf blicken dir ein paar Augen nach, und wenn du hundertmal selig meinst, unbeobachtet und allein durch die Straßen zu streifen, überall sind unberufene Zeugen zur Stelle, ein tausendmaschiges, täglich erneuertes Netz von Neugier umspannt unsere ganze Existenz. Vortrefflicher Gedanke darum, du gelernter Künstler, für fünf Sous dir vier undurchsichtige Wände für ein paar Minuten zu kaufen. Niemand kann dich bespähen, während du die gepaschte Geldbörse ausweidest und die anklägerische Hülle verschwinden läßt, und sogar ich, dein Doppelgänger und Mitgänger, der hier gleichzeitig erheitert und enttäuscht wartet, wird dir nicht nachrechnen können, wieviel du erbeutet hast.

So dachte ich zumindest, aber abermals kam es anders. Denn kaum daß er mit seinen dünnen Fingern die Eisentür aufgeklinkt hatte, wußte ich schon um sein Mißgeschick, als hätte ich innen das Portemonnaie mitgezählt: erbärmlich magere Beute! An der Art, wie er die Füße enttäuscht vorschob, ein müder, ausgeschöpfter Mensch, schlaff und dumpf die Augenlider über dem gesenkten Blick, erkannte ich sofort: Pechvogel, du hast umsonst gerobotet den ganzen langen Vormittag. In jener geraubten Geldtasche war zweifellos (ich hätte es dir voraussagen können) nichts Rechtes gewesen, im besten Falle zwei oder drei zerknitterte Zehnfrancsscheine – viel, viel zu wenig für diesen ungeheuren Einsatz an handwerklicher Leistung und halsbrecherischer Gefahr – viel nur leider für die unselige Aufwartefrau, die jetzt wahrscheinlich weinend in Belleville schon zum siebentenmal den herbeigeeilten Nachbarsfrauen von ihrem Mißgeschick erzählte, auf die elende Diebskanaille schimpfte und immer wieder mit zitternden Händen die ausgeraubte Einkaufstasche verzweifelt vorzeigte. Aber für den gleichfalls armen Dieb, das merkte ich mit einem Blick, war der Fang eine Niete, und nach wenigen Minuten sah ich meine Vermutung bereits bestätigt. Denn dieses Häufchen Elend, zu dem er jetzt, körperlich wie seelisch ermüdet, zusammengeschmolzen war, blieb vor einem kleinen Schuhgeschäft sehnsüchtig stehen und musterte lange die billigsten Schuhe in der Auslage. Schuhe, neue Schuhe, die brauchte er doch wirklich statt der zerlöcherten Fetzen an seinen Füßen, er brauchte sie notwendiger als die hunderttausend anderen, die heute mit guten, ganzen Sohlen oder leisem Gummidruck über das Pflaster von Paris flanierten, er benötigte sie doch geradezu für sein trübes Handwerk. Aber der hungrige und zugleich vergebliche Blick verriet deutlich: zu einem solchen Paar, wie es da, blankgewichst und mit vierundfünfzig Francs angezeichnet, in der Auslage stand, hatte jener Griff nicht gereicht: mit bleiernen Schultern bog er sich weg von dem spiegelnden Glas und ging weiter.

Weiter, wohin? Wieder auf solch halsbrecherische Jagd? Noch einmal die Freiheit wagen für eine so erbärmliche, unzulängliche Beute? Nein, du Armer, ruh wenigstens ein bißchen aus. Und wirklich, als hätte er meinen Wunsch magnetisch gefühlt, bog er jetzt ein in eine Seitengasse und blieb endlich stehen vor einem billigen Speisehaus. Für mich war es selbstverständlich, ihm nachzufolgen. Denn alles wollte ich von diesem Menschen wissen, mit dem ich jetzt seit zwei Stunden mit pochenden Adern, mit bebender Spannung lebte. Zur Vorsicht kaufte ich mir rasch noch eine Zeitung, um mich besser hinter ihr verschanzen zu können, dann trat ich, den Hut mit Absicht tief in die Stirn gedrückt, in die Gaststube ein und setzte mich einen Tisch hinter ihn. Aber unnötige Vorsicht – dieser arme Mensch hatte zur Neugier keine Kraft mehr. Ausgeleert und matt starrte er mit einem stumpfen Blick auf das weiße Gedeck, und erst als der Kellner das Brot brachte, wachten seine mageren, knochigen Hände auf und griffen gierig zu. An der Hast, mit der er zu kauen begann, erkannte ich erschüttert alles: dieser arme Mensch hatte Hunger, richtigen, ehrlichen Hunger, einen Hunger seit frühmorgens und vielleicht seit gestern schon, und mein plötzliches Mitleid für ihn wurde ganz brennend, als ihm der Kellner das bestellte Getränk brachte: eine Flasche Milch. Ein Dieb, der Milch trinkt! Immer sind es ja einzelne Kleinigkeiten, die wie ein aufflammendes Zündholz mit einem Blitz die ganze Tiefe eines Seelenraumes erhellen, und in diesem einen Augenblick, da ich ihn, den Taschendieb, das unschuldigste, das kindlichste aller Getränke, da ich ihn weiße, sanfte Milch trinken sah, hörte er sofort für mich auf, Dieb zu sein. Er war nur mehr einer von den unzähligen Armen und Gejagten und Kranken und Jämmerlichen dieser schief gezimmerten Welt, mit einmal fühlte ich mich in einer viel tieferen Schicht als jener der Neugierde ihm verbunden. In allen Formen der gemeinsamen Irdischkeit, in der Nacktheit, im Frost, im Schlaf, in der Ermüdung, in jeder Not des leidenden Leibes fällt zwischen Menschen das Trennende ab, die künstlichen Kategorien verlöschen, welche die Menschheit in Gerechte und Ungerechte, in Ehrenwerte und Verbrecher teilen, nichts bleibt übrig als das arme ewige Tier, die irdische Kreatur, die Hunger hat, Durst, Schlafbedürfnis und Müdigkeit wie du und ich und alle. Ich sah ihm zu wie gebannt, während er mit vorsichtigen kleinen und doch gierigen Schlucken die dicke Milch trank und schließlich noch die

Brotkrumen zusammenscharrte, und gleichzeitig schämte ich mich dieses meines Zuschauens, ich schämte mich, jetzt schon zwei Stunden diesen unglücklichen gejagten Menschen wie ein Rennpferd für meine Neugier seinen dunklen Weg laufen zu lassen, ohne den Versuch, ihn zu halten oder ihm zu helfen. Ein unermeßliches Verlangen ergriff mich, auf ihn zuzutreten, mit ihm zu sprechen, ihm etwas anzubieten. Aber wie dies beginnen? Wie ihn ansprechen? Ich forschte und suchte bis aufs schmerzhafteste nach einer Ausrede, nach einem Vorwand, und fand ihn doch nicht. Denn so sind wir! Taktvoll bis zur Erbärmlichkeit, wo es ein Entscheidendes gilt, kühn im Vorsatz und doch jämmerlich mutlos, die dünne Luftschicht zu durchstoßen, die einen von einem anderen Menschen trennt, selbst wenn man ihn in Not weiß. Aber was ist, jeder weiß es, schwerer, als einem Menschen zu helfen, solange er nicht um Hilfe ruft, denn in diesem Nichtanrufen hat er noch einen letzten Besitz: seinen Stolz, den man nicht zudringlich verletzen darf. Nur die Bettler machen es einem leicht, und man sollte ihnen danken dafür, weil sie einem nicht den Weg zu sich sperren – dieser aber war einer von den Trotzigen, die lieber ihre persönliche Freiheit in gefahrvollster Weise einsetzen, statt zu betteln, die lieber stehlen, statt Almosen zu nehmen. Würde es ihn nicht seelenmörderisch erschrecken, drängte ich mich unter irgendeinem Vorwand und ungeschickt an ihn heran? Und dann, er saß so maßlos müde da, daß jede Störung eine Roheit gewesen wäre. Er hatte den Sessel ganz an die Mauer geschoben, so daß gleichzeitig der Körper am Sesselrücken und der Kopf an der Wand lehnte, die bleigrauen Lider für einen Augenblick geschlossen: ich verstand, ich fühlte, am liebsten hätte er jetzt geschlafen, nur zehn, nur fünf Minuten lang. Geradezu körperlich drang seine Ermüdung und Erschöpfung in mich ein. War diese fahle Farbe des Gesichtes nicht weißer Schatten einer gekalkten Gefängniszelle? Und dieses Loch im Ärmel, bei jeder Bewegung aufblitzend, verriet es nicht, daß keine Frau besorgt und zärtlich in seinem Schicksal war? Ich versuchte mir sein Leben vorzustellen: irgendwo im fünften

Mansardenstock ein schmutziges Eisenbett im ungeheizten Zimmer, eine zerbrochene Waschschale, ein kleines Kofferchen als ganzen Besitz und in diesem engen Zimmer noch immer die Angst vor dem schweren Schritt des Polizisten, der die knarrenden Stufen treppauf steigt; alles sah ich in diesen zwei oder drei Minuten, da er erschöpft seinen dünnen knochigen Körper und seinen leicht greisenhaften Kopf an die Mauer lehnte. Aber der Kellner scharrte bereits auffällig die gebrauchten Gabeln und Messer zusammen: er liebte derart späte und langwierige Gäste nicht. Ich zahlte als erster und ging rasch, um seinen Blick zu vermeiden; als er wenige Minuten später auf die Straße trat, folgte ich ihm; um keinen Preis wollte ich mehr diesen armen Menschen sich selbst überlassen.

Denn jetzt war es nicht mehr wie vormittags eine spielerische und nervenmäßige Neugier, die mich an ihn heftete, nicht mehr die verspielte Lust, ein unbekanntes Handwerk kennenzulernen, jetzt spürte ich bis in die Kehle eine dumpfe Angst, ein fürchterlich drückendes Gefühl, und würgender wurde dieser Druck, sobald ich merkte, daß er den Weg abermals zum Boulevard hin nahm. Um Gottes willen, du willst doch nicht wieder vor dieselbe Auslage mit den Äffchen? Mach keine Dummheiten! Überleg's doch, längst muß die Frau die Polizei verständigt haben, gewiß wartet sie dort schon, dich gleich an deinem dünnen Mäntelchen zu fassen. Und überhaupt: laß für heute von der Arbeit! Versuch nichts Neues, du bist nicht in Form. Du hast keine Kraft mehr in dir, keinen Elan, du bist müde, und was man in der Kunst mit Müdigkeit beginnt, ist immer schlecht getan. Ruh dich lieber aus, leg dich ins Bett, armer Mensch: nur heute nichts mehr, nur nicht heute! Unmöglich zu erklären, wieso dieser Angstgedanke über mich kam, diese geradezu halluzinatorische Gewißheit, daß er beim ersten Versuch heute unbedingt ertappt werden müßte. Immer stärker wurde meine Besorgnis, je mehr wir uns dem Boulevard näherten, schon hörte man das Brausen seines ewigen Katarakts. Nein, um keinen Preis mehr vor jene Auslage, ich dulde es nicht, du Narr! Schon war ich hinter ihm und hatte die Hand bereit, ihn am Arm zu fassen, ihn zurückzureißen. Aber als hätte er abermals meinen inneren Befehl verstanden, machte mein Mann unvermuteterweise eine Wendung. Er überquerte in der Rue Drouot, eine Straße vor dem Boulevard, den Fahrdamm und ging mit einer plötzlich sicheren Haltung, als hätte er dort seine Wohnung, auf ein Haus zu. Ich erkannte sofort dieses Haus: es war das Hôtel Drouot, das bekannte Versteigerungsinstitut von Paris.

Ich war verblüfft, nun, ich weiß nicht mehr zum wievielten Mal, durch diesen erstaunlichen Mann. Denn indes ich sein Leben zu erraten mich bemühte, mußte gleichzeitig eine Kraft in ihm meinen geheimsten Wünschen entgegenkommen. Von den hunderttausend Häusern dieser fremden Stadt Paris hatte ich mir heute morgen vorgenommen, gerade in dieses eine Haus zu gehen, weil es mir immer die anregendsten, kenntnisreichsten und zugleich amüsantesten Stunden schenkt. Lebendiger als ein Museum und an manchen Tagen ebenso reich an Schätzen, jederzeit abwechslungsvoll, immer anders, immer dasselbe, liebe ich dieses äußerlich so unscheinbare Hôtel Drouot als eines der schönsten Schaustücke, denn es stellt in überraschender Verkürzung die ganze Sachwelt des Pariser Lebens dar. Was sonst in den verschlossenen Wänden einer Wohnung sich zu einem organischen Ganzen bindet, liegt hier zu zahllosen Einzeldingen zerhackt und aufgelöst wie in einem Fleischerladen der zerstükkelte Leib eines riesigen Tieres, das Fremdeste und Gegensätzlichste, das Heiligste und das Alltäglichste ist hier durch die gemeinste aller Gemeinsamkeiten gebunden: alles, was hier zur Schau liegt, will zu Geld werden. Bett und Kruzifix und Hut und Teppich, Uhr und Waschschüssel, Marmorstatuen von Houdon und Tombakbestecke, persische Miniaturen und versilberte Zigarettendosen, schmutzige Fahrräder neben Erstausgaben von Paul Valéry, Grammophone neben gotischen Madonnen, Bilder von van Dyck Wand an Wand mit schmierigen Öldrucken, Sonaten Beethovens neben zerbrochenen Öfen, das Notwendigste und das Überflüssigste, der niedrigste Kitsch und die kostbarste Kunst, groß und klein und echt und falsch und alt und neu, alles, was je von Menschenhand und Menschengeist erschaffen wurde, das Erhabenste wie das Stupideste, strömt in diese Auktionsretorte, die grausam gleichgültig alle Werte dieser riesigen Stadt in sich zieht und wieder ausspeit. Auf diesem unbarmherzigen Umschlagplatz aller Werte zu Münze und Zahl, auf diesem riesigen Krammarkt menschlicher Eitelkeiten und Notwendigkeiten, an diesem phantastischen Ort spürt man stärker als irgendwo sonst die ganze verwirrende Vielfalt unserer materiellen Welt. Alles kann der Notstand hier verkaufen, der Besitzende erkaufen, aber nicht Gegenstände allein erwirbt man hier, sondern auch Einblicke und Kenntnisse. Der Achtsame kann hier durch Zuschauen und Zuhören jede Materie besser verstehen lernen, Kenntnis der Kunstgeschichte, Archäologie, Bibliophilie, Briefmarkenbewertung, Münzkunde und nicht zum mindesten auch Menschenkunde. Denn ebenso vielfältig wie die Dinge, die aus diesen Sälen in andere Hände wandern wollen und sich nur für eine kurze Frist ausruhen von der Knechtschaft des Besitzes, ebenso vielfältig sind die Menschenrassen und -klassen, die neugierig und kaufgierig sich um die Versteigerungstische drängen, die Augen unruhig von der Leidenschaft des Geschäftes, dem geheimnisvollen Brand der Sammelwut. Hier sitzen die großen Händler in ihren Pelzen und sauber gebürsteten Melonenhüten neben kleinen schmutzigen Antiquaren und Bric-à-brac-Trödlern der Rive Gauche, die billig ihre Buden füllen wollen, zwischendurch schwirren und schwatzen die kleinen Schieber und Zwischenhändler, die Agenten, die Aufbieter, die »Raccailleurs«, die unvermeidlichen Hyänen des Schlachtfeldes, um rasch ein Objekt, ehe es billig zu Boden fällt, aufzuhaschen oder, wenn sie einen Sammler in ein kostbares Stück richtig verbissen sehen, ihn mit gegenseitigem Augenzwinkern hochzuwippen. Selber zu Pergament gewordene Bibliothekare schleichen hier bebrillt herum wie schläfrige Tapire, dann rauschen wieder bunte Paradiesvögel, hochelegante, beperlte Damen herein, die ihre Lakaien vorausgeschickt haben, um ihnen einen Vorderplatz am Auktionstisch frei zu halten, in einer Ecke stehen unterdes wie Kraniche still und mit zurückhaltendem Blick die wirklichen Kenner, die Freimaurerschaft der Sammler. Hinter all diesen Typen aber, die das Geschäft oder die Neugier oder die Kunstliebe aus wirklicher Anteilnahme heranlockt, wogt jedesmal eine zufällige Masse von bloß Neugierigen, die sich einzig an der kostenlos gegebenen Heizung wärmen wollen oder sich an den funkelnden Fontänen der emporgeschleuderten Zahlen freuen. Jeden aber, der hierher kommt, treibt eine Absicht, jene des Sammelns, des Spielens, des Verdienens, des Besitzenwollens oder bloß des Sichwärmens, Sicherhitzens an fremder Hitze, und dieses gedrängte Menschenchaos teilt und ordnet sich in eine ganz unwahrscheinliche Fülle von Physiognomien. Eine einzige Spezies aber hatte ich niemals hier vertreten gesehen oder gedacht: die Gilde der Taschendiebe. Doch jetzt, da ich meinen Freund mit sicherem Instinkt einschleichen sah, verstand ich sofort, daß dieser eine Ort auch das ideale, ja vielleicht das idealste Revier von Paris für seine hohe Kunst sein müsse. Denn hier sind alle notwendigen Elemente aufs wunderbarste vereinigt, das gräßliche und kaum erträgliche Gedränge, die unbedingt erforderliche Ablenkung durch die Gier des Schauens, des Wartens, des Lizitierens. Und drittens: ein Versteigerungsinstitut ist, außer dem Rennplatz, beinahe der letzte Ort unserer heutigen Welt, wo alles noch bar auf den Tisch bezahlt werden muß, so daß anzunehmen ist, unter jedem Rock runde sich die weiche Geschwulst einer gefüllten Brieftasche. Hier oder niemals wartet große Gelegenheit für eine flinke Pfote, und wahrscheinlich, jetzt begriff ich's, war die kleine Probe am Vormittag für meinen Freund bloß eine Fingerübung gewesen. Hier aber rüstete er zum eigentlichen Meisterstreich.

Und doch: am liebsten hätte ich ihn am Ärmel zurückgerissen, als er jetzt lässig die Stufen zum ersten Stock hinaufstieg. Um Gottes willen, siehst du denn nicht dort das Plakat in drei Sprachen: »Beware of pickpockets!«, »Attention aux pickpockets!«, »Achtung vor Taschendieben!«? Siehst du das nicht, du leichtfertiger Narr? Man weiß hier um deinesgleichen, gewiß schleichen Dutzende von Detektiven hier durchs Gedränge, und nochmals, glaub mir, du bist heute nicht in Form! Aber kühlen Blickes das ihm anscheinend wohlbekannte Plakat streifend, stieg der ausgepichte Kenner der Situation ruhig die Stufen empor, ein taktischer Entschluß, den ich an sich nur billigen konnte. Denn in den unteren Sälen wird meist nur grober Hausrat verkauft, Wohnungseinrichtungen, Kasten und Schränke, dort drängt und quirlt die unergiebige und unerfreuliche Masse der Altwarenhändler, die vielleicht noch nach guter Bauernsitte sich die Geldkatze sicher um den Bauch schnüren und die anzugehen weder ergiebig noch ratsam sein dürfte. In den Sälen des ersten Stockes aber, wo die subtileren Gegenstände versteigert werden, Bilder, Schmuck, Bücher, Autographen, Juwelen, dort sind zweifellos die volleren Taschen und sorgloseren Käufer.

Ich hatte Mühe, hinter meinem Freund zu bleiben, denn kreuz und quer paddelte er vom Haupteingang aus in jeden einzelnen Saal, vor und wieder zurück, um in jedem die Chancen auszumessen; geduldig und beharrlich wie ein Feinschmecker ein besonderes Menü las er zwischendurch die angeschlagenen Plakate. Endlich entschied er sich für den Saal sieben, wo »La célèbre collection de porcelaine chinoise et japonaise de Mme. la Comtesse Yves de G …« versteigert wurde. Zweifellos, hier gab es heute sensationell kostspielige Ware, denn die Leute standen derart dicht gedrängt, daß man vom Eingang zunächst den Auktionstisch hinter den Mänteln und Hüten überhaupt nicht wahrnehmen konnte. Eine enggeschlossene, vielleicht zwanzig- oder dreißigreihige Menschenmauer sperrte jede Sicht auf den langen, grünen Tisch, und von unserem Platz an der Eingangstür erhaschte man gerade noch die amüsanten Bewegungen des Auktionators, des Commissaire-priseur, der von seinem erhöhten Pult aus, den weißen Hammer in der Hand, wie ein Orchesterchef das ganze Versteigerungsspiel dirigierte und über beängstigend lange Pausen immer wieder zu einem Prestissimo führte. Wahrscheinlich wie andere kleine Angestellte irgendwo in Ménilmontant oder sonst einer Vorstadt wohnhaft, zwei Zimmer, ein Gasherdchen, ein Grammophon als köstlichste Habe und ein paar Pelargonien vor dem Fenster, genoß er hier vor einem illustren Publikum, mit einem schnittigen Cutaway angetan, das Haar mit Pomade sorgfältig gescheitelt, sichtbar selig die unerhörte Lust, jeden Tag durch drei Stunden mit einem kleinen Hammer die kostbarsten Werte von Paris zu Geld zerschlagen zu dürfen. Mit der eingelernten Liebenswürdigkeit eines Akrobaten fing er von links, von rechts, vom Tisch und von der Tiefe des Saales die verschiedenen Angebote – »six-cents, six-cents-cinq, six-cents-dix« – graziös auf wie einen bunten Ball und schleuderte, die Vokale rundend, die Konsonanten auseinanderziehend, dieselben Ziffern gleichsam sublimiert zurück. Zwischendurch spielte er das Animiermädchen, mahnte, wenn ein Angebot ausblieb und der Zahlenwirbel stockte, mit einem verlockenden Lächeln, »Personne à droite? Personne à gauche?«, oder er drohte, eine kleine dramatische Falte zwischen die Augenbrauen schiebend und den entscheidenden Elfenbeinhammer mit der rechten Hand erhebend: »J'adjuge«, oder er lächelte ein »Voyons, Messieurs, c'est pas du tout cher«. Dazwischen grüßte er kennerisch einzelne Bekannte, blinzelte manchen Bietern schlau aufmunternd zu, und während er die Ansage jedes neuen Auktionsstückes mit einer sachlich notwendigen Feststellung, »le numéro trente-trois«, ganz trocken begann, stieg mit dem wachsenden Preis sein Tenor immer bewußter ins Dramatische empor. Er genoß es sichtlich, daß durch drei Stunden drei- oder vierhundert Menschen atemlos gierig bald seine Lippen anstarrten, bald das magische Hämmerchen in seiner Hand. Dieser trügerische Wahn, er selbst habe zu entscheiden, indes er nichts als das Instrument der zufälligen Angebote war, gab ihm ein berauschendes Selbstbewußtsein; wie ein Pfau schlug er seine vokalischen Räder, was mich aber keineswegs hinderte, innerlich festzustellen, daß er mit all seinen übertriebenen Gesten meinem Freunde eigentlich nur denselben notwendigen Ablenkedienst erwies wie die drei possierlichen Äffchen des Vormittags.

Vorläufig konnte mein wackerer Freund aus dieser Komplicenhilfe noch keinen Vorteil ziehen, denn wir standen noch immer hilflos in der letzten Reihe, und jeder Versuch, sich durch diese kompakte, warme und zähe Menschenmasse bis zum Auktionstisch vorzukeilen, schien mir vollkommen aussichtslos. Aber wieder bemerkte ich, wie sehr ich noch Eintagsdilettant war in diesem interessanten Gewerbe. Mein Kamerad, der erfahrene Meister und Techniker, wußte längst, daß immer im Augenblick, da der Hammer endgültig niederfiel – siebentausendzweihundertsechzig Francs jubelte eben der Tenor –, daß sich in dieser kurzen Sekunde der Entspannung die Mauer lockerte. Die aufgeregten Köpfe sanken nieder, die Händler notierten die Preise in die Kataloge, ab und zu entfernte sich ein Neugieriger, für einen Augenblick kam Luft in die gepreßte Menge. Und diesen Moment benutzte er genial geschwind, um mit niedergedrücktem Kopf wie ein Torpedo sich vorzustoßen. Mit einem Ruck hatte er sich durch vier, fünf Menschenreihen gezwängt, und ich, der ich mir doch geschworen hatte, den Unvorsichtigen nicht sich selbst zu überlassen, stand plötzlich allein und ohne ihn. Ich drängte zwar jetzt gleichfalls vor, aber schon nahm die Auktion wieder ihren Gang, schon schloß sich die Mauer wieder zusammen, und ich blieb im prallsten Gedränge hilflos stecken wie ein Karren im Sumpf. Entsetzlich war diese heiße, klebrige Presse, hinter, vor mir, links, rechts fremde Körper, fremde Kleider und so nah heran, daß jedes Husten eines Nachbars in mich hineinschütterte. Unerträglich dazu noch die Luft, es roch nach Staub, nach Dumpfem und Saurem und vor allem nach Schweiß wie überall, wo es um Geld geht; dampfend vor Hitze, versuchte ich den Rock zu öffnen, um mit der Hand nach meinem Taschentuch zu fassen. Vergeblich, zu eng war ich eingequetscht. Aber doch, aber doch, ich gab nicht nach, langsam und stetig drängte ich weiter nach vorn, eine Reihe weiter und wieder eine. Jedoch zu spät! Das kanariengelbe Mäntelchen war verschwunden. Es steckte irgendwo unsichtbar in der Masse, niemand wußte von seiner gefährlichen Gegenwart, nur ich allein, dem alle Nerven bebten von einer mystischen Angst, diesem armen Teufel müsse heute etwas Entsetzliches zustoßen. Jede Sekunde erwartete ich, jemand würde aufschreien: Au voleur, ein Getümmel, ein Wortwechsel würde entstehen, und man würde ihn hinausschleifen, an beiden Ärmeln seines Mäntelchens gepackt – ich kann es nicht erklären, wieso diese grauenhafte Gewißheit in mich kam, es müsse ihm heute und gerade heute sein Zugriff mißlingen.

Aber siehe, nichts geschah, kein Ruf, kein Schrei; im Gegenteil, das Gerede, Gescharre und Gesurre hörte jählings auf. Mit einemmal wurde es merkwürdig still, als preßten diese zwei-, dreihundert Menschen alle auf Verabredung den Atem nieder, alle blickten sie jetzt mit verdoppelter Spannung zu dem Commissaire-priseur, der einen Schritt zurücktrat unter den Leuchter, so daß seine Stirn besonders feierlich erglänzte. Denn das Hauptstück der Auktion war an die Reihe gekommen, eine riesige Vase, die der Kaiser von China höchst persönlich vor dreihundert Jahren dem König von Frankreich mit einer Gesandtschaft als Präsent geschickt und die, wie viele andere Dinge, während der Revolution auf geheimnisvolle Weise Urlaub aus Versailles genommen hatte. Vier livrierte Diener hoben das kostbare Objekt – weißleuchtende Rundung mit blauem Adernspiel – mit besonderer und zugleich demonstrativer Vorsicht auf den Tisch, und nach einem feierlichen Räuspern verkündete der Auktionator den Ausrufpreis: »Einhundertunddreißigtausend Francs! Einhundertunddreißigtausend Francs« – ehrfürchtige Stille antwortete dieser durch viel Nullen geheiligten Zahl. Niemand wagte sofort daraufloszubieten, niemand zu sprechen oder nur den Fuß zu rühren; die dicht und heiß ineinandergekeilte Menschenmasse bildete einen einzigen starren Block von Respekt. Dann endlich hob ein kleiner weißhaariger Herr am linken Ende des Tisches den Kopf und sagte schnell, leise und fast verlegen: »Einhundertfünfunddreißigtausend«, worauf sofort der Commissaire-priseur entschlossen »Einhundertvierzigtausend« zurückschlug.

Nun begann aufregendes Spiel: der Vertreter eines großen amerikanischen Auktionshauses beschränkte sich darauf, immer nur den Finger zu heben, worauf wie bei einer elektrischen Uhr die Ziffer des Angebotes sofort um fünftausend vorsprang, vom anderen Tischende bot der Privatsekretär eines großen Sammlers (man raunte leise den Namen) kräftig Paroli; allmählich wurde die Auktion zum Dialog zwischen den beiden Bietern, die einander quer gegenübersaßen und störrisch vermieden, sich gegenseitig anzublicken: beide adressierten sie einzig ihre Mitteilungen an den Commissaire-priseur, der sie mit sichtlicher Befriedigung empfing. Endlich, bei zweihundertsechzigtausend, hob der Amerikaner zum erstenmal nicht mehr den Finger; wie ein eingefrorner Ton blieb die ausgerufene Zahl leer in der Luft hängen. Die Erregung wuchs, viermal wiederholte der Commissaire-priseur: »Zweihundertsechzigtausend ... zweihundertsechzigtausend ...« Wie einen Falken nach Beute warf er die Zahl hoch in den Raum. Dann wartete er, blickte gespannt und leise enttäuscht nach rechts und links (ach, er hätte noch gern weitergespielt!): »Bietet niemand mehr?« Schweigen und Schweigen. »Bietet niemand mehr?« Es klang fast wie Verzweiflung. Das Schweigen begann zu schwingen, eine Saite ohne Ton. Langsam erhob sich der Hammer. Jetzt standen dreihundert Herzen still ... »Zweihundertsechzigtausend Francs zum ersten ... zum zweiten ... zum ...«

Wie ein einziger Block lag das Schweigen auf dem verstummten Saal, niemand atmete mehr. Mit fast religiöser Feierlichkeit hob der Commissaire-priseur den Elfenbeinhammer über die verstummte Menge. Noch einmal drohte er: »J'adjuge.« Nichts! Keine Antwort. Und dann: »Zum drittenmal.« Der Hammer fiel mit trockenem und bösem Schlag. Vorbei! Zweihundertsechzigtausend Francs! Die Menschenmauer schwankte und zerbrach von diesem kleinen, trockenen Schlag wieder in einzelne lebendige Gesichter, alles regte sich, atmete, schrie, stöhnte, räusperte sich. Wie ein einziger Leib rührte und entspannte sich die zusammengekeilte Menge in einer erregten Welle, in einem einzigen fortgetragenen Stoß.

Auch zu mir kam dieser Stoß, und zwar von einem fremden Ellbogen mitten in die Brust. Zugleich murmelte jemand mich an: »Pardon, Monsieur.« Ich zuckte auf. Diese Stimme! O freundliches Wunder, er war es, der schwer Vermißte, der lang Gesuchte, die auflockernde Welle hatte ihn – welch glücklicher Zufall – gerade zu mir hergeschwemmt. Jetzt hatte ich ihn, gottlob, wieder ganz nahe, jetzt konnte ich ihn endlich, endlich genau überwachen und beschirmen. Natürlich hütete ich mich wohl, ihm offen ins Antlitz zu sehen; nur von der Seite schielte ich leise hinüber, und zwar nicht nach seinem Gesicht, sondern nach seinen Händen, nach seinem Handwerkszeug, aber die waren merkwürdigerweise verschwunden: er hatte, bald merkte ich's, die beiden Unterärmel seines Mäntelchens dicht an den Leib gelegt und wie ein Frierender die Finger unter ihren schützenden Rand gezogen, damit sie unsichtbar würden. Wenn er jetzt ein Opfer antasten wollte, so konnte es nichts anderes als eine zufällige Berührung von weichem, ungefährlichem Stoff spüren, die stoßbereite Diebshand lag unter dem Ärmel verdeckt wie die Kralle in der samtenen Katzenpfote. Ausgezeichnet gemacht, bewunderte ich. Aber gegen wen zielte dieser Griff? Ich schielte vorsichtig zu seiner Rechten hin, dort stand ein hagerer, durchaus zugeknöpfter Herr und vor ihm, mit breitem und uneinnehmbarem Rücken, ein zweiter; so war mir zunächst nicht klar, wie er an einen dieser beiden erfolgreich herankommen könnte. Aber plötzlich, als ich jetzt einen leisen Druck an meinem eigenen Knie fühlte, packte mich der Gedanke – und wie ein Schauer rann es eisig durch mich: am Ende gilt diese Vorbereitung mir selbst? Am Ende willst du Narr hier den einzigen im Saale angehen, der von dir weiß, und ich soll jetzt – letzte und verwirrendste Lektion! – dein Handwerk am eigenen Leibe ausproben? Wahrhaftig, es schien mir zu gelten, gerade mich, gerade mich hatte der heillose Unglücksvogel sich anscheinend ausgesucht, gerade mich, seinen Gedankenfreund, den einzigen, der ihn kannte bis in die Tiefe seines Handwerks!

Ja, zweifellos galt es mir, jetzt durfte ich mich nicht länger täuschen, denn ich spürte bereits unverkennbar, wie sich der nachbarliche Ellbogen leise mir in die Seite drückte, wie Zoll um Zoll der Ärmel mit der verdeckten Hand sich vorschob, um wahrscheinlich bei der ersten erregten Bewegung innerhalb des Gedränges mit flinkem Griff mir wippend zwischen Rock und Weste zu fahren. Zwar: mit einer kleinen Gegenbewegung hätte ich mich jetzt noch völlig sichern können; es hätte genügt, mich zur Seite zu drehen oder den Rock zuzuknöpfen, aber sonderbar, dazu hatte ich keine Kraft mehr, denn mein ganzer Körper war hypnotisiert von Erregung und Erwartung. Wie angefroren stockte mir jeder Muskel, jeder Nerv, und während ich unsinnig aufgeregt wartete, überdachte ich rasch, wieviel ich in der Brieftasche hatte, und während ich an die Brieftasche dachte, spürte ich (jeder Teil unseres Körpers wird ja sofort gefühlsempfindlich, sobald man ihn denkt, jeder Zahn, jede Zehe, jeder Nerv) den noch warmen und ruhigen Druck der Brieftasche gegen die Brust. Sie war also vorläufig noch zur Stelle, und derart vorbereitet konnte ich seinen Angriff unbesorgt bestehen. Aber ich wußte merkwürdigerweise gar nicht, ob ich diesen Angriff wollte oder nicht wollte. Mein Gefühl war völlig verwirrt und wie zweigeteilt. Denn einerseits wünschte ich um seinetwillen, der Narr möge von mir ablassen, anderseits wartete ich mit der gleichen fürchterlichen Spannung wie beim Zahnarzt, wenn der Bohrer sich der gepeinigten Stelle nähert, auf seine Kunstprobe, auf den entscheidenden Stoß. Er aber, als ob er mich für meine Neugierde strafen wollte, beeilte sich keineswegs mit seinem Zustoß. Immer wieder hielt er inne und blieb doch warm nahe. Zoll um Zoll schob er sich bedächtig näher, und obwohl meine Sinne ganz an diese drängende Berührung gebunden waren, hörte ich gleichzeitig mit einem ganz anderen Sinn vollkommen deutlich die steigenden Anbote der Auktion vom Tisch herüber:

»Dreitausendsiebenhundertfünfzig ... bietet niemand mehr? Dreitausendsiebenhundertsechzig ... siebenhundertsiebzig ... siebenhundertachtzig ... bietet niemand mehr? Bietet niemand mehr?« Dann fiel der Hammer. Abermals ging der leichte Stoß der Auflockerung nach erfolgtem Zuschlag durch die Masse, und im selben Moment fühlte ich eine Welle davon an mich herankommen. Es war kein wirklicher Griff, sondern etwas wie das Laufen einer Schlange, ein gleitender körperlicher Hauch, so leicht und schnell, daß ich ihn nie gefühlt hätte, wäre nicht alle meine Neugier an jener bedrohten Stelle Posten gestanden; nur eine Falte wie von zufälligem Wind kräuselte meinen Mantel, etwas spürte ich zart wie das Vorüberstreifen eines Vogels und ...

Und plötzlich geschah, was ich nie erwartet hatte: meine eigene Hand war von unten stoßhaft heraufgefahren und hatte die fremde Hand unter meinem Rock gepackt. Niemals hatte ich diese brutale Abwehr geplant. Es war eine mich selbst überrumpelnde Reflexbewegung meiner Muskeln. Aus rein körperlichem Abwehrinstinkt war meine Hand automatisch emporgestoßen. Und jetzt hielt – entsetzlich – zu meinem eigenen Erstaunen und Erschrecken meine Faust eine fremde, eine kalte, eine zitternde Hand um das Gelenk gepreßt: nein, das hatte ich nie gewollt!

Diese Sekunde kann ich nicht beschreiben. Ich war ganz starr vor Schreck, plötzlich ein lebendiges Stück kalten Fleisches eines fremden Menschen gewaltsam zu halten. Und genau so schreckgelähmt war er. So wie ich nicht die Kraft, nicht die Geistesgegenwart hatte, seine Hand loszulassen, so hatte er keinen Mut, keine Geistesgegenwart, sie wegzureißen. »Vierhundertfünfzig ... vierhundertsechzig ... vierhundertsiebzig ...«, schmetterte oben pathetisch der Commissaire-priseur – ich hielt noch immer die fremde kaltschauernde Diebshand. »Vierhundertachtzig ... vierhundertneunzig ...« – noch immer merkte niemand, was zwischen uns beiden vorging, niemand ahnte, daß hier zwischen zwei Menschen ein ungeheures Spannungsschicksal bestand: einzig zwischen uns zweien, nur zwischen unseren fürchterlich angestrafften Nerven ging diese namenlose Schlacht. »Fünfhundert ... fünfhundertzehn ... fünfhundertzwanzig ...«, immer geschwinder sprudelten die Zahlen, »fünfhundertdreißig ... fünfhundertvierzig ... fünfhundertfünfzig ...« Endlich – das Ganze hatte kaum mehr als zehn Sekunden gedauert – kam mir der Atem wieder. Ich ließ die fremde Hand los. Sie glitschte sofort zurück und verschwand im Ärmel des gelben Mäntelchens.

»Fünfhundertsechzig ... fünfhundertsiebzig ... fünfhundertachtzig ... sechshundert ... sechshundertzehn ...«, rasselte es oben weiter und weiter, und wir standen noch immer nebeneinander, Komplicen der geheimnisvollen Tat, beide gelähmt von dem gleichen Erlebnis. Noch spürte ich seinen Körper ganz warm angedrückt an den meinen, und als jetzt in gelöster Erregung die erstarrten Knie mir zu zittern begannen, meinte ich zu fühlen, wie dieser leichte Schauer in die seinen überlief. »Sechshundertzwanzig ... dreißig ... vierzig ... fünfzig ... sechzig ... siebzig ...«, immer höher schnellten sich die Zahlen, und immer noch standen wir, durch diesen eisigen Ring des Grauens aneinandergekettet. Endlich fand ich die Kraft, wenigstens den Kopf zu wenden und zu ihm hinüberzusehen. Im gleichen Augenblick schaute er zu mir herüber. Ich stieß mitten in seinen Blick. Gnade, Gnade! Nicht mich anzeigen! schienen die kleinen wässerigen Augen zu betteln, die ganze Angst seiner zerpreßten Seele, die Urangst aller Kreatur strömte aus diesen runden Pupillen heraus, und das Bärtchen zitterte mit im Sturm seines Entsetzens. Nur diese aufgerissenen Augen nahm ich deutlich wahr, das Gesicht dahinter war vergangen in einem so unerhörten Ausdruck von Schreck, wie ich ihn niemals vorher und nachher bei einem Menschen wahrgenommen. Ich schämte mich unsagbar, daß jemand so sklavisch, so hündisch zu mir aufblickte, als ob ich Macht hätte über Leben und Tod. Und diese seine Angst erniedrigte mich; verlegen drückte ich den Blick wieder zur Seite.

Er aber hatte verstanden. Er wußte jetzt, daß ich ihn nie und nimmer anzeigen würde; das gab ihm seine Kraft zurück. Mit einem kleinen Ruck bog er seinen Körper von mir fort, ich spürte, daß er sich für immer von mir loslösen wollte. Zuerst lockerte sich unten das angedrängte Knie, dann fühlte mein Arm die angepreßte Wärme vergehen, und plötzlich – mir war, als schwände etwas fort, was zu mir gehörte – stand der Platz neben mir leer. Mit einem Taucherstoß hatte mein Unglücksgefährte das Feld geräumt. Erst atmete ich auf im Gefühl, wieder Luft um mich zu haben. Aber im nächsten Augenblick erschrak ich: der Arme, was wird er jetzt beginnen? Er braucht doch Geld, und ich, ich schulde ihm doch Dank für diese Stunden der Spannung, ich, sein Komplice wider Willen, muß ihm doch helfen! Hastig drängte ich ihm nach. Aber Verhängnis! Der Unglücksvogel mißverstand meinen guten Eifer und fürchtete mich, da er mich von der Ferne des Gangs erspähte. Ehe ich ihm beruhigend zuwinken konnte, flatterte das kanariengelbe Mäntelchen schon die Treppe hinab in die Unerreichbarkeit der menschendurchfluteten Straße, und unvermutet, wie sie begonnen, war meine Lehrstunde zu Ende.

# ANHANG

# Editorische Notiz

Der vorliegenden Auswahl liegt folgende Ausgabe zugrunde: Stefan Zweig: Praterfrühling. Herausgegeben und mit einer Nachbemerkung versehen von Knut Beck. 8. Aufl. Frankfurt am Main: Fischer Taschenbuch Verlag 2000.

*Scharlach:* Erstmals publiziert in ›Österreichische Rundschau‹, Wien, Jg. XV, H. 5, 1. Mai 1908, und H. 6, 15. Juni 1908.

*Praterfrühling:* Erstmals in ›Stimmen der Gegenwart. Monatsschrift für moderne Literatur und Kritik‹, Eberswalde, Jg. 1, H. 7, Oktober 1900, und H. 8, November 1900.

*Zwei Einsame:* Erstmals in ›Stimmen der Gegenwart. Monatsschrift für moderne Literatur und Kritik‹, Eberswalde, Jg. 2, H. 11, November 1901.

*Die Reise in die Vergangenheit:* Teildruck nach einer leicht abweichenden Vorlage u. d. T. ›Fragment aus einer Novelle‹, erstmals in ›Das Buch des Gesamtverbandes schaffender Künstler Österreichs‹, Wien, Jg. 1 (1929). Vollständig erstmals 1987 publiziert unter dem von Zweig erwogenen Titel ›Widerstand der Wirklichkeit‹ im Rahmen der ›Gesammelten Werke in Einzelbänden‹, herausgegeben von Knut Beck, S. Fischer Verlag, Frankfurt am Main. In Frankreich erschien die Erzählung mit großem Erfolg 2008 u. d. T. ›Le voyage dans le passé‹. Der französische Titel bezieht sich auf den ebenfalls von Zweig erwogenen Titel ›Die Reise in die Vergangenheit‹, der für die vorliegende Ausgabe aufgegriffen wurde.

*War er es?:* Der deutsche Originaltext wurde erstmals 1987 publiziert im Rahmen der ›Gesammelten Werke in Einzelbänden‹, herausgegeben von Knut Beck, S. Fischer Verlag, Frankfurt am

Main. In portugiesischer Übersetzung von Odilon Gallotti und Elias Davidovich erstmals u. d. T. ›Seria ele?‹ in: ›As Três Paixões. Três Novelas de Stefan Zweig‹, Rio de Janeiro: Guanabara 1949.

*Ein Mensch, den man nicht vergißt:* Erstmals in englischer Übersetzung u. d. T. ›Anton, Friend of All the World. The Most Unforgettable Character I Ever Met‹ in: ›The Reader's Digest‹, Pleasantville, New York, Bd. 35, Nr. 210, Oktober 1939. Der deutsche Text erschien in: ›Das Beste aus Reader's Digest‹, Stuttgart, H. 1, November 1948.

*Unvermutete Bekanntschaft mit einem Handwerk:* Erstmals in ›Neue Freie Presse‹, Wien, 20. Mai 1934.

# Daten zu Leben und Werk

1881

Am 28. November wird Stefan Zweig als Sohn des (nicht religiösen) jüdischen Textilindustriellen Moritz Zweig und dessen Frau Ida, geb. Brettauer, in Wien geboren.

1891–1899

Besuch des Gymnasiums in Wien.

1900–1904

Studium der Germanistik und Romanistik. Zweig wird 1904 mit der Arbeit *Die Philosophie des Hippolyte Taine* zum Dr. phil. promoviert. Bereits 1901 wird sein von Rainer Maria Rilke und Hugo von Hoffmansthal geprägter, erster Gedichtband, *Silberne Saiten*, veröffentlicht. Übersetzungs- und Herausgebertätigkeiten. 1902 Sommersemester in Berlin, Reise nach Paris. 1904 erscheinen erste Novellen.

1904–1910

Zahlreiche Reisen durch Europa. 1906 Veröffentlichung des Lyrikbandes *Die frühen Kränze*, 1907 des Versdramas *Tersites* (Uraufführung 1908).

1910

Reise nach Indien. Veröffentlichung der ersten Biographie, *Émile Verhaeren*. Bereits seine frühen Bücher erscheinen beim Insel-Verlag des Freundes Anton Kippenberg.

1911

Der Novellenband *Brennendes Geheimnis* wird publiziert, außerdem *Erstes Erlebnis. Vier Geschichten aus Kinderland.*

**1912**

Reise nach Nord- und Mittelamerika. Uraufführungen des Einakters *Der verwandelte Komödiant* und von *Das Haus am Meer*.

**1914–1917**

Zweig verrichtet im Ersten Weltkrieg als Freiwilliger Dienst im Kriegspressequartier. Er wird zum Pazifisten und Mitstreiter Romain Rollands. 1917 wird Zweig zunächst beurlaubt, schließlich seines Dienstes enthoben.

**1917–1919**

Zweig lebt im neutralen Zürich. Hier arbeitet er für die *Neue Freie Presse*. 1918 Uraufführung des Antikriegsdramas *Jeremias* in Zürich. Zweig lernt Hesse, Joyce und Busoni kennen.

**1919–1934**

Nach dem Krieg Rückkehr nach Österreich, Wohnsitz in Salzburg. Öffentliches Eintreten für Diplomatie und ein geistig geeintes Europa und gegen Radikalisierung und Nationalismus.

**1920**

Hochzeit mit Friderike Maria von Winternitz. Ab 1920 Veröffentlichung zahlreicher Erzählungen (u. a. *Angst*, *Der Flüchtling*, *Der Zwang*). Zweig verfasst den ersten Band der Essayreihe *Die Baumeister der Welt: Drei Meister* (Balzac, Dickens, Dostojewski).

**1921**

Erscheinen der *Romain Rolland*-Biographie.

**1922**

Mit *Amok. Novellen einer Leidenschaft* erscheint ein weiterer Novellenband.

1925

Zweiter Band der *Baumeister: Der Kampf mit dem Dämon* (Hölderlin, Kleist, Nietzsche).

1926

Zweig bearbeitet Ben Jonsons *Volpone* und erringt damit großen Erfolg auf der Bühne. Auch der Novellenband *Verwirrung der Gefühle* erhält reichlich Anerkennung und verkauft sich hervorragend.

1927

Erstausgabe der *Sternstunden der Menschheit* (als Teilsammlung von fünf historischen Miniaturen).

1928

Gemeinsam mit Alexander Lernet-Holenia Verfassen der Komödie *Quiproquo* (später *Gelegenheit macht Liebe*). Der letzte *Baumeister*-Band *Drei Dichter ihres Lebens* (Casanova, Stendhal, Tolstoi) erscheint. Auf Einladung anlässlich von Leo Tolstois 100. Geburtstag Reise in die Sowjetunion. Von 1928 bis 1930 erscheint auf Maxim Gorkis Vermittlung hin eine erste Zweig'sche Gesamtausgabe auf Russisch.

1929

Die Biographie *Jospeh Fouché* und die Tragikomödie *Das Lamm der Armen* erscheinen.

1930

Am 15. März gleichzeitige Uraufführung von *Das Lamm der Armen* in Breslau, Hannover, Lübeck und Prag.

1931

Veröffentlichung von *Marie Antoinette*.

**1933**
Bei den Bücherverbrennungen am 10. Mai in Berlin werden auch Zweigs Bücher Opfer der Flammen.

**1934**
Emigration nach London. Trennung vom Insel-Verlag.

**1935**
Publikation der Biographie *Maria Stuart*. Für Richard Strauss verfasst Zweig das Libretto zu *Die schweigsame Frau*.

**1936**
Beschlagnahmung und Verkaufsverbot von Zweigs Büchern durch das nationalsozialistische Regime. Reisen nach Brasilien und Argentinien. *Castellio gegen Calvin oder Ein Gewissen gegen die Gewalt* erscheint in Wien.

**1938**
Mit seiner Sekretärin Lotte Altmann reist Zweig nach Portugal. Die Biographie *Magellan* erscheint. Am 24. Dezember lassen sich Zweig und von Winternitz scheiden. Vortragsreise in die USA.

**1939**
Am 6. September heiratet Zweig Lotte Altmann. Erscheinen von *Ungeduld des Herzens*.

**1940**
Zweig erhält die englische Staatsbürgerschaft. Mit Lotte Altmann Ausreise über New York nach Südamerika.

**1941**
Übersiedlung nach Petrópolis, Brasilien. Entstehen der *Schachnovelle* und der Autobiographie *Die Welt von gestern*, Veröffentlichung von *Brasilien. Ein Land der Zukunft*.

1942

Die *Schachnovelle* erscheint. Am 22. Februar gemeinsam mit Lotte Altmann Freitod in Petrópolis. Postum wird 1944 *Die Welt von gestern*, 1946 die fragmentarische Biographie *Balzac* veröffentlicht.